第七巻　メディアとしての芸術——漫画・デザイン・写真・映像

中原佑介美術批評　選集

現代企画室＋BankART1929

ロバート・ラウシェンバーグ《Features from Currents 58》1970 年
紙にシルクスクリーン　88.9 x 88.9 cm（シート　101.6 x 101.6 cm）　ニューヨーク近代美術館蔵

ヒロシマの声を世界へ!
第5回原水爆禁止世界大会—8月5—7日/広島●原水爆禁止日本協議会

粟津潔、杉浦康平［デザイン］《ヒロシマの声を世界へ！／第 5 回原水爆禁止世界大会／広島／原水爆禁止日本協議会》
1959 年
ポスター（紙にシルクスクリーン） 72.8 x 103.0 cm　金沢 21 世紀美術館蔵

目次

第一章 メディアと芸術

テレビにおける美術 007
テレビにおけるアニメーション 015
芸術家の決断 テレビの記録性について 023
芸術と非芸術について マス・コミュニケーションを中心に 033
イメージの所有について 041
触覚の復権 055
記憶と記録についての小論 067

第二章 漫画論

青カビの合唱 日本の漫画 085
声なき肉体 漫画からアンチ漫画へ 113

第三章

デザインについて

一九五八・二科展商業美術部評 123
宣伝と美術の分裂　日宣美展'58の問題点 129
第九回「日宣美展」評　「ことば」と「イメージ」の問題を中心に 133
デザイナーとは何か　デザインをめぐる諸考察 143
無用のデザインを　ペルソナ展をみて 159
「転移」の思想　ソットサスのデザイン 167
印刷美術について 173
引出し論　倉俣史朗の家具 179
八〇年代のイラストレーション 191

第四章

写真論

度のあわないめがね　ザ・ファミリー・オブ・マン写真展 199
予感としての写真 205
「剰余」としての写真 213
コンセプト・フォト断章 219

現代美術と写真の交錯 225
プライベート・フォトの意味するもの 「わが家のこの一枚」をみて 237
写真への考古学的関心 関心を薄くする美学主義 241

第五章 映画・映像論

映画の「第四次元」 247
アニメーション映画の可能性 261
色彩に重ねた作者の思想 《赤い砂漠》と色彩 269
時間の拡張と映像の凋落 279
「見る」ことへの過激性 ジガ・ヴェルトフ論 295

解題（加治屋健司／粟田大輔） 309

本巻は、メディア環境や技術の変化にともない領域を拡張していく芸術について論じたテキストをまとめた。第一章には一九五〇年代に書かれたテレビ論をはじめメディアや複製技術と芸術の問題一般を論じたテキストを、続く各章にはそれぞれ漫画、デザイン、写真、映画・映像について論じたテキストを収録した。

凡例

・それぞれの論文は初出を底本とし、表記も底本に倣った。ただし、書籍への再録も適宜参照し、註の補充、書籍収録にあたって必要な修正などは再録に倣った。
・脚註は、中原による原註を（n）、本選集編纂にあたっての編註を（編n）で示した。原註の書誌は表記を統一し、適宜補足した。編註は、引用されている文献の書誌と展覧会などの概要（会期、会場）を中心に記載した。翻訳書について、美術関連の本は原書の書誌も可能な限り補った。その他については、翻訳書の表記にしたがって原書を記載した。
・カッコやダーシなどの約物は統一した。
・引用文中の〔 〕は著者（中原）による補足を示す。
・本文と原註中の［ ］は本選集編集部による補足を示す。
・出典は雑誌掲載論文については論文名、雑誌名、巻号数、発行年、書籍については編著者名、書名、出版社、発行年の順で整理した。
・人名と外来語の日本語表記については、最新のものを採用した。
・明らかな誤字脱字は訂正した。
・掲載した図版の出典は巻末にまとめた。

第一章　メディアと芸術

テレビにおける美術

テレビについて論じられるとき、それに対置されるもの、あるいは対比されるものとして、しばしば登場させられるものに映画がある。たとえば、この「テレビジョン今日の課題」というシリーズの冒頭で、「中継とルポルタージュ」というテーマについてかいた柾木恭介(編1)も、映画とテレビを対比し、中継ものとかルポものの中にこそテレビ独自の表現の可能性がある筈だが、すくなくとも現状は、「動く写真」として出発した映画が、その初期のころには、演劇の模写的実写でしかなかったと同様に、テレビのそれらも現象を追うだけの実写の段階にとどまっていると指摘した。たしかに、「映像」によるコミュニケーションという点からみれば、テレビと映画にはかなりの共通性があるのであり、それだからこそ、テレビの独自性の追求ということに、もっともおおきな「今日の課題」があるという見解には、わたしもまったく異論がない。

しかし、テレビの独自性ということをかんがえるならば、テレビに対置するものとしてわたしが登場させたくおもうのは、映画でなく、むしろ、ラジオ放送なのである。そのほうが、どうもアクチュアリティがあるような気がするのだ。もっとも、テレビ対ラジオという問題も、そんなにあたらしいものでもないらしい。た

初出『キネマ旬報』第二二五号（一九五九年二月特別号）、一七八—一七九頁。シリーズ「テレビジョン今日の課題」の第七回として発表された文章。

編1　柾木恭介「中継とルポルタージュ（テレビジョン今日の課題・1）」『キネマ旬報』第二一五号（一九五八年一〇月上旬）、一七六—一七七頁

とえば、加藤秀俊は「ラジオ対テレビ」(編2)という一文のなかで、マス・メディアとして、ラジオとテレビをめぐるさまざまの問題を列記したのち「このふたつのメディアの性格の比較は、たとえば「ラジオはテレビの乳牛である」とか「ラジオは機関銃、テレビはさしずめ戦車」とか、いろいろのタトエで語られるが、いずれにせよ、テレビのおかげでラジオは滅亡する、といった調子の素朴な悲観論は今日ではすでに通用しなくなってきている。ラジオとテレビのあいだにはたしかに抗争関係はあるし、テレビによってラジオが影響をうけていることも事実である。だが、それと同時にこの抗争関係は、ラジオのあらたな機能をはっきりさせるという建設的側面をも持っていたのであった」とかいている。しかし、わたしが、ここで、既にかたがすっかりついてしまったようにみえるテレビ対ラジオの問題を再び提出しようとするのは、メディアとしての抗争という観点とかラジオの滅亡にたいするペシミズムなんかからではまったくない。第一にラジオもテレビもマス・コミであると同時に、電子メディア(?)による「ジャーナリズム」の双生児だというところに、共通性ばかしをみて、双生児どころか、敵対しなければならないことを不問にすることに反対だからであり、また、映画が「動く写真」としてはじまったのに対し、テレビはラジオ放送による聴覚オンリーのコミュニケーションに視覚化をもたらしたというところに、その本質をみとめるからだ。つまり、ラジオの立体化こそ、テレビの本質ではないか。安部公房は、その「映画俳優論」(編3)のなかで、サイレント映画にたいするトーキーの出現は、トーキー反革命とでもいうべきものであったと断定しているとおり、映画における聴覚化は、そのなかにかえって映画の独自性をゆがめ

編2　加藤秀俊「新たなメディアの展開(特集・ラジオ対テレビ)」『放送朝日』第五〇号(一九五八年七月)、九―一九頁

編3　安部公房「映画俳優」野間宏ほか『文学的映画論』中央公論社、一九五七年、九九―一三一頁。のちに「映画俳優論――その誇るべき、悪名高き『アメリカ的演技』の伝統」と改題し、安部公房『猛獣の心に計算器の手を』(平凡社、一九五七年)に再録

てしまう要素を含んでいたのにたいし、ラジオ放送を視覚化したテレビは、文字通り、テレビ革命ともいうべきものであって、テレビの現状にたいするわたしの不満は、テレビが依然として聴覚的（ラジオ的）部分にもたれかかりすぎて、テレビ革命を断固として押しすすめることなく、ときには、ラジオ放送による音声的要素となれ合っているという点にかかっている。だから、わたしは、テレビの独自性追求の足がかりは、テレビがラジオの立体化のままに安住したり、聴覚的部分と妥協することなく、それを敵対視して、テレビのなかに止揚してしまうということを目論むところにあるとおもう。独自性確立のための敵は映画でなく、ラジオのほうにあるのだとおもう。

聴視者のデーターにも歴然とあらわれているということだが、わたしもまたテレビを見るようになってから、ラジオを聴く時間が減少した。そして、テレビがいまだ、ラジオ放送の単純な視覚化であり過ぎることを痛感しないわけにはゆかなかった。双生児というわけで持ちつ持たれつというぐあいらしいが、結局、それによって、ラジオも、テレビも、各々がそれらのメディアでしか表現、伝達し得ないものに扉を閉ざしてしまっているのである。

わたしにあたえられたテーマは「テレビにおける美術」だが、以上にのべたような次第で、テレビでみられる人形をつかったもの、動画、アニメーション、マンガなどは、それがかなり陳腐なものであっても、ラジオでは絶対に表現できないものという意味で、つよい関心をよびおこすのに充分なのである。そして、逆にまた、関心をもち興味を感じているだけに、その陳腐さには許しがたいものを感じるというわけだ。これらのものが比較的豊富にみられるのは、なにかといえば絵ハガキのような風景写真を持ちだすNHKTVでなく、KRTV［ラジオ東京テレビ、現在のTBS］、NTV［日本テレビ］のようなCM放送であることはいうまでもないが、この、せっかくテレビの独壇場とでもいうべき、こうした方法すら、例の聴覚的部分によりかかりすぎて、別段、ラジオでもいいのだが、テレビもあるからねえといったぐあいで、動くということを最低限にしか使用していないといってもいいほどだとおもう。ここでも、対ラジオ革命は回避され、共存共栄でゆきましょうという手口がみられるのである。そして、共栄でなく、結局はテレビはラジオ的要素に従属してしまっている。

さて、「テレビにおける美術」ということで、まずクローズ・アップされるのは、タイトル・デザインだろう。タイトル・デザインが片手間の仕事でなく、デザインの有力な分野であるという自覚がたかまってきたのは、ようやく昨年あたりからだとおもう。たとえば、昨年の日宣美展が、その一部門としてテレビ・デザインを加えたり、また街のある画廊で、KRTVの美術部のメンバー三人が、「テレビ・コマーシャル・デザイン展」をひらいたことなども、そのあらわれのひとつとみていい。テレビ・デザインの確立は、質的向上というようなことよりも、まず、テレビが聴覚的放送の単純な視覚化という段階を超えて、視覚的表現に徹することを意味するからである。

テレビのタイトル・デザイン、あるいはCMデザインは、他の種類のメディア、たとえばポスター、新聞、雑誌、あるいは、映画のタイトル・バックに比して、いちぢるしくおくれているとおもう。ひとつにはメディアとしての優位性に安住しているということと、ふたつには、デザインとしての陳腐さでなく、テレビ・デザインとしての不徹底さからきている。その不徹底さを不徹底さとして許容している理由の大半は、やはり、聴覚的部分にたいする依存ということにあるのである。つまり、テレビ・デザインの確立は、対ラジオ革命を遂行する原動力のひとつだといってもいい。それは副次的なものではなく、本質的なものだと、わたしはおもうのである。だから、テレビ・デザインにさしたる熱意のないふうにみえるＮＨＫは、ラジオ放送的要素との妥協が、もっともつよいといえるわけだ。そこでは、デザインは、せいぜい背景でしかなく、空隙をうずめるものでしかないのである。そして、主役は常に耳できく音声ということになってしまっている。

そういう意味で、わたしはテレビ・デザイン評の確立が必要だとおもう。くりかえすまでもなく、それは、単にデザインの分野をひろげるということからばかりでなく、テレビによる表現の独自性を追求するという意味あいで必要なことなのである。

ＫＲＴＶとかＮＴＶのＣＭ放送にみられるタイトル・デザイン、あるいは、動画とかアニメーションでは、ほとんどパターンが限られてしまっていて、おそろしく創意にとぼしいということを、まず感じないわけにゆかない。これも、むろん、眼より耳にウェイトがおかれていることの反映だとおもうのだが、ほとんどのばあい、タイトルが溶解、変形して絵になったり、逆に絵が変形してタイトルになるというケースがみられる。このなかで秀逸なのは、ニッカウキスキーの小熊がならんでいて、それが文字にかわる例だとか、名前は忘れたが、万年筆から、字がとびだすといったもので簡潔で、しかも、充分視覚的訴求力のつよいデザインになっていたとおもう。これは、ＫＲＴＶ、ＮＴＶを問わないが、ステーション・ブレイクのデザインは、愚劣、陳腐の見本みたいなもので、あれがでるたびに、テレビをみる意欲を吸いとられてしまうおもいがする。

わかり切った話だが、視覚的デザインは、音声とまったく無関係なものだ。そして、聴覚的要素に従属してしまったところでは、ただ、デザインを幻燈ふうにうつしだしたというに過ぎないばあいがおおい。テレビが視聴覚を綜合したメディアだといっても、まず、対ラジオ革命に徹して、視覚と聴覚の綜合化されたデザインの可能性を追求しない限り、問題にならないとおもう。現状は、すくなくとも、視覚と聴覚の分離の度合ということからみれば、紙芝居のようなものだといってもいいすぎでないだろう。

イメージのこらないテレビ・デザイン、というのが現状だとおもう。そして、テレビは訴求力、ラジオはくり返し、というところにおのおのの特質があるということがいわれたりするが、残念ながら、テレビもまたくりかえしによって、その特質らしいものを形成しているのが、テレビ・デザインの今日のすがたのようにわたしにはおもわれるのだ。小泉明治郎が「デザインからみたテレビ広告の実際」(編4)のなかで、「ポスター・新聞・雑誌・看板等の広告は見ようと思えば何分何十分でも任意である。限定がない。また何回でも繰り返して読まれるが、テレビの場合はごく短時間(長くて十秒)に消滅し、再び現われないという本質的な相違がある」とい

編4　小泉明治郎「デザインからみたテレビ広告の実際」『電通調査と技術』第四六号(一九五七年二月)、一一三―一二三頁

う、至極もっともな話から、テレビにおけるデザインのありかたを論じているが、わたしは現状とみくらべて、それはあまりにもミクロスコピックなみかたのような気がした。ＣＭ放送のデザインは、もっぱら反覆を原則としているふうではないか。したがって、そこでは音声というラジオ的要素によるくりかえしと、新聞・雑誌的くりかえしとが、みごとに握手しているのだが、かんじんのテレビの独自性はどこかへいってしまっているのである。

　というわけで、わたしは、中継やルポもさることながら、テレビにおけるデザインのありさまを、もっぱらテレビ的なものの尺度としてみたいわけだ。

　テレビは、いわゆる芸術における綜合的ジャンルのひとつだが、綜合どころか加え算という原則がつらぬいている。そして、その綜合のモメントは、「きかせもの」ということでなく「みせもの」という精神だとおもう。つまり、テレビ・デザイナーは、デザイナーの一種でなく、デザインというなわばりから脱却するところからはじまる仕事ではあるまいか。

　わたしが、映画を対比、対置させずに、ラジオを敵としたいというのは、その聴覚的部分を否定、止揚して、綜合化を完成するところにその意義をみいだしたいからだ。

　映画との差別は、それでなければ、問題にならないとおもう。

テレビにおけるアニメーション

ＮＴＶで毎夜九時一一分から放送されている「漫画ニュース」は、わたしがかなり興味をいだいている番組のひとつだ。これなどテレビの独自性ということからみれば、その要素をもっともおおくふくむものだといっていいとおもう。漫画家集団の連中が交替して担当し、毎日のできごとから選びだしたトピック・ニュースをマンガ化してしめすものだが、わたしは、まずその表現のスタイルに魅せられてしまった。動画でなく、切紙によってつくられたさまざまな、その日の登場人物をギクシャク動かし、それに、駒撮り、駒落しなどのテクニックをつかった線描をミックスして構成したもので、単純といえば単純だが、アニメーションでないマンガ的表現のひとつのゆきかたをひらくものとして注目していい。

この番組は第一に「ニュース」であるという、まさにこの点で放送ジャーナリズムと切りはなしては存在し得ないものであり、第二に、その「マンガ」的表現という点で、非ラジオ的――つまりテレビでなければ表現し得ないものという本質をもっている。この二つの因子を通じて、ジャーナルなものと、視覚的な独自の表現の綜合というテレビの固有性と結びついているのである。おおげさにいえば、映画にも、ラジオにも包含し得ないものを、それぞれのジャンルを踏み台にして成立し

初出『キネマ旬報』第二二六号（一九五九年二月下旬）、一二〇―一二一頁。シリーズ「テレビジョン今日の課題」の第八回として発表された文章。

ているといってもいい。

という次第で、はなはだ興味ぶかい番組なのだが、しかし、それだけに失望、落胆の度合もまたおおきいのだ。一言にしていえば、なるほど、「漫画ニュース」にはたしかに「ニュース」があるし、例の奇抜な「マンガ」も充分眼をひきつけるものとして存在している。そして、それらが綜合されているといいたいところだが、現状は混合といったところなのである。表現のスタイルの奇抜さにくらべると、内容はもっぱら切紙によるマンガ化のおもしろさしかないとおもう。新聞とか週刊誌にみられる時事マンガのおおくのものと同様、ニュースのマンガ的説明でしかないものが多く、マンガを通してみる担当者のクリティシズムは、とんと稀薄なのである。どちらかといえば、マンガによるニュース解説といった傾向がつよいのだ。せんだって、（小林治雄が担当したものだったとおもうが）陣笠スタイルの自民党代議士の切紙人形を束にしてあつめ、それに絵具かなにかをたっぷりぶっかけて、棒でグルグル攪乱し、さて骨のあるのはというわけで、ひとつひとつピンセットでつまみだしてはポイポイ捨てるというアイディアのものがあったが、これなど、ここ数日みたなかでは、作者のクリティシズムが奇抜な表現とむすびついて、印象にのこる作品になっていた。これはもう誰だったかおぼえていないが、南極大陸に生存していた「タロ」と「ジロ」をとりあつかったときには、作者のほうがすっかりのぼせあがった気配で、「マンガ」も何もあったものではなかった。つまり、「マンガ家」でなく、「報道マン」になってしまっているひとがおお過ぎるのである。

しかし、それにしても、マンガにおけるアクチュアリティという課題は、新聞とか週刊誌における時事マンガなどよりも、こうしたテレビにおける「マンガニュース」などにおいて、よりシャープなかたちで浮かびあがってくるのだとおもう。テレビ用のマンガなどといったものはないだろう。そして、わたしは、テレビの独自性によって、逆に時事マンガが、その本質としてもっているはずのアクチュアリティとナンセンスなものの結びつきに対決せざるを得ないということに興味をみいだすものだ。政治マンガがジャーナリズムと切りはなしてはありえないことをもっともはやく、芸術の課題として自覚し、それを新聞にみいだして実行したのはドーミエだとおもうが、いま、テレビがそれに替わって、マンガをゆさぶっているのである。テレビにおける時事マンガの問題ということでなく、マンガそのものの問題が、テレビに集約されてあらわれているのだとおもう。

マンガといえば、NHKTV、KRTVにも、夕方のセミ・レギュラー番組として、たいていは外国のものだが、マンガの短編映画を映している。お粗末で何ともいいようのないものである。コドモを対象にしたものかもしれないが、それには、途方もない空想によるおもしろさもなければ、徹底したバカバカしさといったものもみあたらない。こうしたマンガは、マンガだからでなく、マンガとして有害無益なのだというべきだとおもう。わたしは、道徳教育家でないから、コドモの代弁者みたいな顔つきをして、こうしたコウトウムケイでもなく、またおもしろおかしくもないマンガこそ、無害にして有益だなどと安心できる心境にない。わたしには、それは、どうもテレビがマス・メディアであるということの上にのっかった時間埋め番組の見本のようにみえるくらいだ。

日本テレビ「漫画ニュース」の一コマ

テレビで放送されるアニメーション映画は、たいていフィルムを通じておくられるものだから、マンガ映画という点では、両者とも共通であって、とくに、テレビにおけるアニメーションということを区別するものはみあたらないかもしれない。したがって、とくにテレビでみられるマンガが、愚劣だというつもりはない。先号のこの欄で、わたしはテレビが表現の課題として対決すべきものは、映画とか演劇よりも、むしろラジオ的要素なのだとかいたが、ここでもまたそうおもう。聴覚プラス映像ということに安住しているかぎり、マンガはつねにテレビの穴うめであって、表現の追求が捨て去られてしまう。マンガに関するかぎり、映画とかテレビというジャンルの区分けより、まずそうしたジャンルの枠を超えることが必要なのだとおもう。わたしは、マンガとか人形劇を、反ラジオ革命の強力な武器として、テレビのなかの有力な番組だとかんがえないわけにゆかないからである。

先々号だったかこの欄で、長谷川龍生がCM放送にたいする批評の確立を主張し、単に表面的な批評でなく、CM放送のばあい、商社の営業政策とどう関係しているのか、それはどうプラスし、いかにマイナスしているかというところまで掘り下げなければ、社会批評としてのテレビ評は確立されないといった意味のことをかいていた。[編1] テレビのCM放送批評としてもっともな意見だとおもうが、さしあたって、これはこの前にもすこし触れたことだが、CM放送のアニメーションの陳腐さを一撃しておくことも必要だとおもう。たとえば、CM放送のアニメーションは陳腐だからもっと質的向上をはからねばならないといってもそれがその商社の営業にとってプラスになるかマイナスになるかはわからない。しかし、テレビとい

トリスウイスキー（寿屋）のテレビコマーシャル

編1　長谷川龍生「テレビにおける大衆芸能の変革（テレビジョン今日の課題・6）」『キネマ旬報』第二二二号（一九五九年一月上旬）、一八八―一八九頁

うマス・メディアがあり、それが、われわれのみる映像を通して、ひとつの従来にないイメージの世界をくりひろげつつあるという、まさにこうした意味の社会的立場からだけでも、そのアニメーションを問題にすることは、充分アクチュアルなことだとおもう。かつて（もっとも現在もだが）、ポスターが、新しいヴィジョンの世界をきりひらいたように、テレビもまた、ちがったヴィジョンの世界をつくりつつある。どっちみち、ＣＭ放送だといってしまえば、それまでだが、こうした機能をもった表現こそ、潜在的にわれわれのヴィジョンの世界を形成してしまうことがつよいのだとおもう。これまた、現状ではテレビの独自性を包含するものということになるだろう。

わたしは、こんご、アニメーションといえば、テレビの独壇場ということになるのではないかという気がする。これは、むろん、マンガ映画はボウ大な費用を要するに比し、テレビでは比較的すくなくてすむとか、あるいは《珍説世界映画史の巻》の作者ジョン・ハラスがいうように「テレビの技術的条件は動画には非常に都合よく出来ている。小型のスクリーンと、背景と前景を共に扁平且つ単純に保っておく必要とは完全に動画の領分に入る。その上、金のある国の動画スタジオが採用している様な大規模な流れ作業の代りに、テレビ映画は極く小規模に取り扱われ、従って、最初のアイディアをそのまゝの形で取入れる事も可能なのである」(編2)という、テレビの技術的条件のせいばかりではない。

マンガに関するかぎり、マンガ「映画」的ということはさして重要なことではない。マンガであるということがすべてであって、そこではテレビを映画と区別する

編2　ジョン・ハラス「笑のためでなく——動画の一つの機能」小山秀子訳、『世界映画資料』第六号（一九五八年四月）、三三—三五頁

必要を認めないからである。

現在のテレビ放送にみられるアニメーションのパターン化は、どうもこれとは逆に、映画よりもテレビのほうがイージーだということの上に立ったことの結果だろうとおもう。つまり、区別することによって、逆に不毛を招いているといっていいのである。ラジオとの妥協は、どこまでも悪影響をふりまいて、ついてまわるものらしい。

ＣＭ放送のアニメーションでは、寿屋のもの、岡部冬彦のベビー・ギャングの登場するものなどのスポット・アナウンスメントに秀逸なものがみられないでもないが、おおくは、動くポスターをでない。前者は、アニメーションだけ、後者はドラマチックなエピソードふうのものだが、現状のＣＭ放送のなかではアイディアがすぐれていて注目できるものだ。もっとも、寿屋の、ウィスキーを飲むにしたがって、顔面が次第に上方に向って赤くなってゆくのは、フランスの「デュポネ」の広告をマンガ化したホンヤク版とみられなくもない。

わたしは、いま、動くポスター式のものがおおいといったが、これは、案外次のようなことに原因があるのかもしれない。かつて、柾木恭介が、テレビを非芸術だとして横目でにらむ良識派を嘲罵していた(編3)が、どうやら、視聴者よりも、そうした高踏派にとり入ってゲイジュツづいているのはテレビのほうではあるまいか。せっかくのこのあたらしいジャンルが、既成の芸術観にとり入って、パターナイズされつつあるのが現状だと、わたしはおもう。かつては広用芸術として一段とひくくみられていたポスターが、最近では（広用芸術とみるひとは相かわらず多いかもし

編3　柾木恭介「中継とルポルタージュ（テレビジョン今日の課題・1）」『キネマ旬報』第二一五号（一九五八年一〇月上旬）、一七六―一七七頁

れないが）デザイン界に君臨するようになった権威を拝借して、テレビのアニメーションも、ゲイジュツづき、かえって、つまらないのである。

ＣＭ放送のみならず、アニメーション冷遇（ほんとうは、持ちあげすぎて、かえって陥し入れるという事態になっているのだが）の状況をくつがえすのも、敵をラジオに見出して、視覚ということに注視すべきだとおもう。

くり返すまでもなく、わたしはジャンルの交替をいっているのではない。テレビの可能性をひろげることをいっているのにすぎないのである。

芸術家の決断

テレビの記録性について

三ヵ月あまりヨーロッパに潜在していたあいだ、考えてみると、テレビというものをほとんど見なかった。別段、ふしぎでも何でもないことのようである。見る機会がなかったといってしまえば、それまでのことだからである。たとえば、一旅行客でしかないわたしには、気の向いたときに、気軽にスウィッチをひねることができるような近いところに、受像機があるという好都合さに欠けていたということもある。こういう点では、テレビは、便利であるとともに、たいへん不便さを伴っているということができるだろう。しかし、まったく見なかったわけではない。ポーランドのワルシャワでも、クラクフでも、ホテルの談話室には、備えつけのテレビがあり、いつも、その前には、単に泊まり客ばかりでなく——いや、むしろ、泊まり客よりポーランドのひとのほうが多いというのが通常であったが、数人あるいは十数人のひとだかりがしていた。そして、わたしは、それで、オリンピックの中継を見、民族舞踏の舞台中継か何かと、それに、新刊紹介アワーというのと現代ドラマらしいものを見たことがある。あるいは、ローマでは、パンションのなかに、ミラノでは、泊まっていた場所のとなりのキャフェにテレビがあり、その前に、ひとだかりがして、映画かなにかをやっているのに二度ほどぶつかったことがあった。

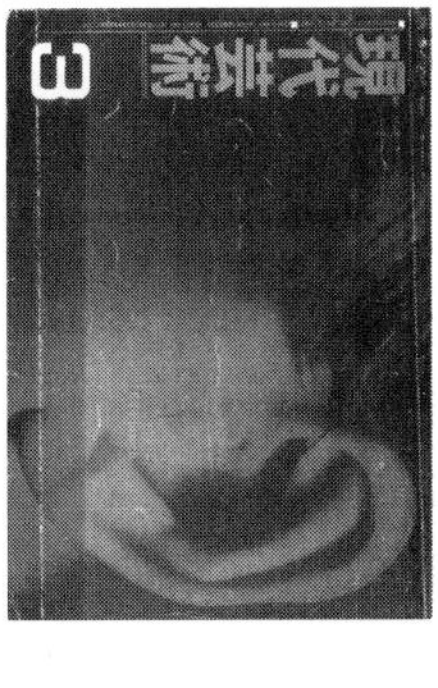

初出『現代芸術』第二巻三号（一九六一年三月）、一〇一―一五頁。のちに『見ることの神話』（フィルムアート社、一九七二年）に再録された。

それらは、準公衆の場所といってもいいものだから、たとえば、新聞のテレビ欄を見て——それに、イタリアでは「今週のローマ」、パリでは「今週のパリ」というツーリスト向きの薄手な催しものの週刊ガイドがあり、それには、御丁寧に、その週のテレビ案内まで印刷されているのだから、それを見て、テレビの前までゆくことだってできたわけである。

　しかし、わたしはそうしなかった。パリでは、テレビより映画のほうに食指が動いた。キャフェのテレビに釘づけにされるよりは、たとえばシネマテークに通うことを選んだし、あるいは《マック・セネットに捧げるオマージュ》と銘うたれた、アメリカの初期のドタバタ喜劇を集めたものを見ることのほうを実行した。また、ウィーンでは、映画館を探しまわったあげく、ドキュメンタリー《わが闘争》（エルヴィン・ライザー監督、一九六〇年）を見ることのほうに、欲求をそそられた。むろん、こういったことは、一私事にすぎない。テレビを見まいが、あるいは映画を見ようが、たいしたことではない。まったくのところ、事実としては、とりたてていうほどのこともないような気もする。しかし、帰ってきて、再びテレビを見るようになって、何となく釈然としない気がしてきた。旅行というのは、わたしにとって、いわば非日常的な体験である。したがって、そういう特殊な状況での経験と、現在とを同じレヴェルの上に置いて比較し、それをやみくもに一般化するのは、いささか早計のそしりをまぬがれないことは、承知しないわけではない。しかし、テレビ映画の占める比率が、旅行中と現在ではさかさになったということが、もっとものようで、どことなく変な気もする。先ほどいった、手っとり早く見るわけにゆかな

ウィーンで上映されたドキュメンタリー《わが闘争（原題：*Den Blodiga tiden*）》（エルヴィン・ライザー監督、スウェーデン／西ドイツ、一九六〇年）のパンフレット。

かったというのも、その理由のひとつに教えられるだろう。あるいは、ことばがスムーズに理解されないから、ということもあるかもしれない。しかし、この点に関しては、映画とテレビとのあいだに、そうちがいがあろうとは思われないから、理由としては薄弱のようである。

「テレビは、家庭内に侵入することによって、個人に分解されていた家族を居間に集結させ、彼らの余暇をそこに釘づけすることによって、家庭生活の団欒を復活した。これは逆に、テレビの性格に反作用して、その画きだすイメージをきわめて家庭的なものに限定していった」(1)。これは、たまたま、川添登の書いた『建築の滅亡』という本のなかから引用したことばだが、テレビ=茶の間論というのは、多くのひとによって、しばしば持ちだされることであって、特別、異とするに足りない。この論拠にしたがえば、一旅行者は、家庭生活からはみだすものであり、逆に、他の家庭的団欒に、そんなに簡単に溶解されてしまうことができないため、テレビから遠去からざるをえないということになって、こんなことに頭をひねることがどうかしていることになる。それは、至極当然というほかないことだからである。たしかに、テレビ=茶の間論には一理ある。たとえば、映画館では、そういう連帯的な雰囲気を必要としない。したがって、《わが闘争》を見ている最中、うしろにいたオーストリアのハイティーンらしい男女の群れが、ヒットラーの演説する場面が登場するたびに、声をたてて笑うことがあっても、それで映画館全体が哄笑に包まれてしまうということはない。苦虫をかみつぶしたような表情の紳士もいるといったぐあいである。

1　川添登『建築の滅亡』現代思潮社、一九六〇年、九一―九二頁

しかし、わたしは思うのだが、テレビ＝茶の間論では律しきれないものが、テレビにはある。テレビが映画の発展——単に見るありかたを変えてしまったということ以上に、テレビには映画にはないというより、映画にもあるが、それより濃厚にもっているひとつの性質があるように思う。それは、テレビの受け手のもっている、ある共通性のようなものを、大前提としていることではないか。この共通性というのは、さまざまな要素がからみ合っている。たとえば、受け手のおかれている現実の特殊性、また、たとえば、その民族のもっている表現様式の特殊性——これらは、家庭という単位を超えたものであって、映画は個人、テレビは家族というような通念とまったく別のことがらである。前者はラジオとオーヴァー・ラップしているが、それとは別個のものであるし、後者は映画と重なり合うものだが、それですべてであるわけではない。

わたしが、旅行中、テレビになじみにくかったのは、この受け手の共通性のもつ特殊性から、はじき出されるような気がしたことのほうが大きな理由のようである。オリンピックのような国際競技の中継は、プログラムの内容自体の国際性によって、こういう理由はいくぶん軽減されることはいうまでもない。しかし、テレビの前にあつまっているひとびとが、ポーランド選手の活躍に一喜一憂し、そのたびに、どよめいたり、手を叩いたりする雰囲気は、わたしにとって、もはや一旅行客であることを自覚させるに十分なのである。そのばあい、わたしはテレビのブラウン管を見ているというより、テレビと、それを見ているある共通の関心に結ばれた一群のひとびととの複合された組み合わせを見ているにすぎない。つまり、テレビは家庭団欒のコアになるというより、テレビを見ているひとびとと、たとえばわたしが、ある種の共通性をもっているということで成り立っている。その共通性からはじきだされるや否や、まったく味気ないというほかなくなってしまう。したがって、浦松佐美太郎氏のように、茶の間論に固執して、茶の間向きのドラマを問うようなひとは、テレビによって、あるいはテレビの側から、家族の結びつきをこわさないようなものだけを送るべしといっているだけで、こういう共通性のほうは、あずかり知らぬということを告白しているにすぎないのである。

こういうテレビの大前提は、受け手が見ようと見まいと、電波を送りつづけなければならないという、テレビのコミュニケーションの独自性に依存していることはいうまでもない。そして、このことから、テレビが総合芸術としてもつ、映画とのちがった断面があらわれてくる。映画が総合芸術だといわれるのは、今さらいうまでもなく、写真、美術、音楽、演劇などのさまざまのジャンルを、ひとつのジャンルにとり入れて総合したものだ、ということによっている。テレビにも、むろん、これとほぼ同じ事情は考えられるだろう。たとえば、テレビ・ドラマのなかには、いろいろのジャンルが流れ込んでいることも、これまた、ことあたらしくいうまでもない。しかし、テレビには、映画のように、ひとつの空間のなかに、各ジャンルの要素をたたき込んだということの他に、時間的な経過による寄せ算的総合という側面がある。

たとえば、それをいいかえて、ヴァラエティによる特殊性といってもいい。新聞のテレビ欄に目を通せば、このことは一目瞭然であろう。ニュースから、スポーツ中継、ドラマ、それも、メロドラマ、推理劇、アクションもの映画、漫画、演芸、対談、クイズ、舞台中継、歌謡、ジャズ、ミュージカル・ショー……あげてゆけばきりがない。現代芸術のジャンルの細分化というのは、もはや耳にタコができるくらいいわれていることだが、たしかに、これだけのものを個々ばらばらに、見にいったり聞きにいったりするのは不可能にちかい。むろん、こうした番組系列によるヴァラエティによって、これら各種のジャンルが統合されたわけではない。そして、それらがテレビを媒介にすることによって、「テレビによる」という肩書きがつくのはいうまでもない。しかし、まさにその事実によって、テレビは、視聴覚の百科催し館になっているのである。この百科催し館は、細分化したジャンルに強力な変更の力をくわえることには必ずしもならない。いや、それどころか、あたらしく、「テレビ」という発表の場所を獲得して、さらに保存の手段を得たというものの多いのが実情であろう。しかし現象として見れば、このテレビの多元性にかかっては、映画の一元性はかなわない。映画はわざわざ見にゆかなければならないがテレビは家で座ったまま見られるというのは、わたしには一面的な解釈でしかないように思われる。この多元性は、ある意味で、かつて映画がその総合性ということで、これまでの発達を獲得し、大衆をひきよせえたように、あたらしく、観客をひきよせている大きな要因になっているのである。むろん、この多元性は、ふたつの面をもっている。現在あるものを固定化し、ただ、それをブラウン管に映し出すということだけでも、結構、テレビはもつという保守性がその一面である。しかし、逆に、これまで、映画のいう総合化に入り切らなかったもの、いわゆる近代的なジャンルに包括されなかったものが、テレビという媒体によって、あたらしい形をあたえられるという可能性をも与えることができる。テレビにおけるジャンルの総合というのは、映画のような一元性によってではなく、むしろ、この多元性を基盤にすることだろうと思う。テレビが映画を凌駕しうるのは、この点にあるのである。

もっとも、それだけ、テレビがひとつのジャンルとして明確なかたちをとりにくいということはある。先ほど述べた、現実性と表現様式の特殊性という大前提、それに、この多元性ということが介入して、テレビは、すくなくとも、現在の映画のように国際性をもっていない。アメリカのテレビのヴィデオ・テープとかフィルムを再映したりするが、それがおおむね、「テレビ用」のフィルムであるのも理由のないことではない。むろん、ヨーロッパ各国がオリンピックの実況を中継したように、国際的な中継が可能になれば、テレビの様相もかなりかわってくるかもしれない。しかし、すくなくとも現状は、強力なジャンルでありながら、たとえば、映画を見るほどには、テレビの存在を重視するというわけにはゆかないのである。

しかし、この芸術の総合というのは、どこの国でも、かなり必然的な動きとして起こってはいない。たとえば、ワルシャワで会ったある評論家は、それを、きわめて関心のある問題だとはいいながら、しかし、テレビと写真の機能は、ドキュメンタリーにあると限定する。事実をすみやかに報ずること、あるいは、記録としてとらえることが、そのもっとも大きな課題だという。むろん、これもまた一般化することは避けたほうがいいかもしれない。しかし、ポーランドのように報道と教育という観点のつよいテレビでは、そういう指摘も理由のないことではないといえるかもしれない。

いま考えてみると、テレビを敬遠し、映画を見るほうを選んだというものの、わたしは、やはりこのテレビ多元説に左右されていたことを憶い出さずにはいられない。たとえば、わたしは、《わが闘争》のほか、《ニュー・アメリカン・ウェーブ》の監督ライオネル・ロゴージンの《バワリー25時》、ジャン・ルーシュの《水の娘》などのアフリカで撮った記録映画、それに、シネマテークでは、ジガ・ヴェルトフの《カメラを持った男》（一九二九年）というお古い作品などに、つよい関心をそそられた。別段、ドキュメンタリーというようなことにこだわったわけではない。それと、たとえば、バスター・キートンの旧いドタバタ喜劇、先ほどもいったように《マック・セネットに捧げるオマージュ》という短編ドタバタ集などが、あざやかに印象にのこっている。テレビ多元論に左右されたのは、映画では、この一元性をつきつめた、あるいは、つきつめようとした作品のほうが関心をひいたという意味からである。しかし、それらはおおむねテレビのない時代の映画であった。そして、現在、ちがったかたちで、映画の一元化をおし進めようとしている、たとえば「ヌーヴェル・バーグ」は、映像至上主義——つまり、旧来の映画にたいするアンチテーゼというより、このテレビの多元性にたいするアンチテーゼという面がつよいのではないかという気がしてならない。たとえば、わたしは、ジガ・ヴェルトフの《カメラを持った男》を見、この「キノグラース（映画眼）」という方法を提唱し、カメラの映しとるものを絶対視しようとした仕事と、たとえば「カメラ万年筆論」をひとつの典型とするフランスのわかい監督の仕事に、いずれも、映像の再評価という一元性の態度の共通性を見たのは、そのせいだろうと思う。もっとも、ヴェルトフは、文学にたいするアンチテーゼという土台にたち、カメラの機能を神聖視するまで絶対化しようとした。しかし、「ヌーヴェル・バーグ」は、映像を再評価しようとしながら、そこには、ヴェルトフのように記録性ということから、極端なまでに外向的な姿勢に向かったのと逆に、映像のもつ内面性に固執しているという傾向がある。わたしは、個々の作品でなく、映画の一元性という点でこういう大雑把な比較をしているにすぎない。

こういうちがいの背景になっているのは、映画それ自体のなかにあるというより、そのテレビの多元化ということではないか。そして、この多元化を支えるのが、テレビという媒体の特性ともいうべき記録性ということだろうと思う。そこでは、記録性というのは形式ではありえない。大きなひろがりをもつヴァラエティ、しかも、現実性という共通性を避けることのできないものとしてもつのがテレビである以上、それに、永遠の傑作など入りこむ余地はない。わたしが、そこで感ずるのは、このヴァラエティにたえるものが、現代の芸術家の決断といったものではないかということである。

芸術と非芸術について

マス・コミュニケーションを中心に

「ラジオ芸術」あるいは「テレビ芸術」ということばがある。しかし、ここでは「ラジオ芸術」あるいは「テレビ芸術」とはなにかということを詮索しない。まず、次のような議論から始めることにしたいと思うのである。新聞とか週刊誌、あるいはテレビとかラジオなど――つまりはマス・コミュニケーションと呼ばれているものは、一般的ないいかたをすれば、「芸術」よりも「生活」の領域に属しているということだ。もっとも、改まってこういうと、それは俗論に過ぎないと、ただちに反論がうまれることも考えられないわけではない。それは、マス・コミュニケーションが「生活」の領域に属しているというとき、既に「芸術」を既成の概念で限定してしまっているからだ、もっとひろい意味で――もし、お好みとあらば、創造的視点でといっても差支えないが――「芸術」を考えれば、マス・コミュニケーションだって「芸術」ではないか、という具合にである。

しかし、こういう議論が成り立つ場合には、既成の「芸術」との決定的なちがいをはっきりさせておかないと、単に命名の問題になってしまうほかはない。「ラジオ芸術」あるいは「テレビ芸術」などといっても、概念上の一種の気取りを示すだけである。マス・コミュニケーションを通じて浮かび上るひとつの特徴はなにか。ぼ

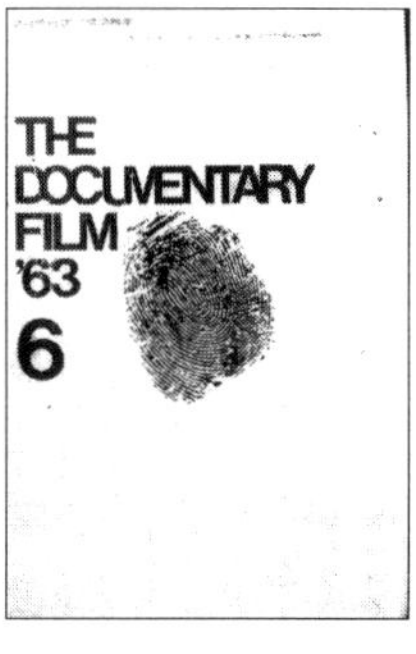

初出『記録映画』第六巻五号（一九六三年六月）、四—六頁。特集「『非芸術』との対決」に発表された文章。

くはまず「美の概念」というものがまったくないか、あっても一義的なものではないということではないかと思う。これはいい、わるいという価値判断の問題でなく、事実の問題である。マス・コミュニケーションを支配しているのは、もっぱら、真実か虚偽か、もしくは善とか悪のモラル、もしくは快、不快という感覚である。「美」そのものが至上命題になることは、本質としてあり得ないのである。

もちろん、「芸術」の「芸術」たるユエンが「美」を至上のものとするところにのみあるというつもりはない。しかし、次のことだけは確かであったろうと思われる。われわれが「芸術」というとき、もしくは「芸術」について論ずるとき、その概念の多く——というより、そのほとんどすべては「近代芸術」によってつくられ、もたらされたものに従っているということであり、近代芸術が「生活」から自律したのは、いい意味でもわるい意味でも、「美の概念」をモメントにしていたということである。これは、必ずしも芸術至上主義だけにあてはまり、たとえば現実至上主義者には無縁なことだというわけにはゆかない。つまり、「芸術」が「生活」から相対的な独立性を持ちえた背後には、「美の概念」の独立性という支柱がつっ立っていたという意味である。たとえば、その典型として、美術とか音楽がある。リアリズムという場合にも、「美の概念」の独立性を認めた上での発想であった。

マス・コミュニケーションという名の下に、ぼくは新聞、週刊誌、あるいはラジオ、テレビという名を連ねたが、映画を含めなかった。偶然ではない。あるいは、「テレビ攻勢」による「映画の没落」といった現象に従ったためでもない。今いったような意味でいうと、映画はいわば本質的に過渡的な性格をもち、そのため、「二つの顔」を持つはめになったジャンルのように思われるからだ。つまり、先ほどいった「芸術」と「生活」というような図式的な区分けを用いると、映画はちょうど、その中間領域にまたがり、しばしば、その両面に異なった「二つの顔」をみせることになったからである。たとえば、映画はそれまでのあらゆる「芸術」のジャンルを綜合した新しいジャンルだというとき、この二面性を内包していることが示されている。つまり、映画は、綜合という名の下に近代芸術の総和という要素をもまたはらむことになったからである。「二つの顔」とはなにか。一方の顔にたとえば、ジガ・ヴェルトフの「キノキ」ほど極端な「記録映画」があり、他極に、ハンス・リヒター、最近のマクラレンでもそうだが「純粋映画」という顔がある。前者はフィルムを完全に手段化してしまうのに対し、後者は完全に目的化してしまうのである。もし、前者を「マス・コミュニケーション的」といえば、後者は「近代芸術的」といってもいいだろう。後者には疑いもなく、「美の概念」の独立性という支柱が立っているのである。

「美の概念」の独立性をすてること、それにかわって、真実と虚偽、善とか悪のモラル、あるいは快とか不快——総じて、われわれの生活の「内」にあるもの、あるいは「外」から生活を規制しているものが主要な価値概念になることによって、マス・コミュニケーションは、近代芸術の自律という過程には組み込まれなかったものとも結びつくことが可能になった。たとえば既にある大衆芸術とマス・コミュニケーションとの関連性というのが、そのひとつである。大衆芸術、あるいは芸能にとって「美の概念」というのは、主役ではない(ついでにいえば、いくぶんでも自律している大衆芸術の支柱となっているのは、概念と化したモラル、あるいは慣習を人生一般の法則というぐあいに拡大し、固定化した人生観がモメントとなってである。つまり、「生活」から抽出されているのは、現状肯定の人生観、モラルなどであって、「美の概念」ではない)。「一億総白痴化」ということばをつくりだした評論家がいるが、しかし、これはマス・コミュニケーションのすべてをいいつくしたとはいえない。マス・コミュニケーションは、「生活」の領域に属することによって、映画とはちがった意味で「二つの顔」をもつことになったからである。ひとつは、「生活」の現状肯定的要素と結びつくこと、もうひとつは「生活」を動かしてゆくということだ。しかし、この点に関しては、既に常識に属することがらであろう。

すくなくとも、マス・コミュニケーションが既成の芸術——つまり、近代芸術と決定的にちがうのは、この「美の概念」を一義的なものとみなさないということである。このことは、さらに次のような状況をひき起す。自律した芸術は、「生活」から独立する。近代芸術が示す如く、そこではひとつの作品は芸術家の内的なミクロコスモスの投影という意味で、全宇宙の表象であろうとした。すくなくとも意図においてそうであった。「制作するのに当って、一人の人間の能力全部用いられることを必要とし、又その結果である作品を鑑賞するのに、別の人間の能力全部刺激されて、作品の理解に努力することを必要とする」[編1]。ヴァレリーがかれのいう「大芸術」を定義した文句だが、このことばは、作品が全宇宙の表象という意味で自律し得るひとつの自負である。しかし、マス・コミュニケーションではそもそも、こういう事態は起りようがない。それが「生活」に属するというのは、マス・コミュ

編1　ヴァレリイ「現代芸術と大芸術」『ドガに就て』吉田健一訳、筑摩書房、一九四〇年

ニケーションがあり、生活があるのでなく、それらをひっくるめたところに「生活」があるということである。つまり、われわれがじっさい感じるように、マス・コミュニケーションは「生活」の内部にある。当然、そこでは全宇宙の表象などあり得ない。世界でなく、断片的な世界、あるいは部分的なそれが——というのはきわめて具体的ということになるが——提示されるのである。もし、敢えて、マス・コミュニケーションと「生活」を分離するとすれば、その両者の関係は相互的なものであり、一方的な主従関係にはない(ただし、これは、いわゆる送り手と受け手が現象的には、主従関係にあるということと別の問題である)。相互的というのは、その本質において、マス・コミュニケーションは「生活」の内部で、その具体的なものごとの一部分を他へ移転させる、つまり位置の移動という要素をもっているという意味である。テレビの中継はそのもっとも典型的な例であろう。できごと自体は、テレビによって損なわれないからである。テレビは「生活」を映すが、また「生活」はテレビを模倣もするのだ。ブラウン管のスターは「生活」からすっかり手を切った神の如き存在になり得ないが、同時に、「生活」にすっかり埋没してもならず、つまりは「生活」の神とならないわけにもゆかない。とどのつまりは、つかずはなれずという綱わたり的存在となる。

マス・コミュニケーションだけを取り出して論じてきたが、それは、たとえそれが「芸術」であろうとなかろうと、すくなくとも近代芸術の概念によって「芸術化」(近代芸術化するということでなくとも)することは難しかろうということを述べたかったからである(先にも述べたように、もうひとつのアプローチのしかたは大衆芸術の側からである)。しかし、問題は難しかろうということで終わる筈はない。これに関連してもうひとつの問題がある。マス・コミュニケーションの仕組じたいは近代芸術と異なるということを認めたにしても、マス・コミュニケーションの送り手、受け手という区分けには、あるいは考え方の上には、近代芸術の創造者と鑑賞者という分離をパラレルに移行するということがあるのではないか。受け手を量の問題に還元するのは、単なる鑑賞者の不特定多数の集合というイメージではないかと思われる。つまり、生活者というのではなく、マス・コミュニケーションの「受け手」――もしくは「鑑賞者」というある抽象化した存在である。じじつ、抽象化された「受け手」という面が拡大されていることも本当であろう。しかし、これはつまるところ、機械化した、あるいは企業化した創造者と、同時に数量に還元された鑑賞者というみかたが根底になっているといわねばなるまい。そして、このみかたは、意図のいかんにかかわらず、マス・コミュニケーションによる現状維持の強化を促進させることになるのではないか。たとえばテレビやラジオに出演した大学教授が、タレントになってしまうのは、この受け手から送り手へ上昇するという考えに根ざしている。それは、享受者から創造者へとび上るということと類似しているともいえるのである。

マス・コミュニケーションが、すくなくとも現在大きな問題となっているのは、マスということのほうである。それが従来の「芸術」と一線を画するのは「マス」を一挙に対象とするところにあるとみえる。しかし、マス・コミュニケーションは「マス」を対象とすると同時に、近代芸術が置いていった「非芸術」の領域、あるいは

「生活」のなかにとっぷりと身を没したことも、それにおとらず重要である。しかも、それが単に伝達ということを越えて、文化の問題になり得るということである。あるいはこういうべきかもしれない。自律した「芸術」という地点から、「現実」を眺めるのでなく、いきなり「生活」から生まれた、すくなくとも誕生はそうであった形式だと。ニュースから新聞小説まで、あるいはドキュメンタリーから観念ドラマまで、マス・コミュニケーションを貫いている特徴はこのことである。

しかし、このことはまたマス・コミュニケーションだけで自足する問題でもなかった。それは近代芸術がその下僕としてきた「生活」あるいは「非芸術」ということが、おおきくクローズアップされることと関連している。それは解釈された世界と、具体的生活との落差の認識でもある。個我のなかに全宇宙を飲みこんだつもりの表象は、もはや、片々たる細部を途方もなく巨大なものと錯覚していることになりがちである。近代芸術はエリート主義であることよりも、その認識領域のもつ限界によって壁にぶちあたる(もっとも、それを疑わないひとびとがゴマンといることはいう必要もない)。ダ・ヴィンチではないが、知ることと欲することは二つの人間の活動である。「生活」と「非芸術」は、例外的なものではない。知ることと欲することの対象そのものである。「美の概念」だけではその欲求に応えることができなくなった。マス・コミュニケーションは、「生活」のなかでの知ることと欲することに対応するものとしてあらわれたのである。じっさい、その罪悪が問われるときにしばしば指摘される、マス・コミュニケーションは感覚だけを刺激するので、思考力を減少させるというのは一方的な論議だ。なぜなら、そこでは感ずることとよりも「生活」を通じての認識と所有という二つの活動に働きかけることのほうが大きいからであり、したがって、その影響も大きいのである。感覚だけを強調するのも、創造と鑑賞という関係の単なる拡大でしかあるまい。

マス・コミュニケーションが「生活」の領域に属しているというのは、こういった意味からであった。「ラジオ芸術」とか「テレビ芸術」は、むしろ「ラジオ非芸術」、「テレビ非芸術」というほうが、つまりは「芸術」的なのである。

イメージの所有について

1

「イメージ」というと、サルトルのイマージュ論などをまくらにして、話をはじめるやりかたがある。ひとくちにイマージュといっても、物的イマージュと心的イマージュの別があり、その区別からはじめなければならないといった論法である。私もまた、こうしたやりかたをしたことがあるが、しかし、具合のわるいことに、「イメージ」ということばを耳にすると、いつも、落ち着きを失って途方にくれてしまう。とらえどころがなく、手応えがなく、まるで空気をつかむような感じにおそわれるのである。

一昨年だったか、ある雑誌に、「影と神秘の画家たち――イメージと影についての考察」[編1]という文章を発表したことがある。レオナルド・ダ・ヴィンチから荒川修作に至るまで、絵画にあらわれた影とかシルエットについて論じたものだったが、そこで、絵画のイメージは影にほかならないと書いたところ、たちまち、あちこちで反論をこうむった。イメージは実在しないもの、つまり非在だが、影は物理現象であって実在するものだ。実在しないものが実在するものと同じというのは、大い

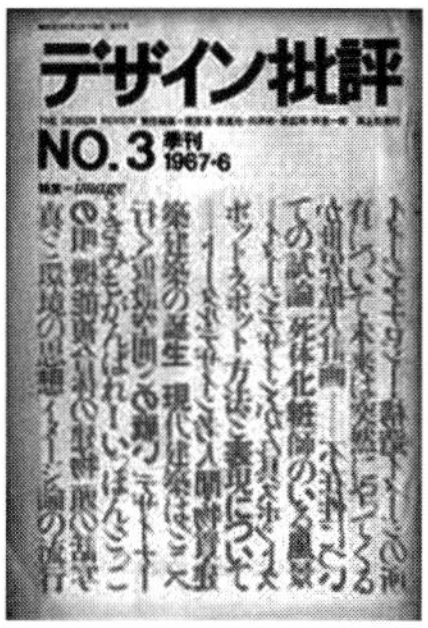

初出『デザイン批評』第三号（一九六七年六月）、四三―五〇頁。特集「image」に発表された文章。のちに『見ることの神話』（フィルムアート社、一九七二年）に再録された。

編1　中原佑介「影と神秘の画家たち――イメージと影についての考察」『美術手帖』第二五七号（一九六五年九月）、一一三―一二一頁。のちに『見ることの神話』（フィルムアート社、一九七二年）に再録。本選集第三巻『前衛のゆくえ』に所収。

なる矛盾ではないか、というわけである。

私は、プリニウスの『博物誌』の故事来歴をたてにとって、肖像画のそもそものはじまりは、焔にてらされて壁にうつった人間の影をなぞったものであり、イメージと影は同一のものであったのだ、などと抗弁するつもりは全然ない。とはいうものの、そのときは、もっともらしく反論にこたえたが、イメージは影であるなどと口走ったのも、つきつめてみたら、どちらにしたって、とらえどころがなく、手応えがないものだ、というようなことを考えてのことであったかもしれない。

しかし、イメージ論というのは、つまりは、このとらえどころのないふしぎなものを、ことばの上でとらえどころのあるものにしようという操作につきるのではあるまいか。とすれば、私はイメージを、この「とらえどころのないもの」という文脈で考えたいと思う。とらえどころがなく、手応えがないということ、これをレトリックでなく、人間の社会生活という視点でいいかえれば、「所有」の対象にならないことである。逆にいえば、イメージをとらえどころのないものと感じるのは、それを所有という意識で眺めているからだろう。イメージは所有できないものだというのは、要するに、イメージが物質でないということをいったにすぎないというひとがあるかもしれない。「所有」という意識の一般化は、商品社会と結びついている。そして、商品を土台として強化された所有の意識は、あきらかに、商品という物質を前提にしている。われわれは、「もの」を所有するのである。したがって、イメージを所有できないというのは、イメージが物質ではないということと同じだといっても、まちがっているわけではない。しかし、使用価値をもつ物質としての商品の所有のほかに、われわれは、もうひとつの「疑似所有」というべき所有の意識をもっているのである。

たとえば、ことばの領域に関してである。もしわれわれが文字をもたず、口から耳へだけのはなしことばの世界に住んでいるとすれば、誰かのはなしたことばを所有するなどという意識は、およそおこらないだろう。口づたえということはある。つまり、記憶とか伝承ということはあるし、じっさい、伝承というのは歴史の示すとおり存在した。ところが、文字は、ことばを冷凍づけにして保存するということを可能にしたのである。文書が生まれるとそのとき、その文書の所有という事実が生まれる。文書という「もの」の所有は、ことばを「もの」のように所有したいという意識とうらはらである。ものではないことばを、ちょうどものを所有するように所有する意識、私が「疑似所有」といったのは、このことである。コミュニケーションのメディアのひとつとして、ことばをとらえるのでなく、所有という観点から見るのは、コミュニケーションとしての特質を脱落させることになるという指摘は十分考えられる。しかし、手書きの文書は、まず、種族の伝説、法律の書きうつし、通商上の必要書類の作製といったことに用いられた。それは、コミュニケーションというより、ことばをかたちのあるものとして保存し、所有するということを根底にしていたのである。

2

一五世紀のヨーロッパにはじまる印刷術は、あたらしい媒体をつくりだした。「この新しい技術が、ローマ教皇庁の権威の手にわたると、やがて両刃の剣の役割を演じる。一ページに四十二行二欄を収めたラテン語の聖書は、マクマートリーに従えば[編2]、十中の八、九、いまやグーテンベルクと競争の位置にあるフストの印刷工房から、一四五六年に出版された。一方、一四七八年という早い年代に、ケルンの印刷工の親方が、二種のドイツ方言で書かれた聖書を、たっぷり百以上の挿絵を入れて発行した。続く五十年間に、これは百三十三版を重ねた。もちろん、印刷された聖書が、ドイツ、イギリス、スカンディナヴィア、ならびにオランダやフランドルの諸国に、それぞれの国語でゆきわたるまでには、一世紀もの年月を必要とした。しかもそれは、貧しい聖職者たちに、聖書中心の意識をうみつける不幸な一歩となったのである」[1]。

印刷術は、聖書をマス・メディアにのせた。しかし、ホグベンのこの記述の最後の一句が物語っているのは、それによって聖書がひろまったばかりでなく、ひとびとは「貧しい聖職者」の口から聞くことばを、印刷された文章というかたちで所有することができ、そこで「聖書中心の意識」がかたちづくられたということであろう。つまり、聖書の印刷にはじまる印刷という媒体は、ひとびとに、ことばを自分のものとして所有するという意識をつくりだしたのである。所有意識の欠如から疑似所有の形成へ。印刷文化はこういう性質を生みだした。

編2　Karl Schorbach and Douglas Crawford McMurtrie, *The Gutenberg documents*, Oxford University Press, 1941.

1　Lancelot Hogben, *From cave painting to comic strip*, George Allen & Unwin, 1949.
L・ホグベン『コミュニケーションの歴史』寿岳文章ほか訳、岩波書店、一九五八年、一〇八頁かつては、教会の壁にぴったりと貼りついていた絵画が、教会をはなれ、タブローとして所有されるようになったのも、こういう印刷文化による疑似所有の意識なしには考えられない。ものとして見れば、タブローとは額縁とカンヴァスと絵具のかたまりにすぎない。しかし、タブローの所有者は、そうした「もの」としてのタブローを所有しようというのでなく、そこに描かれたイメージを所有したいという筈である。一品制作としての絵画にたいして、版画は絵画の印刷化として誕生した。版画は、このイメージの所有ということを、量として拡大したのである。

さらに、レコードは、音楽や歌を所有できるというかたちにした。レコードは、音楽や歌の印刷といっていい。もっとも、疑似所有の意識では同一とはいえ、疑似所有できるようなかたちにされたものへの意識は、必ずしも同一ではない。たとえばわれわれは印刷された小説を指して、これはなにかの複製だというようなことは考えない。しかし、レコードについては、ほんものの演奏があり、これはその複製だという、いわゆる複製論議はしばしば耳にするところである。あるいは、絵画についても、ほんものの絵画があり、その複製があるといった議論は、目あたらしいことではあるまい。印刷文化の中心を、イメージや音でなく、ことばが占める意味は、このことを示しているのである。

3

ところで、所有意識の欠如から疑似所有意識の形成へというプロセスは、人間の行為や体験の抽象化をともなわざるをえない。たとえば、ことばはもともと、身振りをともない、抑揚をともない、音を土台とした、その総体というべきものだろう。文字はこうした総体から、いわば意味だけを抽象したものである。文字の印刷によってつくられた世界は、意味を中心とした抽象的なそれである。イメージの所有というのは、視覚的なそれだけを抽象することによって成り立つ。抽象されたものとしての絵画は、それがどういう場所におかれなければならないかという、空間的一義性を失っている。つまり、それは必然的な場所という紐帯を喪失してしまっているのである。レコードは、音のみの抽象であり、それを抽象することによって、はじめて、音の疑似所有ということが成立するのである。

いいかえれば、疑似所有というのは、われわれの体験を一面的なものに制限することを代償としてはじめて成立するのである。これをひっくり返していえば、われわれは体験の制約、部品化という現象を、疑似所有という意識でおぎなってきたといってもいいだろう。小説は小説のみで、絵画は絵画のみで、音楽は音楽のみで、それぞれ単独にミクロコスモスをつくりうるという信念は、考えてみれば、そう信ずるという以上のものではない。ひとびとは、そういう信念を正しいものとして受けとるべく、自己をひとつの感覚だけに制限し、制約したのであった。つまり、そこでは、すべてがもりこまれており、それを所有するというのは、それを一方的に受け入れるということを意味した。

これを、メディアということから見れば、メディアがちがっても、同じものを伝えることができるということである。絵画という媒体、演奏という媒体は、別のメディアではあるが、同じ内容をもつことができるという信念である。

　アメリカのメディア研究家であるマーシャル・マクルーハンは、『メディアの理解』[2]という著書で、ある媒体があり、それを媒介にして、なんらかの情報が伝達されるという、メディアと情報の二元論を否定し、「媒体《メディウム》がメッセージなのだ」という一元論を展開している。あるいはメディア一元論といってもいい。

「……どのような媒体の「内容」も、常に、他の媒体なのである。記述の内容は演説であり、同様、書かれたことばは印刷の内容であり、印刷は電気通信の内容である。もし「演説の内容はなにか」と聞かれたら、「それは思考の具体的な過程であり、それ自身非言語的なものだ」と答えるべきである。〔……〕あらゆる媒体あるいはテクノロジーの「メッセージ」というのは、人間社会にもちこまれた、スケール、速さ、パターンの変化のことだ」[3]。マクルーハンの考えでは、「内容」という概念は、他のメディアということに置きかえられて、姿を消してしまう。そして、メディアと、かれのいう「メッセージ」とは直結され、同じものとみなされるのである。これがかれの根本的な発想なのだが、マクルーハンは、さらにこのメディアを「熱い《ホット》メディア」と「冷たい《コールド》メディア」に区分する。たとえば、こうである。

ラジオのような熱い《ホット》媒体と電話のような冷たい《クール》それ、あるいは映画のような熱い媒体とTVのような冷たいそれを区別する、基本的な原理がある。熱い媒体というのは、単一の感覚を「高い確定度《ハイ・ディフィニション》」におくものを指す。高い確定度とはデータがよくつまっている状態のことである。写真は視覚的に「高い確定

2　Marshall McLuhan, *Understanding media: the extensions of man*, McGraw-Hill, 1964.
マーシャル・マクルーハン『人間拡張の原理――メディアの理解』後藤和彦、高儀進訳、竹内書店、一九六七年

3　註2に同じ。原書八頁、訳書一五頁〔引用は中原の訳による〕

度」のものである。漫画は「低い確定度」のものだ、というのもごく僅かな視覚情報しかあたえられないからだ。電話は冷たい媒体、あるいは低い確定度のそれである。何故なら、耳はごく少しの量の情報しかあたえられないからである。そして、演説は低い確定度の冷たい媒体である。それは僅かしかあたえられないので、聴衆によって多くのものがおぎなわれなければならないからである。それにたいし、熱い媒体は聴衆によっておぎなわれたり、完全なものにされたりすべきところが多くない。したがって、熱い媒体は、参加の度合が少なく、冷たい媒体は聴衆による参加あるいは完成の度合のたかいものである。このことから、当然、ラジオのような熱い媒体は、電話のような冷たい媒体にくらべ、使用者にたいして、まったくちがった効果をもっている。(4)

マクルーハンのいう「熱い媒体」は、データが多くつまっているので、いわば受け身で受けとればよく、「冷たい媒体」は、データが少ないので、能動的な受けとり、能動的なおぎないがなければならないということである。さらにいえば、表意文字や象形文字は冷たい媒体であり、アルファベットのような表音文字は熱い媒体だという。そして、メディアでいえば印刷メディア、テクノロジーでいえば機械的《メカニカル》なそれの時代にとってかわって、現代は、メディア、テクノロジーとも電気を土台にしているのが特徴であり、この現代は「熱い形式は排除され、冷たいそれがとり入れられるという原則の例でいっぱいになっている」というのが、マクルーハンの指摘である。

4 註2に同じ。原書二二頁、訳書三三―三四頁［引用は中原の訳による］

「熱い媒体」と「冷たい媒体」というのはおもしろい言いかたである。しかしこれは、メディアを疑似所有できるかどうかという意識とかなり深くかかわっていることではあるまいか。マクルーハンのいっている例をとれば、電話という媒体は、われわれに疑似所有の意識を呼びおこさない。われわれは電話器を所有するけれども、会話を所有しているわけではない。また、かれはラジオを熱い媒体というけれども、ラジオも原理的には疑似所有のできないメディアである。そして、ＴＶもまったく疑似所有という意識の成り立たない媒体として登場したのである。

視聴覚に基づくメディアには、それを疑似所有できるものと、そうはゆかないものとがある。マクルーハンのいう「熱い媒体」と「冷たい媒体」という分類と、完全に対応するわけではないが、この疑似所有ということから、メディアを分けることができるだろう。

たとえば、絵画とグラフィック・デザインは、前者は疑似所有の意識にいろどられてきたが、グラフィック・デザインについては、所有の意識は稀薄であるか、働かない。ポスターは、そのもっとも稀薄なものだろう。ポスター以外のグラフィック・デザインは、常に、ある「もの」の一部分としてあるのであって、それのみに所有の意識は働かない。むろん、一般論であり、そういうものへの所有意識をもつという例もないではない。しかし、所有するかしないかでなく、そもそも、グラフィック・デザインは所有の意識と切りはなされてきたのである。

印刷文化と商品社会の結びつきは、先にも書いたように、イメージの疑似所有という意識を生みだした。近世以降の絵画はそういう意識のもとにおかれ、その同じ意識が版画を生みだした。しかしながら、この疑似所有の対象としてのイメージは、疑似所有の対象とならないイメージの出現によって、あたらしい問題を生みだすことになった。イメージ論の誕生は、ここに根ざしているといえる。もともと所有の対象となりえないイメージにたいする疑似所有という幻想がこわれたとき、イメージはそのふしぎな性格を露わにしたのである。

この疑似所有という幻想がこわされた決定的なできごとは、一応は映画の誕生と考えられる。映画が総合芸術といわれ、それまでの小説・演劇・絵画などの芸術のジャンルと決定的な別離を示すあたらしいものとして、クロース＝アップされたのは、形式の問題というより、所有されないイメージの出現ということに根ざしていたのではあるまいか。つまり、それは、なによりもまず、「ちがう」ものだった。これまでのものと「ちがう」性格のものだったのである。

しかし、マクルーハンが映画を「熱い媒体」といい、「冷たい媒体」であるＴＶと区別したのは、うなずける指摘である。おそらく、映画はかれの用語でいえば、そもそもは「冷たい媒体」だったのである。しかし、ＴＶの出現によって、映画は疑似所有できないものでなく、所有というかたちをとりうるという性格がはっきりしてきた。「現在、フィルムはなお、いわば手書きの段階である。ＴＶの圧力によって、まもなく、それは持ちはこびのできる、手に入れ易い、印刷本的段階に進むだろう」と、マクルーハンは、「映画」という章で述べているが、映画の現状はともかく、それはそうなりうるメカニズムをもち、可能性をもっている。「現在みられる映写機とスクリーンの分離は、機能の拡散と分離というわれわれの古い機械的世界の名残りであって、電気的総合にともなって、終わりつつあるのだ」。

映画の疑似所有化というのは、一方では八ミリ映画の製作という現象にあらわれているが、他方ではアメリカの「アンダーグラウンド・フィルム」などに典型的な、映画製作の個人化という現象にも示されている。つまり、それは個人を基礎とする印刷文化の最後にあらわれたものという性格がはっきりしてきたのである。教会の壁をはなれたイメージは、映画までつながっているといっていい。映画は、もっともあとからやってきたイメージの印刷術なのである。われわれはちょうど本のように、フィルムとともにイメージを疑似所有することができるという可能性をもっている。

5

TVこそが、イメージの疑似所有という幻想を打ちくだく決定的なものだった。この点で、映画とTVは区別されなければならない。映画は映画館で、テレビはお茶の間でというのは、一面的な指摘にすぎない。テレビの映像は、原理的には、受像器さえあれば山の中でも海辺でも、どこでも見ることができる。それは、場所という概念をそもそもたないものなのである。なるほど、書物についても同じといえるかもしれない。しかし、書物は所有したものを持ち運ぶことによって場所をもたないのにたいし、ＴＶ電波は、どこにでも存在するものであり、そこでは印刷された活字をもち運ぶように、スクリーンの上のイメージをもち運ぶということは、そもそも意味がない。どこにでもあるものは、所有という意識を生みださないだろう。われわれが、会話をするさい、所有の意識が欠如しているように、ＴＶのイメージについても、所有という幻想は姿を消してしまうのである。誰も、ＴＶのイメージを所有しようなどとは考えない。

現代を「映像の時代」ということがあるが、それは、写真・印刷・映画・ＴＶなど、各種の映像が氾濫し、それの占める比重が圧倒的に増大したという現象によるのでなく、むしろこの眼の前をよこぎってゆく現象のような、所有という意識の消失したイメージが決定的な力をしめているということによるのではあるまいか。つまりイメージは、まさにとらえどころのない、手応えのないものとして君臨したのである。

むろん、マクルーハンのいうひとつの媒体の「内容」は、もうひとつの媒体だということでいえば、ＴＶという媒体は、映画という媒体を、その「内容」としてとりこんでいる。さらにまた、ラジオという媒体をとりこんでいるともいえる。しかし、それは映画やラジオの拡張でなく、イメージについてあたらしい組織をもたらしたのである。

中世の宗教画のみならず、先史時代の洞窟画にしても、およそ、イメージの所有というような意識はなかった。それは個人のものではなかったからである。こういう、所有意識の欠落したイメージが、環境的なものとしてあったことは注目していい。洞窟画とＴＶはむろん同じものではない。しかし、この所有意識のないＴＶは、現代の環境的なものとして、われわれの生活のなかにあるというのも注目していいことだろう。ＴＶが、場所というものをもたない、あるいは、あらゆる場所であるといったのは、このことと関係している。

こういう所有意識の消失というのは、本というようなコンパクトなかたちで存在している文字による情報についても、おこるだろう。情報処理というのは、単に物理的な問題でなく、本というかたちを通したことばの疑似所有の意識を変質させずにおかない筈である。そのとき、本はおそらく、われわれがいま工芸品などを指していうコットウ品的なものになるにちがいない。

所有意識に対応するイメージは、それだけで完結した、閉ざされたものでなければならない筈である。そういう閉ざされ、完結したイメージの典型として、近代絵画は存在してきたのである。しかし、いま、イメージの問題は、そういう完結という概念からはなれることであろう。人間の行為とか体験を制約し、部分化することによって得られたイメージの疑似所有と逆に、イメージのほうを非完結的なものにすることによって、行為とか体験の制約をとりのぞいてゆくというのが、その内容である。マクルーハンのいう、「冷たい媒体」は、そういうものとしてのみ首肯できる。そうでなければ、イメージは、ブーアスティンのいうように、(編3)疑似イヴェントとして、ますますふくれあがるばかりだからである。

編3　Daniel J. Boorstin, *The image: a guide to pseudo-events in America*, Harper, 1962.
ダニエル・J・ブーアスティン『幻影の時代——マスコミが製造する事実』星野郁美、後藤和彦訳、東京創元社、一九六四年

触覚の復権

物事を論ずるのに、しばしば「比喩」を用いるのは、誰しもやることである。「比喩」というのは、別に詩や小説に特有の現象ではないばかりか、人間の思考の根底にかかわった奥深いものではあるまいか。たとえば、なにか「赤いもの」を指して「血」のようだといえば、そのとき「赤い」なにものかは、「血」という既知のものを媒介にして認識されるのである。いいかえれば、この「赤い」ものは、「血」を「モデル」にして受容されたといってもいい。「比喩」とは、こうした未知のものを、既知の「モデル」を下敷きにしてとらえるということにほかならない。

これはごく素朴な例である。しかし、こうしたかたちでの「比喩」は、単に一個の「もの」を対象とする場合に限らない。エドガー・アラン・ポーはかれの詩論「詩作の哲理」を書いたが、そこで、自分の作品である「大鴉」の構成には、「偶然あるいは直観に帰せられた個所は一点といえどもない。この作品は、一歩一歩数学の問題の正確さと厳密さをもって完成されたのだ」と述べた。[1] これは、ポーが詩の創造に「数学の構造」をもってきたことを示している。ポーにとって、「数学の構造」が詩の構成の「モデル」となったのである。つまり、「数学の構造」は詩の構成の「比喩」にほかならなかった。あるいはまた、現在、一部の建築家やデザイナーが都市を「メ

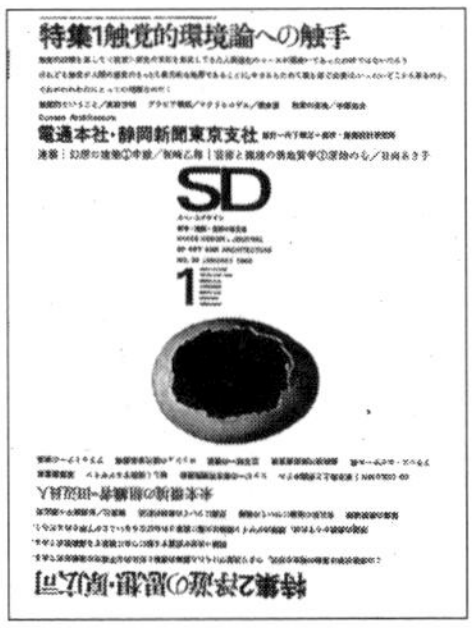

初出『SD』第三八号（一九六八年一月）、三三―三六、四八―四九頁。特集「触覚的環境論への触手」に発表された文章。のちに『見ることの神話』（フィルムアート社、一九七二年）に再録された。

1　エドガー・アラン・ポー「詩作の哲理」谷崎精二訳、『エドガア・アラン・ポオ小説全集第五巻　宇宙論・詩論・小品』春秋社、一九六三年、一六四―一七九頁

タボリズム」としてとらえようとしているのも「比喩」である。まったくとらえどころのない都市が、生体の新陳代謝をモデルにして眺められることによって、その姿をあらわす。新陳代謝というモデルを媒介にしたとき、都市ははじめて考察の対象となりだしたのである。

イギリスの生物学者ジョン・Z・ヤングは、『人間はどこまで機械か――脳と意識の生理学』(2)で、大脳生理学の立場から、人間の意識とこの「モデル」との関係を解明している。ヤング教授によれば、「モデル」とは人間の「神経活動の形式」をかたちづくっているものであり、それは人間の脳がある環境に適応するそのしかたにほかならない。平たくいってしまえば、人間は記憶の集積と照らし合わせるから、あたらしい体験をうけいれる。この記憶の集積が脳のパターンをかたちづくっているというのである。

それだけなら自明のことかもしれない。ヤング教授が強調しているのは、人間のこの脳の働き、つまり「神経活動の形式」に大きな変化が生まれる時代は、かならず、あたらしい道具とか機械が登場しているということである。たとえば、「中世には、アリストテレスの論理と教会というモデルを使用して、視覚を中心に分類を進めるというのが、脳の働きかたとして普通の方法だった」。しかし、印刷術の発明と測定技術の進歩、ならびに数学の発展の三つは、互いに密接な関連をもって、「デカルトのように、人間のつくった道具や機械と、さまざまな現象とを比較する方法」を脳のパターンとしてもたらしたのである。「機械」が、アリストテレスや教会にかわって、時代の「モデル」となった。さらに、電気現象の探求とその応用

2 John Zachary Young, *Doubt and certainty in science*, Oxford University Press, 1951.
J・Z・ヤング『人間はどこまで機械か――脳と意識の生理学』岡本彰祐訳、白揚社、一九五六年

がひろくゆきわたり、「電気がかならずしも機械的な仕事をするものでなく、むしろ、他の機械の調節をする制御装置や「通信」のための電話、ラジオが発達してくる」と、「機械」というモデルはもはや通用しにくくなる。その結果、有機的な組織とか「ある系の全体としての特質」というようなものが、クローズ・アップされるようになった。いわば「生体」というモデルの出現である。ヤング教授は人間がどんな段階にも、コミュニケーションの形式に大きく支配されてきたことを強調しているが、それをいいかえれば、「モデル」が時代とともに動くということである。

「神経活動の形式」が、コミュニケーションの形式と技術に応じた固有のパターンをもっているということを、メディアの変化にともなう人間の「感覚比」の変化ということばでいいあらわしているのが、マーシャル・マクルーハンである。『メディアの理解』[3]において、マクルーハンは活字文化と機械テクノロジーによって規定された社会では、人間の感覚のうち「視覚」優先に偏ったが、電話メディアと電子テクノロジーの支配する現代は、「視覚」優先という偏重がこわれ、「聴覚・触覚」などが「視覚」と深く感応し合いながら復権しつつあることを強調している。つまり、メディアの変化にともない、「視覚」優先から「諸感覚」の相互関連性のたかまりへと、人間の「感覚比率」に変化が生じつつあるというのである。

「テレビは触感の延長（extension of the sense of touch）である」とは、奇抜なアフォリズムを好むマクルーハンの生みだした一句だが、かれのいう触感を直接手で触れることというように受けとるのは皮相である。かれ自身のいうように、「触覚性（tactility）」というのは、単なる皮膚と対象の接触というより、諸感覚の相互作用と

3　Marshall McLuhan, *Understanding media: the extensions of man*, McGraw-Hill, 1964.
マーシャル・マクルーハン『人間拡張の原理——メディアの理解』後藤和彦、高儀進訳、竹内書店、一九六七年

見るべきである。「視覚」優位にとってかわって「触覚」優位ということなら、やはり、単一感覚の強調による専門分化というだけのことであり、それは、マクルーハンのいう活字文化の時代に既に見られたことだった。

機械が、人間の脳の働きかたを規定する、どれほど大きな「モデル」であったかは、「機械的世界観」があますところなく物語っている。機械をつくりだした人間は、やがて、その機械に適合すべく、機械の特性を抽象し、その抽象された観念を通して、森羅万象を眺めるようになったのである。ニュートンの名と切りはなしがたく結びついている力学的自然観が、自然を因果律に厳密にしたがう一個の巨大な機械のようなものとしてとらえたものであることは、詳論するまでもあるまい。デカルトにはじまる「人間機械論」は、人間をも「機械」をモデルにしてとらえようとしたあらわれであり、まさに人間は「機械」のようだという「比喩」を成り立たせたのである。しかし、この「機械」というモデルによって、中世の「教会」モデルが瓦解したのであった。

「機械」モデルの失墜は、二〇世紀初頭から感じられていたが、しかし、それにかわるあたらしいモデルはなかなか見出だされなかった。それが、ごく最近まで、コンピューターその他の電子テクノロジーの開発にともなうあたらしい文明の様相を指して、「機械時代」というように呼称をつづけさせたのである。電波メディアと電子テクノロジーの特徴は、機械的な仕事でなく、情報の発生とそのコントロールということにある。そこで、ようやく、機械というモデルでなく、「情報」というあたらしいモデルが見出され、それが「比喩」の王者として妥当らしいことに気づくようになった。最近の傾向として、あらゆる分野に「情報」モデルがひろがりつつあるのは、それを示している。社会を「情報」モデルを通してとらえる「情報社会論」、あるいは、都市をも「情報」を比喩として把握しようとする「情報都市論」——たとえば、磯崎新の「見えない都市」という考えも、「情報」というモデルによっている——から、人間そのものを「情報」という「モデル」で解説しようという動きまで、これらすべては、「情報」モデルの一般化現象である。

しかし、「機械」モデルとちがって、「情報」というモデルは、とらえどころがない。なぜなら「機械」モデルは分析可能を特徴としたが、「情報」モデルは分析しえないものであり、しかも、実態のないものだからである。それは動的な状態であり、過程であり、関係といった非固定性を特徴としている。

神経活動の形式——つまり「モデル」の形式が、あるときから大きく変わるというのはふしぎな気がしないでもない。しかし、人間は環境との相互作用によって、自己調節をしてゆくことから見れば、当然のことともいえるのである。ヤング教授のいう神経活動の形式が、メディアとテクノロジーによって規定されるという事実は、メディアやテクノロジーが、人間という生体をとりまき、たえず、相互作用をおこしている「環境」だということを意味しているだろう。「情報」というモデルの形成は、われわれの「環境」がとりもなおさず情報だということの反映にほかならないのである。

現代美術が「環境」ということに関心を示しだしたのは、たいへん特徴的に見える。しかもこの「環境」という考えが、たとえば美術と建築との総合ということとなどから生まれたのではなく、むしろ、ハプニングなどと密接な関連性をもっているのは、よりいっそう特徴的である。そこに見られるのは、「情報」モデルによって生みだされた形式だということである。絵画や彫刻がひとつの実体的なものとしてとらえられてきたのは、「機械」モデルという土台があったからだった。「教会」モデルが支配的なときには、それらはイコンであり象徴であって、なんら実体的なものではなかった。さらにさかのぼって、「自然」がモデルであったときは、アニミズムにくるまれた霊にほかならなかった。「自然」モデルを媒介にしたからこそ、それらは呪術性をもち、自然の力を内に秘めることができたのである。

「情報」が神経活動の形式を規定するとともに、「機械」モデルとはいちじるしく異なった現象が生まれつつある。それは、人間を孤立したシステムとして見るのでなく、常に相互作用する過程としてとらえようということである。と同時にわれわれが、他との相互作用を意識しだしたということでもある。

ハプニングは、この相互作用の意識化といえる。芝居は、ひとりひとりの俳優が自分の役を演じればいい。かれらの間の関係は、かれら自身がつくりだすのでなく、台本によってつくりだされているのである。しかし、ハプニングは、なにものかとの相互作用だけを生みだすものだ。そのことは、ハプニングを見るといわず、ハプニングに参加するといういいかたにも示されている。東野芳明が、ハプニングは見るとつまらない、話をきくとおもしろいという意味のことを書いていた(編1)記憶があるが、おそらくそれは真実をついている。ハプニングは、「視覚」優先のものでなく、マクルーハン的表現でいうなら「触感的」なものだからである。

編1　東野芳明「現代観衆論——今日の芸術がめざすもの」『展望』第一〇二号(一九六七年六月)、九五—一〇八頁ぼくは、マクルーハン教授がいうように、テレビがイコン以上に「触感的」なものであるかどうかは断定しかねる。しかし、テレビが、映画より緊密な相互関係を必要とすることは事実である。この相互作用は、たとえば、ふたつの球が触れ合っているといったものでなく、そのふたつの間に境界線をひきがたいということである。テレビと視聴者からなるシステムは、それをひっくるめて考えるべきであり、映されている事物から、視聴者の大脳までをつながった系と考えるべきであろう。イコンというのはまさにそういうもので、そのひとがもし「教会」モデルによる大脳のパターンの持ち主であるかぎり、イコンはかれの外にあるのでなく、常にその大脳のパターンのなかにある。つまり、それは神経活動の総合、諸感覚の相互作用として存在しているのである。そのかわり、「教会」モデルをもたないものには、一枚の「視覚的」なイメージでしかない。

「プライマリー・ストラクチャーズ」展[4]を論じたユダヤ美術館のマクシャインは、その特徴を、ひとびとが彫刻の空間に入りこむとともに、彫刻が見るものの空間に闖入してくるところにあるというようにいった。[編2]これは彫刻のなわばり空間ともいうべき空間領域が消えて、見るものと作品の境界線がひきがたくなったということである。彫刻と人間はひとつのシステムとしてとらえるほかなくなった。具体的には台座がなくなってしまったということであり、それによって、作品は床や壁や天井と連続するものとなり、その固有領域を失ってしまった。プライマリー・ストラクチャー（基本構造）が均質に彩色されているのは特徴的であって、それによって「情報」の性格である無方向性を獲得したのである。プライマリー・ストラクチャー

4 Primary Structures: Younger American and British Sculptors, Jewish Museum, New York, 1966. 4. 27.–6. 12.

編2 Kynaston McShine, Introduction, *Primary structures*, Jewish Museum, New York, 1966, pp. 4-7.

は、「情報」モデルでとらえられた彫刻といえる。

「環境」とはそういうものである。それは非実体的なもので、大脳の神経活動のなかでのみ結像する。しかし、芸術は論理的でなく、反論理的なものである。「機械」モデルが支配した時代、極度に視覚的になった美術は、夢と幻想を生みだすことによって、それをおぎなったのである。近代社会の特質である個性の分化がもっともつよく叫ばれたとき、芸術ではロマン主義がおこり、想像力が湧き上がったことは、偶然ではあるまい。人間を個性に分化させたのは、まさに「機械」をモデルとする神経活動のパターンであったにもかかわらず、その個性は夢と幻想によって、それに対抗したのである。しかし、印象派は客観主義に道をひらいた。画家は全感覚を視覚に集中させて野外を描いた。これは機械主義であり、印象派の元祖ともいうべきターナーが、霧の中の機関車をはじめて描いたのは、まったく象徴的といわねばならない。

「環境」は、順序をもってわれわれの感覚に情報をあたえるものでない。それは順序というもののない世界である。つまり、それは量的なものでなく、質的なものなのだ。ある未開民族は、ごく小さな数は区別するが、その順序を知らないという。一、二、三、四と知っていても、その順序を認識しないのである。これは集合論的な感覚であって、「情報」モデルも似た性格をもっている。なぜなら、そこではパターンの比較だけが重要だからである。ここ二〜三年来、ネオンや螢光燈や発光塗料などを用いた「光の芸術」とか「発光芸術」が、各国で見られるようになったが、この「光の芸術」は、およそ数量という感覚を失ったものであることは興味ぶかい。空間いっぱいにひろがった光とか、光の溢れた均質な空間というような言い方は、それをいいあらわそうとしたものである。そこに見られるのは、光の場であり、光のパターンである。

しかし、現在は「情報」というモデルが確固として支配しているのでなく、「機械」というモデルと錯綜しているのが実状である。それは、モデルというものが惰性をもっているからであり、神経活動の形式は容易に変わるものではないからである。したがって、こうした芸術の動向を、芸術の完全な自律化と見る見方もあるだろう。そして、当然のことだが、自律化と見る見方は、作品を一種の「機械」となぞらえる「機械」モデルにしたがっている。しかし、自律化と見るのは無理があるので、これら芸術の環境化はオール・オア・ナッシングというところに特質があるのである。というのも、情報というのはオン・オフのふた通りのありかたしかないからであり、われわれがそれらとつながるか、切断されるかということしかないからである。これは、作品を見る、見ないということとは異なっている。

こうした作品との関係がオン・オフのふた通りしかないということを、もっとも極端に示すのが、直接触れる作品であろう。何故なら、それは触れることによってのみ、作品と結びつき、そうでなければ無に等しいからである。しかし、これは触覚の専門分化ということであって、たとえば靉嘔の《フィンガー・ボックス》はそのひとつのあらわれといえる。あるいは、「視覚芸術探求グループ」のル・パルクがパリの市街でやった、その上を歩く板というのも同様だろう。こういう、直接接触する動向がふえていることも事実である。これは、「視覚」中心という芸術のありかたを、裏側から攻めた動向だが、しかし、限界のあることも否定できない。考えてみれば、こうした作品が、現代芸術として出現したのは、やはり、その背後に脳の「情報」モデルの誕生があるからであり、われわれが相互作用というものにいやおうなくひきこまれたからである。したがって、それを「触覚の復権」というようにいってもかまわないが、そういうモデルの変化ということをあくまで土台にしなければ意味がないだろう。

触覚というのは、人間の感覚の土台といわれている。動物に育てられたフランスの「アヴェロンの野生児」は、人間となるために、まず皮膚の刺激からはじめたという。イタールという医師は、この野生児がことばを覚えるまでの経過を細かに書いて公表しているが、(5) 視覚や聴覚が人間なみになるには、並大抵ではなかった。人間が、触覚的段階を脱して「視覚」優先という文化の段階に到達したのは、別に間違いであったとはいえない。それが人類の発達であった。ただ、それが絶対的なもので、思考も感覚も、そこでかたちづくられたものを唯一のものとすることが十分でないことに気づきはじめたのである。

触覚の復権が、諸感覚の相互連関性のたかまりでなければ意味がないというのは、そういうためである。かんじんなのは、「視覚」の限界についての意識であって、たとえば、戦後美術に見られる「視覚」そのものを主題にした作品にも、それは見られるのである。あるいは「見る」こと自体を主題にしたといってもいい。ジャスパー・ジョーンズはその一例であって、もし描かれたものだけに意味があるというなら、星条旗や的や数字を描くのはナンセンスというほかない。それは、絵画であるということを確証するための絵画なのである。「見る」ということ自体を客体化

5　ジャン・マルク・ガスパール・イタール『アヴェロンの野生児』古武弥正訳、牧書店、一九五二年。フランスのアヴェロンの森で一七九九年に発見された野生児を教育した医師イタールの記録（原著は一八九三年刊）。

することによって、それはやはり諸感覚の連関性をたかめようとするのである。おそらく、だれもそれを触覚的などとはいわないだろう。

神経活動の形式に見られる、電子テクノロジーの影響は、むろん、芸術ばかりでなく、生活にも多くあらわれている。おそらく、あるものは過渡的なものであろう。たとえば、ぼくは今一種の「穴ぐら願望」とでもいうべきものが見られるように思うが、それも、その一例である。アンダーグラウンド・フィルム・シアター、あるいはニューヨークやサンフランシスコにおける「サイケデリック・クラブ」などに見られるのは、「穴ぐら」への願望であって、それは、視覚的なものだけを優先させることへの反抗である。「機械」モデルは空間を分割したが、「情報」モデルは連結した無方向のもの、つまりはおおいつつむ空間へ志向させる。モントリオール万国博のバックミンスター・フラーによる球状の巨大なドームは、真昼の穴ぐらというべきものだった。あるいは、テント構造への関心のたかまりも同様である。そして、万国博といえば、その巨大なアメリカ館の中に吊るされているオルデンバーグの柔らかいビニール製の黒い巨大な扇風機が印象的だった。触覚的なものが想像力と結びついている、これは興味ぶかい例である。オルデンバーグは、扇風機とかタイプライターなど、多くの器具をビニールをぬい合わせて、巨大なオブジェを制作しているが、それはまるで「機械」モデルの終末を示しているかのようである。「機械」がまるで「生きもの」であるかのような作品は、「機械」を「生体」モデルでとらえようとしているといっていい。かつては、人間を「機械」のようだといったが、今や機械を生きものという比喩で眺めるのである。

記憶と記録についての小論

＊

テレビのボクシング中継を見る人は、ときどきアナウンサーが次のような解説を入れるのを聞いたことがあるにちがいない。「このAという選手ですがね。ボクサーになった動機を尋ねたところ、テレビに出たいからだったというのですね。テレビっ子世代というのでしょうか……」。しかし、テレビに出てみたいというのは、なにもテレビっ子世代に特有の現象ではないだろう。視聴者参加番組などで、「一度、テレビ・カメラの前に立ってみたいと思ったものですから」と、出演の弁を述べる年配の参加者の例も少なくないからである。これらは、とるに足らないことのように見える。ここに見られるのは、一言で言えば「テレビへのあこがれ」という心情につきるかもしれないが、しかし、こうした心情を単に馬鹿げたものとして一笑に付すことはできないように思う。そこには、現在のテレビの果たしている役割についてのある直観的な把握があるともいえるからである。この直観的な把握は、「テレビ外交」で名をあげたアメリカ合衆国大統領のテレビについての政治的な認識と、本質的なところでは違ってはいない。

初出『季刊フィルム』第一二号（一九七二年七月）、五八—六三頁。特集「メディアの共有と複写の思想」に発表された文章。

テレビにあこがれた若いボクサーは、マス・メディアの王者であるテレビこそ、自己の存在を多くのボクシング・ファンに知ってもらうことのできる最大の武器だと考えたのかもしれない。たしかに、テレビはそういう役割を果たし得る。しかし、名前をひろく知ってもらうというだけのことなら、スポーツ新聞とか雑誌でもよくなし得ることであろう。また、世界の「超大国」の指導者としてその名を世界にとどろかせている人物が、今さらテレビによって有名になろうなどと考える必要は皆無といっていい筈である。改めていうまでもなく、テレビはマス・メディアの王者として君臨してはいるが、しかし、テレビをマス・メディアとしてその普遍力のみを論じるのは、テレビが今日果たしている役割を素通りしてしまうことになる。改めていうまでもなく、テレビのブラウン管は、月面に降り立った宇宙飛行士も、北京空港を周恩来と並んで歩くニクソンも、わが国会の予算委員会の光景も、国立競技場でのサッカーの試合も、テレビにあこがれた若いボクサーの登場するボクシングも、それらの出来事の空間的距離の如何を問わず、眼前間近な一定の距離のところへ映しだす。つまり、それはテレビ・カメラの及ぶ限り、どのように「遠く」の光景でも、ごく「間近」にイメージとして引きよせるのである。ここで、「どんなに近くにあっても遠い遙けさを思わせる一回かぎりの現象」をアウラと定義し、それを「複製技術の時代における芸術作品」(1)を論ずる際に援用したヴァルター・ベンヤミンの視点にならえば、ブラウン管上のイメージは、どんなに遠くにあるものでも、それを眼前間近に引きよせるということで、まさにアウラとは逆の方向のもの――アウラの消滅をひき起こすものといっていい。ベンヤミンの別の用語でいうならば、

1　ヴァルター・ベンヤミン「複製技術の時代における芸術作品」高木久雄、高原宏平訳、『ヴァルター・ベンヤミン著作集第二巻　複製技術時代の芸術』晶文社、一九七〇年、七―五九頁。以後、ベンヤミンの文章の引用はこの本による。

ブラウン管上のイメージはいささかも「礼拝的価値」を持つものではないということである。「茶の間のテレビ」とは、テレビのこの非「礼拝的価値」をよくいいあらわしているともいえよう。

それがテレビのイメージの持つ批判力である。ブラウン管上のイメージは、映しだされたものがなんであれ、イメージとして同質化させることによって、対象の社会的ヒエラルヒーを曖昧にしてしまう。視聴者参加番組に出演した年配の参加者も、合衆国大統領も、ブラウン管上の画像としては区別されるところがない。つまり、テレビというメディアはその技術から見て、完全平等主義なのである。それが、テレビのイメージがアウラを持たないということの意味であり、どのように「遠く」のものも眼前「間近」に引きよせるということの持つ積極性である。しかし、これはテレビに見られる事柄の一面にすぎない。たしかに、ブラウン管に映じるイメージそのものはアウラと無縁ではあるが、テレビというメディアはまさにそれとは逆比例するもうひとつのプロセスをも同時にひき起こすからである。マス・メディアとして映画とテレビが区別されるひとつの根拠はここにあるといっていい。このもうひとつのプロセスは映画には見られない。テレビでは、ベンヤミンのことばを少し訂正していうならば、「ブラウン管上のイメージとしてはどんなに近くにあっても、遠い遙けさを思わせる実体はかえってその遙けさを強める」ということが生じるのである。合衆国大統領は、ブラウン管の上ではごく間近な親しみ深いイメージとなって姿をあらわすかもしれないが、しかし、それとうらはらにその本質はかえってより深いアウラにくるまれる。イメージがアウラを失えば失うほど、その実体はかえってアウラにくるまれるという背反したプロセスの同時現象がそこに生まれる。「テレビ外交」は、テレビのこうした役割を正確に用いたのである。

映画において、カメラの前で演じる俳優がアウラを捨てなければならなくなった事情については、既にベンヤミンが語った通りである。俳優はフィルムを通したスクリーン上のはかないイメージとしてのみリアリティを持つものであって、生身の肉体を包むアウラはそこではふきとんでしまう。「そこで映画界は、アウラの消滅に対抗するために、スタジオのそとで人為的に〈パーソナリティ〉をつくりあげ、映画資本を動員してスター崇拝をおしすすめ」たのである。「こうして温存されるパーソナリティという魔術は、いまではすでに腐敗しきったその商品的性格の魔術でしかなくなっているのである」。しかし、テレビ・カメラの前に立つ人間は、映画のカメラの前でフィルムにすべてが吸いとられてしまうという事実にうちふるえる人間と同じではない。映画のカメラはフィルムという製品に向けて開かれている吸いとり口のようなものであるのに対し、テレビ・カメラは視聴者に直接通じている窓口のようなものである。映画俳優とテレビ・タレントはこうして区別される。テレビでは、ブラウン管のイメージとそれに対抗する実体という二元性が存続し、テレビというメディアはそれらを結びつけているのである。

私はテレビというメディアそのものを政治的だとは思わない。しかし、テレビにおけるこの二元性は、イメージと実体の背反するプロセスの同時現象をひき起こし、それは高度の政治性を発揮しうるのである。テレビにあこがれた若いボクサーは、別にそうした政治性と直接関係を持ってはいない。しかし、彼はこのテレビの二重プロセスともいうべき機能を直観的に知っていたのである。厳密にいうならば、彼はブラウン管に映る自分のイメージにあこがれたわけではなかった。ブラウン管上のイメージで人々に親しまれることによって、逆にアウラにくるまれてゆく自分に「あこがれた」というべきだろう。もし、これをナルシシズムというならば、それはイメージとなった自己ではなく、イメージを超えた「遙かなる」自己へのナルシシズムといわねばならない。

こうしたテレビの二重プロセスは、ブラウン菅が遠くのものをどのように眼近に引きよせようとも、そこに映しだされるイメージは対象の全体でありうる筈がなく、いわばその断片であり部分でしかないことにもとづく。マーシャル・マクルーハンなら、そうした点に、視聴者の高い参加の度合をもつクールなメディアとしてのテレビを見るわけだが、この「低い確定度」を持ったテレビへの参加は、じつはイメージを超えて、対象をアウラでつつんでゆくことをもたらすのである。ちょうどこの原稿を書いている最中に、わが国の総理大臣がその引退に際して、新聞は偏向しているからきらいだ、テレビならいい、テレビなら直接国民に語りかけることができるという「暴言」を吐いた場面をテレビで眼にしたが、新聞は虚偽でテレビは真実だというのは、もっともらしい言いぐさだが「真実」ではない。「テレビ外交」の成功を眼にしたわが首相は、テレビこそみずからを「遠い遙かなる」ものとしてアウラにつつんでくれることを知っていた筈である。テレビのひき起こすこうした実体のアウラ化現象は、その映しだされる光景が一種の儀式としての性格を持つとき最大の効力を発揮する。月面への降下は一種の儀式であり、一国の一元首の他国への訪問も儀式であり、オリンピックも巨大な祭典にほかならない。そして、首相引退の声明も儀式のひとつである。あらかじめ中継を予定されているテレビの対象は、その大半が儀式という性格を持つものであることは奇異なことではない。テレビというメディアの操作は、このイメージの非アウラ化と実体のアウラ化という二重現象にどのように介入するかによる。つまり、それを強めるか、その逆にそれを反転して、実体のアウラ化をイメージの非アウラ化によって軽減するかのいずれかである。ここで大きな役割を果たすのが、解説であり、コメントであろう。コメントはこの場合、アウラ化を助長もすれば、軽減もするからである。

＊

ブラウン管上のイメージは、われわれの記憶として私有される。時間的に継起するテレビのイメージを、その物質的な基盤とともに所有することは不可能だからである。テレビの映しだすイメージは記録ではなく、われわれの記憶に属している。それが、実体のアウラ化をつくりだす地盤である。テレビ・メディアの強力さは、逆説のようだが、それが一挙に不確かな記憶の領域に短絡することにもとづいている。しかし、写真の場合には別の事情が姿をあらわすのである。先にも触れたベンヤミンは「複製技術の時代における芸術作品」で、周知のように写真と映画を論じたが、そこでアウラの消滅についてこう述べた。「アウラの消滅は、現今の社会生活において大衆の役割が増大しつつあることと切りはなしえないふたつの事情に基づいている。すなわち一方では、事物を空間的にも人間的にも近くへ引きよせようとする大衆の切実な要望があり、他方また、大衆がすべて既存の物の複製をうけいれることによってその一回かぎりの性格を克服する傾向が存在する。手近にある物を描き、模写し、複製して所有しようという要求は、日常生活において避けることができない。もちろん絵入り新聞や週間ニュース映画が提供する複製は、絵画とは明確に区別されうる。絵画では、一回性と歴史的時間が密接に結びついているが、新聞やニュース映画では一時性と反復性とが結びついているのである。事物をおおっているヴェールを剝ぎとり、アウラを崩壊させることこそ、現代の知覚の特徴」である。

複製技術の産物として写真を見る限り、それはまさに「一回性と歴史的時間」とに密接に結びついている絵画と「明確に区別されうる」ものといえる。写真は「いま」「ここに」しかないという芸術作品の一回性とは無縁である。しかし、写真はベンヤミンのいうアウラとどのような意味でも無縁になってしまったというわけではない。じつは、写真の持つ記録性のなかへアウラが姿をひそめるのである。ここでベンヤミンが前出の論文の注として次のように書いていることを想起するのも無駄ではあるまい。「形象の礼拝的価値が世俗化するにつれて、その一回性の基底にかんするイメージがますます不安定になる。礼拝像そのものの姿にひそんでいたはずの一回性は、もちろん完全にとはいえないまでも、ある程度背後におしやられて、受け手のがわのイメージにうつる芸術家自身ないしその造形能力という、きわめて経験的な一回性が、かなり表面に浮かびあがってくる」。写真の場合、この「経験的な一回性」とは、あるものが写真に撮しとられるという歴史的事実を意味する。つまり、あらゆる写真は、日付けと場所を持つということである。アウラは眼前の写真という視覚の形式ではなく、写真を撮るという行為のなかに転移する。じっさい、写真を撮るという行為は、当の人間にとっては他者と共有することのできない一回限りの経験にほかならない。それは絶対的なものであり、他者にとってその経験は「遠い遥か」なものだといわねばならない。つまり、この経験の一回性は写真を撮る人間に私有されるものであって、共有不能のものなのである。

しかし、この経験の一回性、つまり「いま」「ここに」という性格は、写真という形式そのものに直接及ぶわけではない。これを混同するとき、写真のイメージもまた撮影者に私有されるという転倒した価値観が生じるのである。絵画では、この経験の一回性と絵画という形式の一回性とが直接結びついている。絵画の一品性という性格の基盤はそこにある。それに対し、写真の場合には、その経験の一回性は写真のイメージを支えるものであり、それなしに写真は成立しないが、しかし、写真というメディアに直接姿をあらわすといったものではないのである。それというのも、どのような写真もまた対象の断片的イメージであり、部分としてのイメージでしかないからである。写真がアウラを持たないというのは、遠くのものを近くへ引きよせるということの代償として全体性を放棄するということを意味している。かつて、私は「「剰余」としての写真」(編1)という文章を書き、そこで「写真を撮ることが「剰余」にすぎないのではないかという意識は、ことばを変えれば写真は視覚の充溢ではなく、なにものかの喪失と引き換えでしか成立しないのではないかという自

編1　中原佑介「『剰余』としての写真」『写真映像』第七号（一九七一年一月）、一七五—一七八頁。のちに『見ることの神話』（フィルムアート社、一九七二年）に再録。本書二一三—二一八頁に所収。

覚にほかならない」と述べたが、それはこの写真を撮るという行為の一回性と、写真のイメージが全体性を持つものではないという冷厳な事実のギャップにもとづいているのである。

写真のイメージそのものがアウラを持たないという事実は、しかし、テレビの場合のようにイメージを超えた実体のアウラ化をもたらすとは限らない。それは、写真を撮るという行為の一回性を根底にしながら、「いま」「ここに」ではなく、「その時」「そこで」写真に撮しとられたイメージについての疑いのない真実性への信頼をつくりだす。むろん、写真技術の原理的なプロセスから見て、この信頼が一概に誤っているということはできない。しかし、写真を撮るという行為と、それが印刷その他のメディアによって転換されてわれわれが眼にするイメージとは直結していないという事実が、この信頼を疑わしいものとする根拠である。ひとりの人間が写真を撮るという行為そのものは、必ずしも社会的現象というわけではないが、それがさまざまなメディアによって複製化されるのは社会的現象にほかならない。複製化というのは、ただ単に写真の枚数を増やすとか、印刷によって同じイメージを多量にばらまくといったことを意味するのではない。それは数量的な問題ではなく、写真を、個人が写真を撮るという一回限りの行為からひきはなして、つまりアウラをイメージの中へとじこめながら、まったく別の社会的文脈のなかに据えるということを意味するのである。

ベンヤミンが今から三六年前に、「複製技術時代の芸術作品」を指して、「礼拝的価値」から「展示的価値」への変貌を指摘したことの深い意味はそこにある。「展示的価値」とは、単に作品の「礼拝的価値」からの解放を意味しているわけではない。それは芸術作品がかつては「礼拝的価値」として社会的文脈のなかにおかれていたのに対し、現代では「展示的価値」という新しい社会的文脈のなかでその機能を発揮するようになったということである。「展示的価値」の重視によって、あるものがどのように「展示」されるかということへの関心が生まれる。どのように「展示」されるかというのは、どのような意図と目的によって、人々の眼前にさらすかということである。つまり、そこに「展示」の政治的であろうと非政治的であろうと党派性が不可避的なものとして介在するのである。

*

テレビと写真の共通性は、それらがいずれもある事実と対応しているイメージだということにある。そのイメージがどのように改変されていようとも、事実を要素としていることとでは変わりはない。それは、これらのメディアの技術的な最低の基盤である。しかし、そのイメージがアクチュアリティを生みだすあり方は同じではない。テレビの場合、そのアクチュアリティはわれわれの記憶のなかで発揮される。先に、私はわれわれの記憶として私有されたブラウン管上のイメージは、時間とともに変貌し、次第に不確かなものとなってゆくが、この記憶こそイメージに対応する実体のアウラ化の地盤だと述べた。この記憶の曖昧化が、実体のアウラ化に吸収されてゆくプロセスを生みだすのである。

このマス・メディアとしてのテレビのひき起こす実体のアウラ化を、絶対的な悪として批判するのは正しくない。それはテレビというメディアの持つ潜在的な能力にほかならないからである。テレビのイメージの持ち得る批判力は、このアウラ化と不可分の能力であり、もし、テレビのひき起こす実体のアウラ化が皆無ならば、批判力もまた消滅してしまう。この実体のアウラ化は、テレビ・メディアを支配する操作者の操作によって強化されるが、それはテレビに内在しているのである。先にも触れたように、映画において俳優の生身の肉体をつつむアウラが解消されるという事実は、いかなる映画資本の力によってもカヴァーし得ることではなかった。スター崇拝はスクリーンの外で人為的につくりだすほかなかったのである。それと対比的にいうなら、テレビの持つ二重プロセスはテレビというメディアのつくりだす心理的な帰結であり、いわば不可避的なものといっていい。

この記憶領域におけるイメージの私有意識は、実体のアウラ化によって、あたかも記憶の共有化というように知覚される。マス・メディアという旗印が、この共有化の知覚を強化する。公共性は実体のアウラ化の護符なのである。イメージの私有意識は、こうしてメディアの社会的な所有関係によって支配されてしまう。写真の場合には、事態はまさに逆に展開する。写真における「その時」「そこで」という一回性を持った経験(これは、撮るものについても、撮られるものについても同じである)が、複製によって社会化されるとき、その経験の一回性は社会的な経験の一回性にまで拡大されたように見える。どのように私的な写真でも、複製によって社会化されるときには、私的な性格を払拭されるからである。写真では、このイメージの共有性が大前提である。それは記憶でなく記録性を土台にしている。しかし、写真を撮るという行為の一回性をポイントとして、この共有性に逆転劇が生じる。写真の場合、ある種のアウラが写真の私有観念をつくりだすのである。

私はそれを写真の持つ時間的アウラといっていいと思う。テレビにおいては、実体のアウラ化は物理的にも心理的にも空間的なものである。しかし、写真の場合、空間的な意味でのアウラは起こりにくい。「その時」「そこで」という経験の一回性が、複製化されることによって実体のないものになるとき、そこに生じるのは時間に関するアウラである（写真を撮るのに、どのように苦心して写真を撮ったかというのは、経験の一回性を写真の時間的アウラに置換しようという意図のあらわれにほかならない）。私は先にもいったように、この経験の一回性は絶対的だと思う。しかし、それを写真における時間的アウラに転換するのは、記録を自己の記憶に置きかえることとなのである。

いわゆる視聴覚メディアといわれるものにはいろいろあるが、私はそれは記憶に関係したメディアと記録に関係したメディアに大別できるのではないかと思う。あらゆるレコーディング・メディアはいうまでもなく後者である。それを、空間的メディアと時間的メディアといいかえてもいい。そして、記憶に関係したメディア（たとえばテレビ）では、対象の空間的なアウラの形成ということを通じて、メディアからの疎外が発生するのに対し、記録に関係したメディア（たとえば写真）では、時間的なアウラの形成を通じて、それからの疎外がつくりだされる。しかも、そうした疎外はメディアにとって外的なものではなく、潜在的なものなのである。対象をつつむアウラの形成とメディアからの疎外というのは、メディアそのものがアウラを持たないからである。

私はベンヤミンのいうアウラそのものを別にネガティヴな概念のものだとは思わない。たとえば、あらゆる人間にとって、他者の生はアウラにくるまれたものだからである。しかし、テレビや写真というメディアを媒介にすることによって、アウラは政治的な概念、あるいは商品価値となって顕現する。それが、現代社会におけるアウラのアクチュアリティである。一国の元首個人の生は、他者によって侵し得ないものである。けれども、テレビのイメージを通して、個人的な生とは無関係なアウラがつくりだされる。それが政治的アウラというものである。あるいは、一カメラマンの写真撮影という個人的体験は、他者の近づき得ないものである。それが複製化を通じて、経験の時間的アウラとして写真で商品化され得る。それが商品的アウラである。もし、それを社会的経験の一回性というレヴェルにおいて近づき難いものにすれば、写真もまた政治的アウラをつくりだす。ルポルタージュ写真の持つ政治的なプロパガンダはそれを根底にするのである。

かつて「礼拝的価値」につつまれていた芸術作品が「展示的価値」によって変質されたように、こうした空間的メディアならびに時間的メディアのひき起こすアウラを払拭するには、それらの再度の非アウラ化というプロセスを必要とする。おそらく、われわれはそのごく素朴な方法を感知している筈である。テレビのブラウン管のイメージとして映しだされた写真、ブラウン管の画像の写真化が、どれほど異化された感じを与えるかは周知のことにちがいない。それは、テレビの場合、記憶を写真のイメージに集中させることによって、実体のアウラ化から遠ざけ、写真の場合には、テレビによって写真の記録性を相対化して時間的アウラを軽減させるからである。こうした効果も、それぞれのメディアのもたらす心理的効果に依存している。写真によって、写真の時間的アウラを払拭するには、写真の記録性そのものを写真化することである。フォト・モンタージュでは、写真の意味を変えるという意図があらわになる。つまり、その意図がつくりだされたもののリアリティを決定するのである。フォト・モンタージュの意味はそこにある。

マス・メディアと関係づけられたわれわれの記憶も記録も、もはや自然的なものではない。自然的なものは、人為的なものの変数としてひきだされるのである。それがメディアという技術のもたらす本質である。機械的技術の生みだす一切がわれわれの自然的なものからへだたっていると同様、マス・メディアの関係するもの一切は人工的なものである。この点でメディアの技術的側面をどれほど強調してもしすぎるということはない。そこでは、われわれの記憶も、また記録も、人工の烙印を押されている。この人為性に対立するのは自然性ではない。人為性をどのように操作するかというただ一点である。アウラをそこへ持ちこむことは、メディアの技術的側面を糊塗することでしかないといわねばならない。

空間的メディアも時間的メディアも、その本質は分析的なものである。それらのもたらすものが、部分的であり断片的なものだというのがその積極的意義である。実体のアウラ化も、時間的アウラ化も、与えられる部分的、断片的なもののかなたに、ある全体的なものを想定することに由来する。マス・メディアの持つ「展示的価値」からみれば、芸術にみられる「芸術のための芸術」という概念は、「礼拝的価値」にしがみついたうさんくさいものにみえる。しかし、この対比はあまり強調すべきではない。マス・メディアというのは、まさに「メディアのためのメディア」として存在するからである。「展示的価値」に支配されたマス・メディアの場合、これはメディアの自立化を意味するわけではない。「メディアのためのメディア」というのは、メディアがそれと対応する時間的・空間的アウラと結びつくことを意味している。この「メディアのためのメディア」という思想によって、マス・メディアの分析的能力はあたかも総合的なそれであるかのような外観を呈するのである。もし、テレビにあこがれた若いボクサーが、テレビは分析的なものだということを知っていたなら、彼がテレビをマス・コミの王者として憧憬したかどうかきわめて疑わしいと思う。その時、彼はそのアクションのあらゆるディテールが分析されるということを覚悟しなければならなかった筈である(今日、このことはスロー・ヴィデオによって可能になった。しかし、テレビにおいて、その他の対象に関してそれを用いるということがまったくないのは注目すべき事実である)。しかも、この分析的能力をよく発揮するのも、テレビの技術の駆使によってなのである。それはメディアの外部からによってではない。

時間的アウラの創出については、新しい記録メディアがまったく別の角度から、それに照明をあたえる。ヴィデオ・テープである。それは、経験の一回性とそのイメージとしての複製化による分離というプロセスそのものへの直接的介入を可能とするのである。このプロセスへの介入によって、時間的アウラは曖昧とならざるを得ない。ヴィデオでは複製化という概念が特別な意味を持たないのである。これは空間的メディアと時間的メディアの新しい結合である。ヴィデオは「メディアのためのメディア」からはみだす技術である。しかし、この問題については、さらに別の機会に書きたいと思う。

第二章　漫画論

青カビの合唱

日本の漫画

私はいろんなヘマをやらかしましたが、今でも馬鹿勲章をぶら下げています。
（ゼバスティアン・ブラント）

I

「岡本太郎論[編1]」のなかで、私は、はじめてかれの作品に触れたときの印象を、「闇のなかで鋭い光に照明されたような、一種異様な衝撃」というふうに書いた。いまから見ると、多分にうわずった表現だが、じっさいそうしたうわずりかたをさせるほどに、戦後、まずつよい関心を惹いたのが、岡本太郎の作品だったのである。そして、「岡本太郎論」は、その関心の意味を見出だそうとした所産だった。

一九四九年に、かれは《重工業》という作品を発表した。回転する大きな歯車、クレーンのような鉄骨、溶鉱炉、それらがダイナミックに交錯する間をぬって、まるで機械人形かなにかのような労働者のむれ、スパーク――そして、それらとはまったく唐突に画面を斜めに横切って描かれている巨大なひとたばのねぎ。画面から発散するムーヴマン、あるいはリアリスティックな機械の描写というような、ま

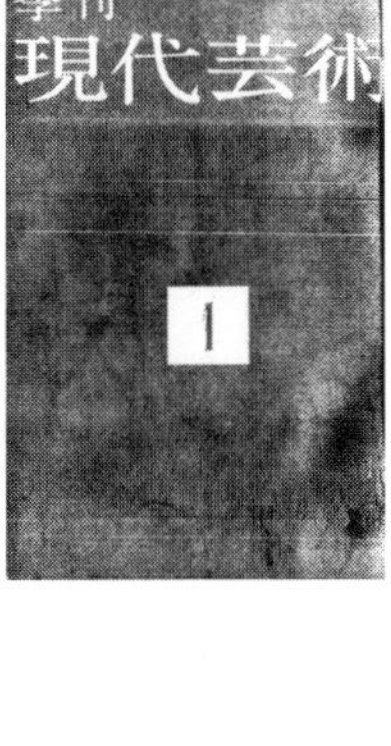

初出（Ⅰ）『みづゑ』第六三九号（一九五八年九月）、三一―四一頁に「日本のマンガ（ナンセンス作家・4）」として掲載。（Ⅱ）『季刊現代芸術』第一号（一九五八年一〇月）一八二―一八九頁に「日本の現代マンガ」として掲載。のちにあわせて「青カビの合唱」と改題して『ナンセンスの美学』（現代思潮社、一九六二年）、『ナンセンス芸術論』（フィルムアート社、一九七二年）に再録された。

あどちらかと言えば、副次的な要素を次々に消去していって、私がみずからに提出した疑問というのは次のようなものだった。「それでは、あのねぎは単なるメカニズムとヴァイタリズムの文学的な対比なのだろうか。無機と有機の、知性と本能の、フォルムと実質の、線とマッスの、要するにあらゆる意味の対立なのだろうか」。そのとき、私はこのねぎこそ無意味という以外のなにものでもなく、このねぎの存在こそ、《重工業》という一見ひどくテーマ主義と誤解されそうなこの作品に、いま言ったメカニズムとヴァイタリズムの対立の図解というようなありきたりな解釈を逆に拒否させる要素をになわせているにちがいないと思った。「無意味さを添加することによって逆に意味を与える（というよりも、むしろ変える）ことの可能性」がそこにはあるのであり、この作品につづく、《森の掟》のなかのチャック、《青空》の画面に描かれている奇妙に無表情なふたつのひとみもまた、かたちをかえてあらわれた、ねぎにちがいない……。

しかし、「岡本太郎論」のなかでは、私はかれのこうしたナンセンスなものの追求を、どちらかと言えば岡本太郎自身に接触させすぎて論じ、あるいは、個々の作品の解釈に近視的になりすぎた傾向もあって、このねぎ的なものが描かれたことによる、より外に向かって放射される意義については、つよく主張しないままに終えてしまったように思う。

このねぎ的なものこそ、思いがけないほどつよく滲透している美術の教養主義的な受け取り方、あるいは、それとうらはらの関係にある美術にたいする解釈の過剰な要求という一般的傾向にたいする、最初の一撃であったのである。日本の近代美

岡本太郎《重工業》一九四九年

編1　中原佑介「岡本太郎論」『美術批評』第四三号（一九五五年七月）、一六―三一頁。本選集第一巻『創造のための批評』に所収。

術と言えば、まずヨーロッパ美術の模倣、そしてそれを生みだしたものは、わが国の前近代的な要素による対ヨーロッパ・コンプレックスというのが定説で、むろん、それはそのとおりだが、私はそれと平行して、いや、平行と言うより、むしろ、補足・強化するものとして、美術をあくまで、美的教養の対象としてしか見ない享受のありかたを無視することができないのではないかと思う。じっさい、この教養主義的な美術観というのは、意外なほど多くの芸術のジャンルにおいて、ガン的存在になっているのである。

まず、ひろい文化の一端として接触を開始したヨーロッパ美術が、始めは実用的・功利的な観点から受け取られたのは当然のプロセスであろう。それがやがて、技法を抽象する過程に移り、三転して、人生論的な色彩でくまどりされた美的教養というかたちをとりはじめたのは、おそらく白樺派の抬頭と切り離せない。その点に関しては、おそらく佐々木基一が言うように、「ヒマを享楽できる階級の人々にとっては、したがって、生活のための必要労働は文化の創造にたいしてたんに否定的、消極的な意味しかもたぬものとして軽視された。いわば労働と余暇は二つの極に分離して、ほとんど余暇らしい余暇をもつことのできぬ階級と、他人の労働に寄生してもっぱら余暇だけを、もっと正確に云えば、たんなるヒマと化した余暇のみを享受する階級とにそれぞれ割り当てられることになった。いわゆる教養主義が発生するのはそのような客観的土台の上にであって、たとえば夏目漱石の『それから』には、そのようなヒマと労働との分離、食うための必要労働への懐疑と嫌悪がはっきりあらわれている。『それから』の主人公代助は友人に向って次のように語って

岡本太郎《森の掟》一九五〇年

いるが、これこそ漱石以後、白樺派の人々や漱石門下の思想的核心となった教養主義の単純明解な心理図形である。「働《はたら》くのも可《い》いが、働《はた》らくなら、生活以上の働《はたらき》でなくつちや名誉にならない。あらゆる神聖な努力は、みんな麵麭《パン》を離れてゐる」（編2）ということで、ほぼあらましがつくされている。そのことはまた、今日、岸田劉生・高村光太郎らのフュウザン会の仕事から、白樺派との関連を考えてみても、十分うなずけそうである。たしかに、高村光太郎の言うように、「自分と異つた自然の観かたのあるのをANGENEHME UEBERFAIL〔好ましいおとずれ〕として如何程までに其の人が自然の核心を覗ひ得たか、如何程までに其の人のGEFUEHL〔感情〕が充実してゐるか、の方を考へて見たいのである」（編3）というようなことばは、それはそれとしてもっともだが、これがあくまで教養主義的な観点の上でしか（高村光太郎のばあい）意味を持っていないことは黙視しえないと言わねばなるまい。

こうした知識人の、美術を教養主義の地盤の上で創造・享受するという現実はなにを生んだか。第一に、言うまでもなく非常にせまい範囲内でのコミュニケーションをもっていいとする芸術至上主義であり、第二に、教養ということばが直截的に表現しているように、高尚なもの、真面目なもの、笑いといってもせいぜい上品なユーモアという程度のものしか価値を認めない傾向、第三に、教養主義という地盤に入りきらない、純粋美術以外の種々の美術のジャンルは、応用美術として一段とひくいものとみなすという美学上の頑固なコンサーヴァティズムである。教養主義者はともかく、こうした一般の芸術即教養という、漠然としてはいるがそれだけにかえって気体のようにしみこんでいる芸術観を、全面否定しなければならないよう

編2　佐々木基一「余暇における人間の問題」『中央公論』第七三年八号（一九五八年八月）、一二四―一三二頁

編3　高村光太郎「緑色の太陽」『スバル』第二年四号（一九一〇年四月）、三五―四一頁

に思う。現在のような芸術そのものの根源が問われようとしている変動期にあっては、なおさらのことであり、現状でも純粋美術を至上のものとする意識がつよいだけに、そのことをつよく感じないわけにゆかない。

つまり、岡本太郎の一撃は、こうした教養主義的な土壌に加えられたのである。かれの作品に見られるナンセンスなものの持つアクチュアリティは、そうしたところにあったのである。

おなじ土壌にたいして、すこしちがった方向から一撃を加えたのは鶴岡政男だった。この、どちらかと言えば戯作者的な気質を感じさせる画家は、かれ自身のことばによれば「三流芸術」を逆手に用いながら、教養主義を嘲笑しているかのように思われる。最近の《海のあやかし》でもそうだが、ほとんど漫画の世界と隣接しているようなイメージを展開することによって、かれは、純粋美術という概念の持つ例の高尚さ、上品ぶりに抵抗するためにのみ、油絵を描いているかのような印象すら与える。そこに取り入れられている通俗的と見える要素は、通俗性そのものとして価値を与えられるのでなく、あくまで否定的な媒介としての意義を与えられている。むろん、そこには漫文漫画といった世界に見られるような、それ自体で自足したような雰囲気が見られないでもない。しかし、かつて、水爆の脅威というようなテーマをとらえ、およそ形破りな十字形の作品《人間気化》を描いたこの作家には、たえずステロタイプを変化させせようという強いモティーフがあると見ていいだろう。

＊

鶴岡政男《アクロバット》一九四九年

〈浴室〉シリーズとか〈物置小屋〉シリーズで出発した河原温、一連の風刺画で出発した池田龍雄らが、のちにグロテスク絵画の主流をなす仕事をし、さらに最近、前者は印刷絵画、後者は漫画にあたらしい表現の場を見出だそうとしているのは、ある程度、内的な必然性があると思う。私はかつて、かれらの仕事にある非絵画的要素に注目し、そうした要素を拡大することによって、あたらしいパースペクティヴを得るかもしれないという意味のことを書いたが、グロテスク絵画（例のブヨブヨ派というニックネームを与えられたもの）の氾濫は、一方で、それをあくまで絵画のうちに溶解・融合させてしまおうとする傾向を生み（その多くは、ほとんど形式的なものにすぎなかったが）、他方、それは、非絵画的な（むろん、ここで言う非絵画的ということばは、非教養主義的美術観と言ったほうがいいと思われる）要素を拡大しうるものだった。アレゴリカルな方法で現実を風刺する特異なイメージを発表した池田龍雄は、〈禽獣記〉シリーズに至っていちじるしくナンセンスな笑いを誘発する方向に向かっているが、絵画と漫画の境界地帯に踏み入ったと思われるこの作家は、あたらしい主題と、それに必要な形式を発見するという、言わば暗黒の世界をまさぐっているのである。池田龍雄の作品は、およそ美的教養というようなものからは程遠い感じだが、そうした背景のなかでのあたらしい主題と表現形式の統一というのは、むしろ、これからの課題だという気もする。

　はじめ、幾何学的なフォルムのはげしい交錯のなかに、現代という時代の漠然とした雰囲気のようなものを反映させていた吉仲太造も、やがて《地球人》《厄介

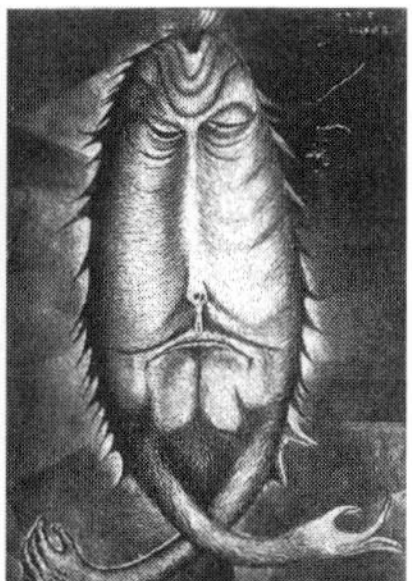

（右）池田龍雄《教祖》一九五五年
（左）池田龍雄《作品》一九五八年

なタコ》というように、アレゴリカルな手法を、折衷的に取り入れることによって、客観的リアリティというような地点から、みずからのイメージを遠くひきはなし、最近は漫画の試みを行なっている。この途中の作品に姿をあらわしたタコもまた、岡本太郎のねぎ的な性格をになわされていた。そしてそれは、単純なアレゴリーという解釈を拒絶することによって、美的知識の集大成のなかへ繰り込まれ、整理されてしまうことを拒否したと言えるだろう。

　こうして見ると、桂ユキ子が日常的なものをコラージュふうにまとめてつくった《月とスッポン》のようなひとを食った作品も、むしろ、いかにも絵画といった感じがしないでもない。しかし、ひとを食ったようなという点は、あくまで貴重なものだと思う。桂ユキ子の作品が、そうした性格をつよく感じさせるのは、日常的な個々のものをきわめてリアリスティックに描くことによって、逆に徹底してファンタスティックなイメージをつくりあげているという、逆説的方法を用いているからである。絵画におけるこのようなフィクティシャスな性格というのも、また高尚ではないのである。

　絵画におけるナンセンスなものの意義というのが、わが国では、まず美術即教養といった風土にクサビを打ちこむことにあることは、きわめてアクチュアリティのある芸術の問題だと思われる。そのためには、個々の作品の内容を超えて美術をどのように位置づけるかという根本的な状況にまで及ばなければならないからである。テーマ主義的な解釈、あるいは内容とか様式にたいする興味そのものが、どのような構造を持っているかということの検討にまで及ばないわけにゆかないからでもあ

吉仲太造《地球人》一九五六年

る。絵画を否定するために絵画を描くというような逆説的な方法も、またでてくるのである。

こうした教養主義的な美術観を全面的に否定することが同時に、大衆芸術創造の必要条件であることは、むろん言うまでもないだろう。私は、戦前のプロレタリア美術をふりかえってみるとき、階級的視点、あるいは前衛の眼の確立ということが言われ、またプロレタリア美術の課題として、美術の大衆化という問題がだされたときにも、それが、ただ美術の階級的ヘゲモニーの変革ということにとどまり、美術即教養というぬきがたい見方をまで、根本的に破壊するところに変革の手がのばされなかったのではないかと思う。そこから現代美術＝《イコール》ブルジョア美術、したがって現代美術の否定が、そのまま、絵画の否定というかたちをとったものの、それ以上、芸術の課題として発展しなかった状況が生みだされたのである。

プロレタリア美術の運動が、まず、漫画を尖端としてはじめられたのは、それが、革命のためのアジテーションあるいはプロパガンダという必要性から、当然のこととも思われるが、そのばあい、当時流布する漫画を大衆芸術の創造という課題における否定的媒介とし、そこから、あらゆる美術即教養説を一歩一歩破壊してゆけば、逆に漫画の問題も鮮明化されたかもしれない。私が、プロレタリア美術ということを思い浮かべるとき、まず柳瀬正夢の仕事を考えるのも、そうした事情からである。始め油絵を描いて帝展などに出品していたこの作家が、革命のための芸術という問題にぶつかるや否や、油絵を捨てて漫画を描くに至ったのは、先にも述べたアジ・プロ性と、漫画そのものの大衆性という両者を結びつけようとしてのことであった

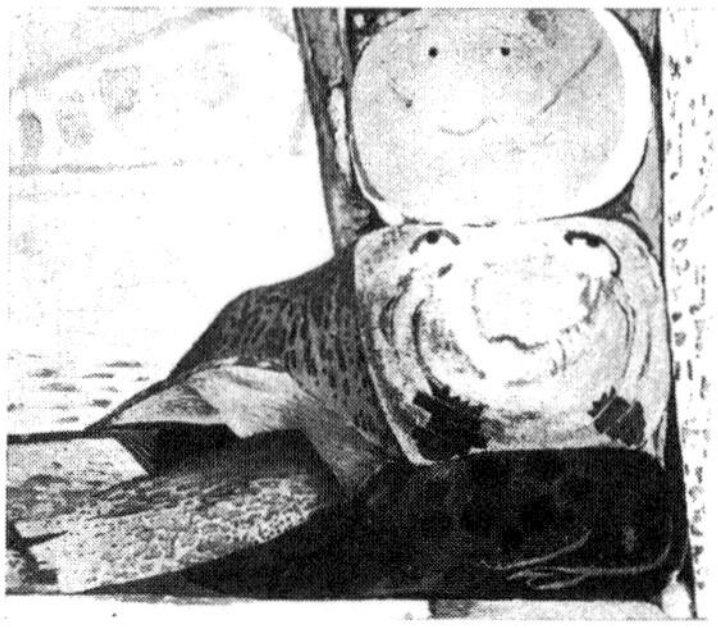
桂ユキ子《月とスッポン》一九五六年

のは言うまでもないが、同時に油絵を抛棄したことについては、かれなりに美術が教養以外のなにものとしても受け取られないという状況に立ち向かったこともあるに違いない。しかし、かれのようなアクティヴな作家が、漫画をもって俗流漫画を否定するという芸術革命に大きな寄与をなしとげなかったところに、私は「プロレタリア美術」の蒸溜化（純粋化）装置の強大さを思うのである。プロレタリア革命という政治の要請から生まれる革命芸術は、「プロレタリア漫画」でなく、あたらしい「漫画」そのものになる筈ではなかったかと私は考える。そして、じっさいはそうではなかった。

したがって、戦後、先に述べたような作家たちによって代表される、現代絵画におけるナンセンスなものの持つ意味は、ナンセンス絵画というようなものでなく、戦後に持ち越された美術の教養主義的見方そのものの変革と表裏一体になっているのである。しかもまた、こうした同じ美術観が中枢になっていて、逆に漫画をただ漫画という形式のなかに安住して描くという、漫画の定常性が（低俗だというレッテルつきで）温存されているのだとも言えよう。

＊

もちろん、漫画を美術と同列に論じることはできない。なぜなら、今日の漫画をマス・コミと切り離して考えることは、ほとんど不可能にちかいからである。「漫画さまざまなすがた」[編4]というエッセイのなかで、関根弘が「詩集と漫画集は、現在、

編4　関根弘「漫画さまざまなすがた」『日本読書新聞』第九五四号（一九五八年六月九日）、第一面

共通の運命を背負っているらしい。若干の例外を除いて、詩集は自費出版になっているが、漫画集もこれに似ている。〔……〕漫画ほど大衆に親しまれているものはないと思われるのに、この現象はなにを意味するであろうか」という質問をだしているが、たしかにそうした一面があるかもしれない。そして、関根弘はそれにたいして次のような解答をだしている。「漫画もまた私たちの生活にしみついてしまった脂のようなものだ。漫画は、朝、起きると新聞とともに、ニュースの付録としてやってくる。私たちは朝メシとともにそれを呑みこむ。若干のくすぐりを期待しているのだが、くすぐりが足りなくとも、べつだん腹を立てることもない。ときには、うまいといって笑いだすこともあるが、それが頭の奥深くに突き刺さり、一日中の行動を左右するということはない。これはきわめて虚無的な習慣だ。ひとびとは漫画のなかにいすぎるので、かえって漫画をみうしなっている」と。

　われわれは関根弘の言うように漫画のなかにいすぎる。しかしまた、漫画に溺れてしまうこともない。漫画というのは、次々に読み捨てられてしまうというはかない性質をまた持っているからである。だからといって、たとえば、タブローに漫画を描くということを目的にするわけにもゆかないだろう。最近で言えば、久里洋二、中島弘二、真鍋博がそれぞれ漫画の自費出版をした。こうした現象の背後にあるのは、漫画のはかなさにたいする手段でなく、むしろ、はかなさを漫画の低俗さと直結してしまう、その妥協性にたいする抵抗だと思うのである。

　たしかに、漫画のこういったはかなさは互いに離反するふたつの要素を内蔵させている。ひとつは、それをそのまま、うわべだけのくすぐりにつながった、例の上

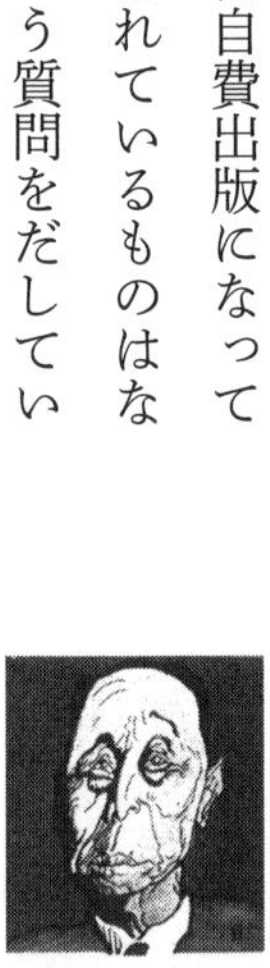

近藤日出造の似顔絵漫画

品なユーモアか、さもなくば、もっと直接商業主義に迎合した漫画に向かわせるもので、もうひとつは、そのはかなさこそ、逆に漫画にアクチュアリティを抜かすことのできないものとして条件づける要素である。むろん、後者は漫画家の前に大きな壁をつくらないではない。しかし、私にはその方向にしか、漫画の可能性を見ることができない。

しかし、いちがいに漫画が大衆的だから漫画家もまた大衆性に徹しているというわけではない。漫画家のなかにもまた、美術即教養的美術観への志向がないとは言えないように思われるからである。私は、漫画をあくまで大衆芸術という課題にそって追求してゆかなければならないと思うが、そのことは、漫画を芸術化しようということではない。たとえば、最近、清水崑とか近藤日出造などの漫画家が、アクチュアルなものにたいする関心というより、関心そのものをも失っているように見えるのは、漫画家が芸術家に変貌しようとして、逆に漫画家であることに背を向けつつあることのあらわれだと思うのである。

たしかに、漫画にもまた飛躍的な想像力、奇抜な表現が必要なのであり、単に現象のカリカチュアライズですますわけにはいかない。そして、飛躍的な想像力、あるいは奇抜な着想が脱落するとともに、漫画家が古い芸術家意識にとらわれるのは、ある意味では当然のことでもあるだろう。そして、さらにそれが漫画のはかなさに耐え切れなくなることと同一であることもまた、漫画そのものの本質を示しているように思われる。

戦後の漫画を考えるとき、私は横山泰三の「プーサン」「ミス・ガンコ」「社会戯

清水崑「かっぱ天国」

評」などの仕事を逸することはできないと思う。「社会戯評」にはときに、時事問題のカリカチュアライズにすぎないこともあるが、ホーム・ドラマの漫画版である四コマ漫画を閉ざされた家庭から解放し、さらに、漫画の世界の独自性を意識することをうながした功績は大きいと思われるからである、連載漫画と言えば、戦後、サラリーマンを主人公とする会社を舞台にした漫画が活発化したのは特徴あるできごとだろう（たとえば、岡部冬彦の「アッカマ氏」、横山隆一の「デンスケ」など……）。

それはそれとして、ごく最近、久里洋二、井上洋介、長新太、それに池田龍雄、真鍋博などが、ひとコマのサイレント漫画によって、漫画の世界にあたらしいイメージの領域をきりひらこうとしていることは、注目していいことだと思う。一方で、絵画におけるナンセンスなものの追求が、美術即教養という土壌をこわしながら、他方で、あくまで漫画の自律性に即したアクチュアルなものの追求が行なわれることによって、漫画の真の意味での大衆化が行なわれるのではあるまいか。

それにしても、わが国の漫画の世界における想像力のありかたがどのように変遷してきたかは、漫画のありかたとも関連して興味ある問題だと言わねばなるまい。

那須良輔の作品

II

いまは昔、と言ってもむろん戦後のことであり、たしか七〜八年ばかり以前になるが、《ある夜の出来事》という日本映画を観たことがある。原作があったのか、それともオリジナルものだったか、あるいは監督がだれであったかというようなことをいっさい忘れてしまっているし、そのうえ内容のディテールについても、ちょうど霧に覆われた風景を見るように茫漠としてはいるが、その映画が、ある漫画家の「転向」を主題にしたものであったことだけは、いまでもはっきり記憶にのこっている。

　内容をおおざっぱに言えば、次のようなものだった。かつて戦争中に「日本太郎」（？）という軍国調の漫画を描いて花形であったひとりの漫画家がいる。かれは、戦後、戦争中の自分の仕事のことを考えてペンを捨てている。内容よりも漫画家の名声を買おうとする編集者が日参するけれども、かれは頑として漫画を描こうとしない。収入の途絶えたことに、漫画家の妻君はヒステリー気味で、ついにある日、家出をしてしまう。といって、別にこの妻君は独立して仕事を始めようという訳でなく、自分の友人の家へ行って、おさまらぬ胸の内を吐きだそうというわけだ。ところが、その友人夫妻は焼跡に建てたオンボロ・バラックに住んでいて、画家たる夫がカンバン描きかなにかの仕事で生活しているのだが、貰い子（？）をなかに挿んでいともむつまじい。つまり、貧しいながらもたのしいわが家というわけだろう。それを見せつけられた、くだんの家出妻君は、ヒステリーもふんまんも、破れた風船のようにしぼんでしまい、卒然、わが家が恋しくなって帰宅という次第になる。……この間、いろいろの光景があったようだが、結末に急ぎ、わが家に帰って外からうかがってみると、夫たる漫画家氏がひとりの筈のところに、見知らぬ女性がいるので、ふたたびヒステリー発作におちいりかけるが、よくよく事情がわかってみると、漫画家氏も実に妻君にたいする愛情こまやかな雄々しき男性であること

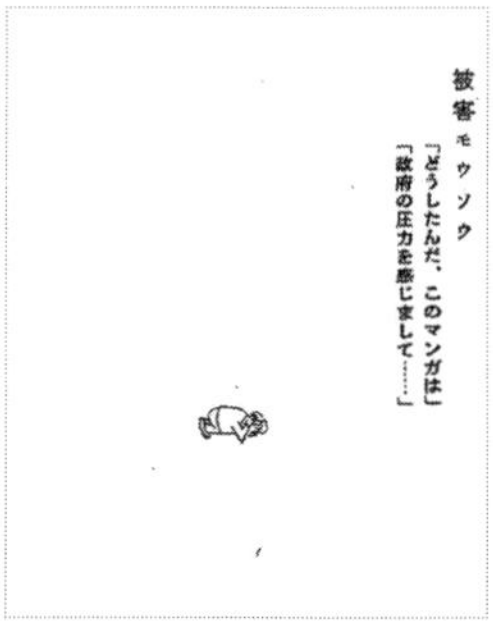
被害モウソウ
「どうしたんだ、このマンガは」
「政府の圧力を感じまして……」

横山泰三「社会戯評」

を確認するにいたる。そのうえ、自分が妊娠していることがわかって二重のよろこび。さらに翌朝になると、この漫画家氏一念発起、ペンをとりあげ、たちまちのうちに四コマ漫画を描きあげる。題して「デモクラ氏」(?)。しかも、その着想たるや、五つ児が生まれてとびあがってよろこぶデモクラ氏という次第だ。ここで、めでたし、めでたしというわけだった。

　こう書いていても、あまり他愛がなくて、こちらのほうが気恥かしくなってしまうようなしろものである。むろん、正面きった家庭悲劇というようなものでなく、もっとしゃれた一幕劇というようなものを意図したものであるらしい。それにしては漫画家氏の変貌がものものしいような気もして、私は、あるいはこれが漫画家にたいする風刺かもしれないと思い込みかけたほどである。そう思ってみると、この映画に関するかぎり、主人公たる漫画家氏は、小説家であっても、あるいは、もっと普通のサラリーマンかなにかであっても、いっこうさしつかえないという事情も、逆に、漫画家なんて、それほど自分の仕事そのものの必然性を自覚しないひとなんだ、という主張のうらづけにすら見えてくる。しかし、まあ、いずれにしても、私はここにわが国の漫画家の典型が描かれているかどうかを速断するにはすこし実証的うらづけが乏しいので今は留保しよう。そして、それを別にしても、ながながと書いたこの漫画家氏の「日本太郎」から「デモクラ氏」への「転向」ということを描いているその映画には、すくなくとも、ふたつの点でははなはだ現実性があると思わないわけにゆかないのである。ひとつは、くだんの先生の描いた漫画「デモクラ氏」がいわゆる家庭漫画であり、しかも、家庭漫画であることによってその内容(五つ

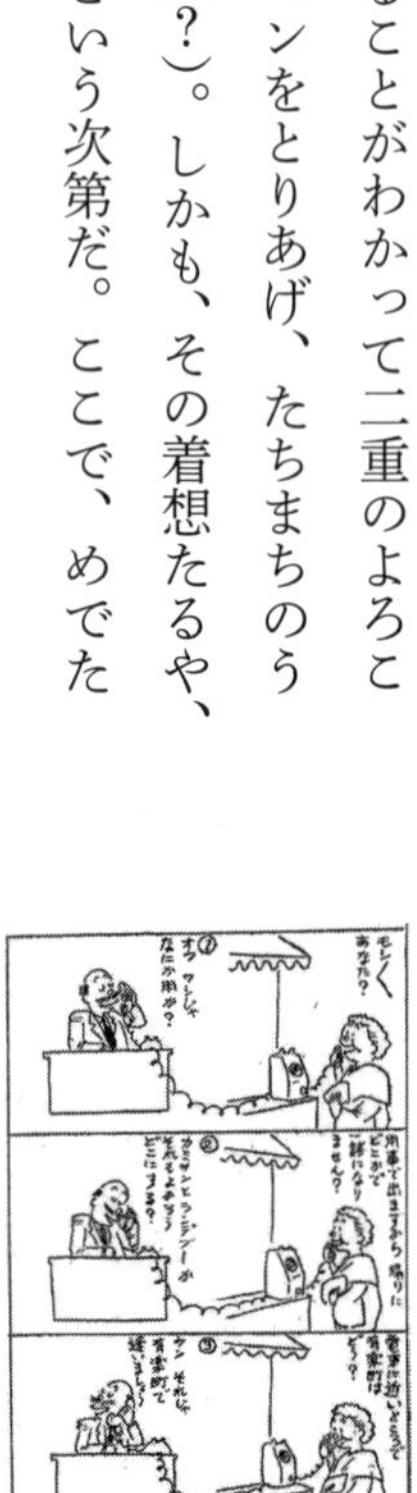

岡部冬彦「アツカマ氏」

児誕生）は、そのまま「日本太郎」と題をつけかえても、全然不自然でなく適用しうるものであるという事実、つまり、この映画ではペンを捨てていたという行為になってあらわれている漫画家の内的変化は創作とまったく切り離されたものであること。いまひとつは、題材を、自分の家庭生活から拾い上げているということ、このふたつの点である。

ここらあたりで、この記憶さだかでない映画とは訣別したいと思うが、これを要するに、漫画家のアクチュアリティにたいする無関心ということ以外のなにものでもなく、しかも、このことは、絵空事ならず現在、新聞・雑誌に充満する家庭漫画にとって、完全にあてはまる。ここで家庭漫画と言っているのは、舞台をひとつの家庭内にかぎり、その家族を登場人物にするというもので、たとえば、ふるくは、横山隆一「フクちゃん」、杉浦幸雄「花子さん」、あたらしくは、長谷川町子「サザエさん」、根本進「クリちゃん」、塩田英二郎「ミーコちゃん」……などがそれだ。そして、もうすこし厳密な定義を与えようとすれば、かつて加藤武雄が「家庭小説研究」(編5)で分析した家庭小説そのものの充たすべき三つの条件をそなえたものと言ってもいい。その第一は、健全な常識道徳を持っているということ、二番目には、情緒的であること（これは、家庭小説の読者の多くが女性であることからくるのだが、漫画のばあいだって、いささかも変更する余地はなさそうである）、三番目に、救いのあること（いやらしくないと言ってもおなじだ）、この三つの条件である。

もっとも、家庭漫画即健全道徳漫画と言うつもりはない。岡部冬彦の「アッちゃん」のように、無邪気であると同時に、それがそのまま、ときとして冷静な批評眼

編5　加藤武雄「家庭小説研究」『日本文学講座第一四巻　大衆文学篇』改造社、一九三三年、五三―七〇頁

になりうるということを逆用して、いわば漫画家の眼的存在として登場させられているこまっしゃくれたアッちゃんという例もある。この子供は天真らんまんに見えて、つねに両親の生活、あるいはとなり近所の生活に介入して、それを皮肉ることをもってモットーとしている。うかつに、両親がコラッとかなんとか叱りつけると、ただ大声をあげて泣くという抵抗手段をこころえているから始末にわるい。この無邪気な子供が、さらに徹底して小悪党になったのが、おなじかれの「ベビー・ギャング」だろう。そしてギャングがひとつの家庭にとどまりえないように、このヒーローはピストル片手に街頭にさまよいでて無邪気な脅迫を繰り返すのである。こうした「ベビー・ギャング」的方法は、映画で言えば《落ちた偶像》いらい、子供を無邪気な悪党として用いているキャロル・リードとあいつうじる方法と言えるかもしれない。そして、漫画「アッちゃん」は、家庭を保護壁としてでなく、逆に可塑的な壁であるというかたちに仕組み、そうした設定を通じて、日常生活におけるナンセンスなものの拡大をはかり、そこから家庭生活そのものにたいする批判を培養しうることの可能性を示している。

とは言うものの、こうした例は例外なのである。やはり、さきほどの三ヵ条を図解したのではないかと思われる漫画の氾濫なのだ。そして、《ある夜の出来事》の漫画家氏ではないが、自分の子供をヒーローのモデルにしたてたりした十年一日のごときものが圧倒的なのである。だいぶんまえ、塩田英二郎がラジオで自作の漫画について語り、そこでかれは漫画のヒロインはほとんどのばあい漫画家の家族に似ている、そして好きな女性でもできようものなら、たちまち、それが漫画に反映してしまうので、浮気もできないという心情を吐露し、『朝日新聞』の週間ラジオ評でたちまち安部公房の槍玉にあげられていたのを思い出す。「日本の漫画のつまらなさの種あかしをしてもらったようなものだ。受身一方で、アクチュアリティが失われてしまえば、もうろくなことはないということである」(編6)と。私もまったく同感だった。そして、アクチュアリティにたいする無関心ということが、現状維持の精神とうらはらのことであることも言うまでもない。

*

私が、さきほど、家庭漫画の条件として、家庭小説のそれを借用したのは、単なる便法ということからだけではないのである。漫画がジャーナリズムと切り離して論じられないと同様、家庭小説もまた純然たるジャーナリズムの生みだしたものであるらしいからだ。「家庭小説の展開」(編7)という論文のなかで、瀬沼茂樹はこう書いている。「われわれは明治期の家庭小説がほとんど新聞記者によって、直接自己の購読者を意識して書かれた新聞小説であったことを忘れてはならない。主として家庭婦人に家庭読物を提供しながら、「家」のなかにあって忍従を守る家庭婦人に、一種の同病相憐れむの慰藉をあたえるとともに、これに愛情の力をなんらかの形で説くことによって、かれらを勇気づけようとしたのであった」。

大正中期になって菊池寛とか久米正雄の出現が、それまでの家庭小説に風俗小説・社会小説などのヴァラエティを与えることになったということだが、小説の問

編6 安部公房「〈私のきいた番組〉ラジオの『現実性』」『朝日新聞』一九五八年二月二日、第七面

編7 瀬沼茂樹「家庭小説の展開」『文学』第二五巻一二号(一九五七年一二月)、五三―六四頁

題としてこれ以上、ここへ立ち入ることはいまのところ不必要だ。ただ、漫画について見れば、大正期と言えば、新聞紙上の漫画の量が急激に増大した時期で、岡本一平、近藤浩一郎、下川凹天、池部均などの、いわゆる漫画ジャーナリストの登場した時期でもあり、しかもその当時、支配的だったのは時事漫画、風俗漫画であって、家庭漫画の勃興は昭和に入ってからのことなのである。つまり、どうやら漫画が家庭小説の役割をバトン・タッチされたという次第らしい。なるほど、一方は悲劇ものが多く、他方は喜劇だから、一見それらはまったくちがうという意見も成り立ちそうである。しかし、喜劇は見方をかえれば悲劇であり、悲劇も裏がえせば喜劇に転じてしまうという花田清輝の用語を借りて、悲喜劇感覚というものこそ、今日の感覚であるという観点から見るならば、それらふたつのものはほとんどおなじと見ていっこうさしつかえない。じっさい、たとえば家族主義の淳風美俗は、家庭漫画でもちゃんと守られているのである。「サザエさん」を分析している荒瀬豊は、「イソノ一家の家庭生活で特長的なことは女(母親とサザエさん)はいつも忙しく仕事に立回り、男は余暇をもて遊んでいることだ。「ウメがほころびたよ」というカツオくんの声に、針箱をかかえて飛んでくるサザエさん。ズボンのほころびでないと知って、かえって叱るサザエさんのことばは――「この忙しいのに、言いなれないこと言わないでよ」」と書いている。(編8) そして、そのあとで「家事に忙しく立回るのが身上、という日本の女の哲学は、母親とザザエさんを貫くこの作品の一すじの糸である」と要約している。長谷川町子の哲学(と言えるかどうかしらないが)が、そのようなものであることはたしかだろう。しかし、私は、ことは内容にある

編8　荒瀬豊「〈新聞漫画時評〉日本の女の〝哲学〟――長谷川町子『サザエさん』を貫ぬくもの」『新読書』第二四七号(一九五八年四月)、三二―三三頁

女の哲学の是非にあるのでなく、やはり、漫画としての独自性の発見そのものを問題にしないわけにゆかないのである。淳風美俗をテーマにしたっていいのだ。しかし、そのどこに、それが日常性のなかでナンセンスなものを生みだしているかを発見・拡大し、それを武器にした現状批判があるのだろうということのほうが、私を占有するのである。

「僕は、長い間、四駒のマンガを描いている。それには、わかりきった問題を、できるだけ省略する手法が、習い性となっている」。これは「漫画映画と笑い」[編9]のなかで述べられている横山隆一のことばだが、漫画家の技法としてはともかく、これを読んで「わかりきった問題の省略化」ということをこの漫画家が、みずからの仕事からひきだした方法としているのを知って、呆然としてしまったのを思い出す。おなじところで「毎日の漫画は、枝や葉である。それが廿四時間というタイミングのおかげで、新聞の一つのアクセサリーとして生きる」と書いているのをつづけて読んで、こんどは、その首尾一貫性をなるほどと奇妙なぐあいに思い込みかけた始末だった。横山隆一が漫画映画の制作にのりだしているということ自体には、私はつよい関心を持っているが、それが、新聞漫画＝アクセサリー論——もっとも、漫画の現状について言えば、これほどの適言はないとも言えるわけだが——を是認して、それを踏み台にしたものであるかぎり、その成果もはなはだこころもとない。それは四コマ漫画の止揚をふくまず、それの廃棄のうえに成立するものだからである。それでは、漫画映画もまた、分かり切った問題の動画化、つまりせいぜい動くアクセサリーでしかなくなってしまうにちがいない。横山隆一は、さらにつづ

編9　横山隆一「漫画映画と笑い」『映画芸術』第五巻一〇号（一九五七年一〇月）、三〇―三一頁

けて、新聞漫画とその映画化について、次のように述べている。「新聞漫画をよく映画化しようとして、ヒット出来ないのは、漫画そのものは、笑いの要素になっているが、すべて枝葉であって、これを並べると、単なるバラエティに終ってしまうからだ。どうしても、一本のすじがなくてはならない。黄色い葉や、赤い葉や、まがった枝、まっすぐな枝、そんなものを集めて、枝ぶりのよい一本の木に仕上げることが、どれくらいむつかしいことか、わかるだろう。だから、今まで、洋の東西をとわず、漫画の映画化はヒットしなかった。そういう点で、プーサンを映画化した、市川崑氏の才能に、僕は感心した」。

私は、原則として、漫画は漫画としてあるのであって、それを映画化するということになんの意義も見出さない。しかし、じっさい、戦争中の「花子さん」にしろ、戦後の「サザエさん」、秋好馨の「轟先生」、西川芳美の「おトラさん」にしても、これら漫画の映画化されたものに、ひとつとしてドタバタ喜劇として見てすぐれたものを見出ださないのは、その映画化が困難だからでなく、あまりにも容易に映画化されすぎるものを漫画自体が持っているからだと思われる。むろん、私は、原作の漫画と映画を混同して、それらをくらべるつもりはない。しかし、単純な映画化を拒絶するような漫画としての独自性が欠けていること、しかも、それが容易に映画化されて、そのできあがった映画が自然主義的ないろあいに染めぬかれたホーム・ドラマになってしまうことを可能にするものが、やはり、家庭漫画には本質としてあるように思うのである。

これを逆に言えば、家庭漫画もホーム・ドラマにしかすぎず、まったく「わかりきった問題の省略化」しかないことのあかしとも言えるのである。やはり、漫画は単純に映画化されないもののほうがいいのである。そういえば、私はチック・ヤングの「ブロンディ」を映画化したアメリカの映画も、まったく見るに堪えなかったという印象を持っている。漫画（映画化しうるような）を映画化したものは、結局、映画化が困難ではなく、容易だからであり、当然に原作の漫画よりさらにおもしろくもおかしくもないという結論をひきだせそうである。そのうえ、私は、映画にしろ演劇にしろ、あるいは漫画にせよ、ホーム・ドラマというやつはどうも肯定しがたい偏見をつよく抱いている。家庭漫画のホーム・ドラマ化というのでは、まったくいただけないというのも当然かもしれない。そして、それは、なによりもまず、漫画独自の方法、必然性の自覚の稀薄さが、すべての根底にながれているのだと思う。

*

しかし、考えてみると、文学でも身辺雑記と心境をおりまぜた私小説とか、「ベビー・ギャング」のように無邪気な脅迫でなく、邪気による現実からの脅迫、かすめとりという自然主義が支配的であり、また絵画にしても、心境的・写生的描写の根強い雰囲気のあるところで、漫画だけが、それから解放された自由度を獲得していると考えるのは、むろん、ないものねだりだという批判もあるかもしれない。しかし、それは漫画が漫画であることの自己否定というものだろう。

私は、漫画の最もグルントをなす原理は徹底したフィクションの創造ということだと思うが、この点に関しては、他の芸術のジャンルと本質的なちがいはないだろう。そしてこのことは、風刺を意図したものであろうと、荒唐無稽な漫画であろうとおなじである。そして、こうした原理的な共通性を踏まえるかぎり、漫画と他のジャンルとの相互交流ということも、容易に考えられることである。

たとえば、文学と映画の相互的な影響ということは、これまでしばしば論じられてきた。そして、戦後のわが国の漫画について見るとき、映画が漫画――特に児童漫画にふかい影響(もっとも、これはどうも一方的影響のようだが)を与えていることに気づく。そのいちばんいちじるしいあらわれは、連続漫画に見られる漫画の描法における変化ということだろう。たとえば、むかしの児童漫画「のらくろ」「団子串助漫遊記」「冒険ダン吉」とか「長靴三銃士」などと、戦後のこれもたとえば、手塚治虫の作品とくらべてみるとよい。クローズ＝アップ、カット・バック、アイリス・インだとかアイリス・アウト、さらにヴェイカント・シーンなど、映画ではおなじみの手法が、意識的にふんだんに用いられている。私は、たとえばエイゼンシュテインのモンタージュ理論に照らし合わせて、ひとコマひとコマの関係、葛藤などを具体的に分析したわけではないが、たしかに表現の方法だけでなく、内容のふかまり、表現の多面性を獲得していることを、ただちに感じとることができた。とくに、手塚治虫のばあいは、ディズニーの漫画映画の方法の意識的な摂取ということがあって、そうした形式の面も追求が意欲的に行なわれていて、わたしは注目しているが、しかし、どうも、内容には多分に平凡な空想科学小説の漫画化という変な合理性めいたものがあって、不満だが、しかし、最近の少女むきの漫画が、母もの映画、孤児を主人公にした少女小説の漫画版、それに、バレリーナとか歌手とか女優といったマス・コミの女王へのあこがれで色彩をつけた、愚劣と言うほかない傾向をつよめているのにくらべれば、さらに家庭漫画の非漫画性に比較すれば、はるかに視界がひろいうえに、荒唐無稽ということに徹しているだけでも、じゅうぶん評価すべきものを含んでいる。

だいぶんまえ「忍術漫画論」(編10)というエッセイを書いた鶴見俊輔は、そのなかで、「大衆芸術の作家たちは、ものすごくたくさんの作品を書きつづけてゆかねばならない。その中で、一つのすぐれた作品があらわれるとしても、それは、他の評価にしたづみになってしまい、評価をうけないでおわる。／この困難を逆転させるには、長篇の作品を書いて、自分のつくりあげたもっともすぐれた原型をたえず自己模倣して大量生産にたえてゆく方法がある。大衆芸術の達人は、この方法も見事につかいこなす人である」と述べた。

映画で言えば、たとえばチャップリンとかエノケンのような行き方ということだろう。そして、手塚治虫で言えば、かれはちょうど俳優システムのように、同じ人物をちがった物語りのちがった配役にしたてて登場させている。主人公の少年、ひげおやじ、後頭部にろうそくをつったてた男というぐあいに……。これは、戦前の「のらくろ」「団子串助漫遊記」などとはちがったゆきかたであって、私は興味あるひとつの方法だと思う(言うまでもなく、これは映画にとりかこまれた環境、スター・システムにのっかったやりかたである)。

こうした鶴見俊輔流の表現による「大衆芸術の達人」的方法をつかって、しかも、

編10　鶴見俊輔「忍術漫画論」『日本読書新聞』第九六〇号(一九五八年七月二一日)、第八面

風刺漫画の方向に新風をまきおこしたのが、「プーサン」、「ミス・ガンコ」、最近では「ハダ子さん」というように、特定の人物をおしたてて「社会戯評」を試みている横山泰三だろう。

「プーサン」も「ミス・ガンコ」も、むろん子供ではないが「ベビー・ギャング」的無邪気さを持っている。いや、このばあいには、無邪気さが脅迫の種でなくて、現実にたいして受身な反応器にさせられることによって、現実批判のかたちをとっているのが特徴的だ。「社会戯評」は、作家そのものが「プーサン」あるいは「ミス・ガンコ」的な立場に立つことによって、「戯評」を成立させている。私は「プーサン」とか「ミス・ガンコ」を生み出して、風刺漫画を成立させようとした横山泰三の方法に、自己と現実という二重の客体化によって、あくまでものとして対象を描きだそうという方法を見る。したがって、かれの漫画の世界には、記録とナンセンスということの関係のひとつのてがかりがあるとも言えるわけだ。

もっとも、こうした方向は「オンボロ人生」の著者である加藤芳郎の「まっぴら君」もほぼ同じと言っていい。しかし、「まっぴら君」は横山泰三の「戯評」的精神にくらべると、いくぶんか邪気があり、つまり常識と現実の変動の対置という傾向が見られるような気がする。「オンボロ人生」では、逆に状況を特殊なものに限定しているため、かえって、日常的な意識のなかにあるナンセンスなものが拡大され、尖鋭化されていると言うことができるだろう。極限状況における日常的意識の崩壊というような、おおげさな言い方をすれば、そういう方法がそこに見られると思うのだ。これはまた荻原賢次の「瓦版繁盛記」によるジャーナリズム批判にもあては

加藤芳郎「きどった鬼たち」

まる方法である。
しかし、総体に見れば、時代漫画は、とくに時代漫画である必然性をまったく感じさせないものが多い。そこには、現代というものとの、どのような関連性も見られない。しかも、漫画を硬化状態におとしいれている自然主義的な方法を否定するために、時代を過去にさかのぼらせたというものでもない。つまり、洋服のかわりにハカマを、カバンのかわりに刀を持っているにすぎず、別段、漫画としての必然性を自覚した果ての結果ではない。「日本意外史」など、時代ものだが、文字どおりのナンセンス漫画というほかなく、意外でもなんでもなくなってしまっているような気がする。

つまり、荒唐無稽な漫画にしろ、時代漫画にしろ、現実との関係を回避したものは、逆に至極もっともな合理性におちついてしまうのであり、そこには、ナンセンスがナンセンスとして成立する現実的基盤がなくなってしまっているため、せいぜい、精神安定剤的ユーモアという効果を発揮するほかないのである。

そういえば、だいぶまえ、「日本人の泣きどころ」という座談会(編11)に出席した近藤日出造が、「とにかく日本人は泣くことも笑うことも割に意味がない。無意味な感情を起したり、動作を起すということがあるんじゃないか、日本人同士のあいさつを見ても「今日は」といってヘラヘラ笑う。「ごきげんよろしゅう」といってアッハッハと笑う」と述べているのを読み、どうも、近藤日出造は、あべこべに解釈しているのではあるまいかと思ったことがある。

無意味な泣き笑いとか、無意味な感情を起こすと見えるものが、じつは、無意味

編11　森繁久彌、吉村公三郎、近藤日出造［ほか］談「〈座談会〉日本人の泣きどころ」『世界』第一三三号（一九五七年一月）、三〇二―三二〇頁

久里洋二「いれずみ」

どころか、ステロタイプの崩壊をふせごうとする、精神安定剤的有効性をになわされているのである。そして、漫画の大半は、そうしたたぐいの笑いに依存したものしかないというのが現状というものではあるまいかと思わないわけにはゆかない。たとえば、漫画は低俗だからな、というような上品ぶった声をきくたびに、その低俗というのは、あくまで上品に対置されたものであって、そのばあい、上品だと言われるものは、せいぜい意味あるものという漠然としたことを指しているにすぎない。そして、その意味あるものというのは、現状維持ということにとってということとシノニムであると言っていい。

したがって、低俗な漫画というのは、逆に言えば、ほんとうの意味で、上品に対置されるものをつかんでいない、つまり、せいぜい、上品の下品ということでしかないのである。

上品だとか低俗とかいうことで言えば、これもだいぶんまえのことになるが、ある座談会で同席した岡部冬彦が、私の悩みは、自分の漫画をどうしたら、『明星』とか『平凡』の読者にまでアッピールさせることができるかということにある、といった内容のことを発言したのをきいて、すくなからずおどろいたことがある。(編12) なるほど、文学には純文学・大衆小説、さらにその中間項として中間小説があるというような分類があるが、漫画にそうした区分があろうとは思われなかったからである。したがって、それは純漫画・大衆漫画とかいう区分のためではあるまい。上品な漫画とか低俗な漫画というまことに上品な視点からなされた分類のためであって、もともと、大衆性と切り離すことのできない漫画が、大衆性を失ったとすれば、そ

井上洋介「ヒビ」

編12　中原佑介、中井幸一、岡部冬彦［ほか］談「〈座談会〉美術と大衆について」『みづゑ』第六三八号（一九五八年八月）、一三一―四九頁

れは、漫画が芸術化して高級になったためではなく、漫画がいつのまにか漫画ではなくなってしまったせいでしかないだろう、と私は思う。

だいいち、漫画が高級になるなんて、時代逆行もはなはだしいことではあるまいか。しかし、清水崑とか近藤日出造などのように、漫画家のなかには、どんどん芸術家になってしまいつつある風潮があるのは、どういうわけだろう。たとえば、漫画界の動きに限ってみても、新人、久里洋二、長新太、井上洋介らの漫画家が、池田龍雄、真鍋博、河原温などの画家と共同して、漫画と絵画の境界地帯のなかから、漫画におけるあたらしい可能性を開拓しようとしているのが現状なのである。

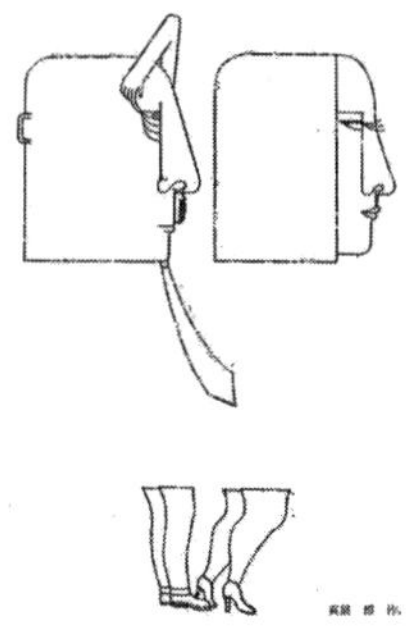

真鍋博の漫画作品

声なき肉体

漫画からアンチ漫画へ

「なんて歩きづらい道なんだろう。これではぼくの気持はますますあせるばかりではないか」（つげ義春[編1]）

かつて鶴見俊輔は、月刊漫画雑誌『ガロ』を論じて、そこには大道芸術としてすでにほろびてしまった紙芝居の作劇術が、姿をかえて生きている、という意味のことを指摘した。[編2] 私もまた同感である。しかし、紙芝居の魅力はただ単に絵にあっただけでなく、「紙芝居屋のおっさん」のあの独得な語り口とミックスされたところにあった。紙芝居の消滅は、あの俗っぽい絵ばかりでなく、口から耳へと伝わる名調子をも、ともどもほろぼしてしまったのである。

現在の「劇画」と言われる漫画は、あくまで視覚メディアの一環としてあるそれである。そのことを最も具体的に示しているのは、たとえばひとつのアクションの数多い「コマ割り」であろう。コマ割りは、かならずしも映画の影響とは言えない。それは、ことばで説明するところを、シーンを細分化することによって、「絵」で説明しつくそうとするあらわれにほかなるまい。つまり、「劇画」は描かれた「弁説」なのである。

初出『文芸』第八巻三号（一九六九年三月）、一九八—二〇一頁に「マンガからアンチ・マンガへ——現代マンガ作品小論」として掲載。のちに改題して『ナンセンスの美学』（現代思潮社、一九六二年）、『ナンセンス芸術論』（フィルムアート社、一九七二年）に再録された。

編1　つげ義春「ねじ式」『ガロ』第五巻七号（一九六八年六月増刊　つげ義春特集）、三—二五頁

編2　鶴見俊輔「〈時評〉『ガロ』の世界」『展望』第八五号（一九六六年一月）、九八—一〇一頁

漫画の持つ思想性がクローズ＝アップされるに至った始まりは、白土三平の作品であった。白土の作品は、この描かれた「弁説」ということで際立った。白土はシーンの細分化によって、ことばを「絵」に移そうとしたばかりでなく、そのことばに直接的な思想性をも盛り込もうと企てたのである。

「カムイ伝」(編3)その他、白土三平の作品は、そういう意味で、かれの肉声の視覚化と言える。私は、かれの作品がひときわユニークなものとして映ったのは、漫画が肉声をホウフツとさせるというその性格にあったように思う。階級闘争にしろ唯物史観にしろ、しばしば論じられている白土三平のイデオロギーは、肉声としての漫画に転化して、われわれの眼の前に置かれたのである。イデオロギーは活字となったそれでなく、肉声から一挙に漫画に転じられたそれであった。白土三平の作品が停滞するのは、それが肉声を失い、白土調というスタイルに転落するときである。何故なら、求められ、見出だされたのは、描かれた「弁説」としての漫画であり、単なる絵ではなかったからである。

おそらく、白土三平と対蹠的なのは手塚治虫であろう。白土三平の作品が「歴史劇画」などと言われるのに対し、手塚治虫のそれは「SF劇画」などと言われることがある。しかし、「歴史」といい「SF」といい、いわば内容による区分けであって、このふたりの作家の差異に直接触れるわけではない。ふたりの差異は、その内容よりも、漫画の構造自体にある。手塚はいまだかつて、漫画が描かれた「弁説」であるという考えを持ったことがなかった。手塚治虫は肉声を捨てて、ひたすら視覚の世界にのみすべてをかけようとする態度で際立ったのである。もし、白土三平

編3　白土三平「カムイ伝」『ガロ』第一巻四号（一九六四年一二月）より第八巻一〇号（一九七一年七月）まで七四回にわたり連載

の作品を声なき紙芝居のよみがえりとするなら、手塚治虫のそれは、印刷されたアニメーションと言うにふさわしい。

かれの代表作「火の鳥」は、人類史という壮大なスケールを持った「クオ・ヴァディス」というテーマの作品だが、しかし、手塚の関心はかれの肉声を漫画に転じて開陳することではない。イメージによってこのテーマがどこまで展開できるかというのが、手塚治虫の態度であり方法なのである。そして、SFはまさに、こういう態度・方法にふさわしいものだった。手塚治虫の作品も、細かいコマ割りに特徴があるが、しかし、そのコマ割りは、白土三平のそれと同質のものではない。コマ割りは、ことばの置き換えではない。それはアクションの即物的図解と言うにふさわしいものである。徹底してイメージ派なのである。

白土三平と手塚治虫は、こうした「肉声としての漫画」、「イメージとしての漫画」という漫画の構造を典型化するということで際立った。おそらく、現代の「劇画」と言われるものは、このふたつの分極の間にさまざまな度合をもって分布しているように思われる。

内容ということで言えば、「劇画」は多岐にわたる。歴史ものから怪奇もの、あるいは戦争ものからSFものと、いくらでも分類できるだろう。しかし、「劇画」が多かれ少なかれ、あるできごとの時間的推移という形式をとっているのにたいし、いわば時間を超えた世界を展開しているのが、水木しげるの怪奇もののように思われる。

水木しげるに見られるのは反歴史主義とも言うべきものであって、かれの想像の世界には、時間の経過というものが捨象されている。おそらく、それはこの作家が死というテーマに固執しているからであろう。死は変化発展するものでなく、それに向かう終点だからである。水木もまた「弁説」型の作家ではない。怪奇的なものがどうして弁説できるだろうか。あるいは、死について語ることができても、死を弁説することができるだろうか。

「劇画」でありながら、いわば「声なき肉声」をイメージと合体させようとして、独自な立場を確立しつつあるのが、つげ義春だろうと思う。私は、近作「ねじ式」ひとつによって、この作家は漫画にあたらしい地平を切りひらいたように思う。「ねじ式」に見られるのは、いわば故郷喪失——あらゆる意味での根拠の喪失というテーマである。つげ義春は、この失われた根拠は、永遠の探索のなかにしか姿をあらわさないことを描くのである。因果関係を完全に失ってしまったかのような「ねじ式」の世界は戦慄的ですらある。

しかし、これとて一読者の深読みにすぎないだろう。この「弁説」を信じない作家は、声なき肉声を語ろうとして、絵におもむいたという印象をまざまざと感じさせる。したがって、つげ義春の作品は、読み手みずからがみずからの肉声をもって作品を読むほかないのである。反芸術というはやりのことばで言うなら、そこにはアンチ漫画への志向があると言ってもいいように思われる。

『ガロ』を発表の場所として、最近まったく型破りな作品を発表している林静一、佐々木マキなどとつげ義春との間には、直接的な関連性がほとんどないように見える。もし、これらの若手の作家となんらかの関連性を見出だそうとすれば、たとえ

つげ義春「ねじ式」

ばゴダールの映画などのほうがより近いかもしれない。林静一や佐々木マキは、手塚治虫のようにイメージを重視するけれども、コマとコマの関連はほとんど見られない。その関連をつくりだすのは、作者でなく見る側であって、漫画を漫画として成立させる主体は、見る側にゆだねられているのである。かれらも、またアンチ漫画派と言ってさしつかえない。

林静一は、『ガロ』に「花シリーズ」[編4]を連載している。それは、絵のスタイルすら一定しない、いわばさまざまなスタイルの寄せ集めと言うにふさわしい。スタイルは、この寄せ集めのなかにあらわれているのである。その点は、佐々木マキも同様である。たとえば、佐々木は、題名もセリフもまったくない作品を発表したり、あるいは文字と絵の混合したコラージュのような作品「かなしいまっくす」[編5]を発表したりしている。

かれらは、漫画によって何かを語るというのでなく、イメージのこうした構成そのものを通して語りかけようとする。それぞれのコマはそれぞれで意味を与えられる可能性を持っているが、同時に、全体のなかでの意味をも持ちうるのである。あるいは、これはもはや漫画とは言えないかもしれない。しかし、漫画が視覚メディアの一環であるかぎり、これは生まれるべくして生まれたと言うほかないものだと思う。

私はこういう方向に、漫画の唯一の可能性があると言うわけではない。しかし、「劇画」すら結局は漫画であって、白土三平にしろ手塚治虫にしろ、漫画の構造をそれぞれのやり方で確立したのにたいし、そういう構造をも含めた漫画そのものの

編4　林静一「花の紋章」、「花の詩」は『ガロ』第五巻一二号（一九六八年一一月）より第六巻四号（一九六九年四月）まで連載

編5　佐々木マキ「かなしいまっくす」『ガロ』第六巻二号（一九六九年二月）一八一―一九二頁

佐々木マキ「かなしいまっくす」

批判が、漫画のなかから出現してきたのは、理由のないことではないと思うのである。それは漫画の内容、スタイルでなく、漫画そのもの、漫画観そのものについての反省を呼び起こさずにいない。

「弁説」としての漫画、イメージとしての漫画、それにそれらへの批判を含むアンチ漫画――形式的分類でしかないにせよ、漫画の現状はこういうものである。そして、こういうなかにあって、古典的な漫画のルールを固守し、しかもナンセンスを押しだしている作家として滝田ゆうをあげたいと思う。「寺島町奇譚」(『ガロ』に連載(編6))は、そのスタイル、方法においてあたらしいものではない。しかし、そこに示されるナンセンスは並々ではないと思う。この作家は、漫画は、漫画という独自な絵のつながりによって成立するものだということにかたくななまでに執着している。「寺島町奇譚」には、漫画の古さそのものを逆転した面白さがある。

漫画と言えば「笑い」とくるのが常識であった。しかし、現在、漫画は「笑い」と直結しているわけではない。そうであっても、たとえ「劇画」といえども、それを成立させているのはナンセンスである。私はナンセンス漫画という分類を言っているのではなく、漫画の構造そのものを言っているのである。たとえば、ある作家の漫画にどのようなイデオロギーが読みとれようと、漫画はそれからこぼれおちるものによって「漫画」という絵なのである。もし、そうでなければ、漫画は論文で事足りる。

ナンセンス漫画は、この漫画の構造を主題に集約したものにほかならない(ちなみに、林や佐々木などは、この漫画のナンセンスな構造そのものを視覚化しようと

編6　滝田ゆう「寺島町奇譚」『ガロ』第五巻一四号(一九六八年一二月)より第七巻一号(一九七〇年一月)、『別冊小説新潮』第二四巻一号(一九七二年一月)より第二四巻四号(一九七二年一〇月)に連載

していると言える。アンチ漫画と言うゆえんである)。主題としてのナンセンスは、現在の漫画に事欠かない。しかも、その大半は風俗漫画と一体化し、生活のなかのコミックという形式をとっている。

戦後、この主題としてのナンセンスを最も徹底しようとした作家としてあげられるのは富永一朗であった。富永一朗は、とくにエロティシズムとナンセンスを結びつけて、独自のスタイルをつくりだした。現在、ナンセンス漫画に専念している作家として、東海林さだお、福地泡介、園山俊二などがあげられる。奇妙なことだが、「劇画」が共通した描写のスタイルを持っているのと同様、ナンセンス漫画も以たようなスタイルを持っている。

現在のナンセンス漫画、たとえば上記の三人の作品に共通しているのは、アンチ・マイホーム主義である。いわゆるかつての家庭ものの漫画が、家という秩序をいくぶんはみだしたところに「笑い」を求めていたのにたいし、現在のそれは、家庭を持たないそれであることが特徴である。サラリーマンものは、設定を家庭から職場に移しただけのようだが、ここではあの肉親のきずなというものはない。ナンセンスはもっとドライになり、非人間的になる。それが逆に、現在の共感を呼ぶゆえんであろう。ちなみに、滝田ゆうの主人公は少年であるが、この少年は家庭からはみだしたそれであり、その点で、これまでの漫画の主人公である少年——たとえば「アッちゃん」などと決定的に異なっている。ここでも、人間関係は肉親のきずなといったことから遠くはなれているのである。

しかし、私個人の好みを言えば、つげ義春のあたらしい方向、あるいはアンチ漫画のような方向に注目したいと思う。何故なら、いわば、それは漫画によって描くことのできる世界をはみだそうとする、ある意味ではかない試みであるからである。別に、漫画をはみだすこと自体に価値があるというわけではない。漫画が、既成の体制になんらかの批判をなしうるというのは事実ではあるけれども、しかし、漫画は漫画であることによって、ひとつの形式に従わざるをえないという宿命を持っているからである。

漫画ブームの根底にあるのは、おそらく、論理的な意味での体系への拒否という心情であり、眼の前をながれてゆくものを「見よう」とする態度であろう。つまり、漫画はある完結したものをわれわれに提示するのでなく、いわば答えのない疑問を提出するのである。ナンセンスというのは、答えでなく、否定の身振りなのである(そういえば、最近、学生がナンセンスということばを頻発するのは、バカげているということより、同意できないという否定の意味であろう)。漫画ブームに功罪はあるとしても、そこには答えでなく問いかけへの渇望が示されていると私は思う。

第三章　デザインについて

一九五八・二科展商業美術部評

正直なところ、わたしはこれまで二科展の商業美術部に、つよい関心をよせたことはほとんどなかったといっていいくらいだ。むろん、わたしが二科会を純粋美術の団体であるとして、商業美術部の存在など邪道的なありかただとひとりぎめしていたからではない。それどころか、逆に、二科会は日宣美にもおとらないコマーシャル・デザインの公募団体だとかんがえているほどなのである。周知のことかも知れないが、たとえばことしの公募数をみても、そうしたかんがえの正当さが保証されようというものだ。ことしの第四三回二科展[編1]における絵画の公募数は三六四〇点、それに比し商業美術は四七二〇点で、はるかにぼうだいな数だ。こうした事情は、ことしに限らない。一昨年の第四一回展では、絵画の公募数が三二八六点にたいし商業美術のそれは四一九二点、昨年の第四二回展では三四一八点にたいし五二八〇点と、商業美術はつねに優勢を維持しているのである。じっさい、商業美術と写真をたし合わせると、二科会の公募数の七〇パーセントは占有されるのではないかとおもわれるほどだ。

数字のマジックなどという常識にとらわれないほうがいいとおもう。量的増加が質的変化をもたらすということだってあるのである。したがって、わたしは二科会

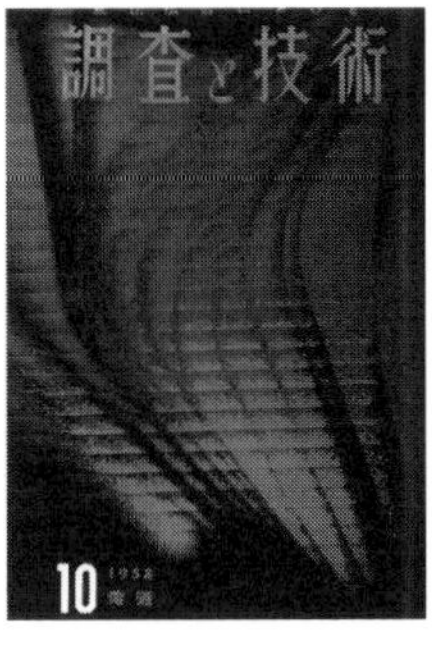

初出『電通調査と技術』第六六号（一九五八年一〇月）、三二―三五頁

編1 「第四三回二科展」東京都美術館、一九五八年九月一日―二〇日

を日宣美に比較して決してみ劣りのしない(一応外見だけは)コマーシャル・デザインの団体だとおもい込んでいるわけだ。

コマーシャル・デザインとして不徹底

わたしがはじめに、二科会の商業美術にさしてつよい関心をよせたことがなかったというのは、つまり、二科会をあくまでコマーシャル・デザインの団体としてみていることの結果であって、その逆ではない。ことしの展示をみて、わたしは自説をいよいよかためないわけにゆかなかった。一言にしていえば、二科会の商業美術は、コマーシャル・デザインとして失敗している作品がおおいのでなく、コマーシャル・デザインとして不徹底である作品がおおいのである。絵画をみて商業美術部へきても、そこにはなんらの質的相違もないといえるような気がする。

むろん、一方では、たとえば東郷青児のように商業美術部へもってきても、一向みおとりのしない作品があるというような状況があるのかもしれない。そして他方では、絵画のなかへならべても一向かまわないポスターがおお過ぎるということも、あるのである。

むろん、イメージという点ではわたしはア・プリオリに絵画とかポスターの区分をつけるつもりはないし、またそう単純にできるものでもないことも肯定しないわけにゆかない。そのうえ、絵画とかデザインの狭い視覚的ナワばりを固執することに反対だし、むしろ、絵画のあらゆる実験的要素をどんらんにとり入れ、それによって、デザインにおけるヴィジョンの拡大をはかることに諸手をあげて賛成するものだ。しかし、そうしたことを可能にする具体的モメントは、コマーシャル・デザインという立場を徹底するところにしかありえないだろうとおもう。

ポスターでなく絵画でない作品

つまり、わたしは二科展の商業美術をみて、これは絵画の展示ではあるまいかとおもわないわけにゆかなかったのだ。「サントリー」「モロゾフ」「ヤクルト」など、商品名に指定があるらしくみえたが、その商品名とキャッチフレーズが、タイプフェイスの如何を問わず、ポスターの隅に細々と配され、せっかくの絵画をやぼったい商品名で損うのはいかにも惜しいというぐあいなのである。なかには、輸出向きとみえて、横文字オンリーというのもあった。

トリヴィアルのようだが、ポスターであることが残念だというようなポスターは、第一条件を失しているというほかないだろう。なるほど、フランス流の芸術的かおりの高きポスターというのもないではない。しかし、それはあくまでポスターとしてのことであって、ポスターならず絵画ならずというヌエ的作品では芸術のかおりが立ちのぼりようがないというわけだ。そこにみられるのは、ポスターとしての陳腐さでなく、絵画としての陳腐さなのだとおもう。

レタリングとイラストレーションの有機的関係

わたしは、ナワをつかって、民芸品的な感覚を織り込んでいる佐々木高治の作品に、もっとも新鮮な印象をうけたが、しかし、かれのばあいだって「モロゾフ・ク

「第四三回二科展」商業美術部出品作品（右から）佐々木高治、河村久子、松岡誠造

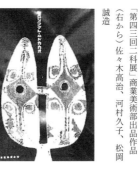

レームドカカオ」という文字がなくても、新鮮な印象をうけたにちがいないようにおもうのだ。というより、わたしは、ひたすらそのレリーフをおもわせる作品のイメージにみとれていたのであって、「クレームドカカオ」はほとんど目に入らなかったといっていいほどなのである。

そのほか、「モロゾフ」という名前では、ミロのようなイメージをつかっている河村久子、線描によってインド人かなにかの半身を画面いっぱいにかいた松岡誠造、大津絵風のひなびた感覚をみなぎらせて、オニをあしらっている塩田皎などが印象にのこったが、しかし、どうもやむを得ずポスターになってしまったというような憶測をさせかねないところがある。もっとも、まずイラストレーションで目を惹きつけるというのも、ひとつの方法かも知れないが、それは、どちらかといえば、雑誌、新聞のほうに有効のようにおもうのだ。ポスターのばあいには、レタリングとイラストレーションの有機的関係づけを無視しては、効果が大半減少してしまうものではあるまいか。そういう意味からでも、高橋正の仕事は、きわめてオーソドックスにみえて、ポスターとしてははるかに訴求力がつよいように感じた。

「サントリー」では、やはりオーソドックスだが、輸出向きらしい富尾宣史をあげたいとおもう。毛利博年、河津武明、竹内和夫、今長谷肇なども、かなりおもしろいが、やはり、どこか誤解があるような気がしてならない。

「ヤクルト」ではアルプ調の河村運平。

「第四三回二科展」商業美術部出品作品
(右から)塩田皎、高橋正(佳作賞)

無批判な日本的風物の選択

全般的にみて、抽象形態に商品名をつけたしたものと日本的な風物を様式化したイラストレーションに文字の配列といったものですべてがつくされている。そして、抽象形態をもちいたものも、借り物といった傾向がつよく、デザイナーのオリジナリティの発揮されたものはきわめてとぼしい。また、これは輸出向きのポスターにいちじるしいのだが、日本の風物の選択がほとんど無批判的におこなわれ、日本調でさえあればいいのだという卑俗な風潮のあることを認めないわけにゆかない。

ポスターとしての不徹底さは、逆に絵画からも復讐されてしまうということの好例のようにおもう。民族性というような問題は、ポスターにとっては、はるかに重要に自覚されなければならないことなのである。さすがに、ゲイシャ・ガールといった作品はなかったが、しかし意識構造としての共通性はないわけではない。

わたしは、日宣美展(編2)でとくに一般公募者の過半数が、商品ポスターをさけて、映画、演劇、新刊書のポスターを手がけているのをみて、機能性の深化を避けて、芸術的であることに向かう傾向をよみとらないわけにゆかなかった。したがって、二科展では、逆に商品一本やりであることに興味をひかれ、そこにどのような表現の多様性が展開されているかとおもったのだが、ここでも絵画への傾斜による問題の回避をみないわけにゆかなかった。

もともとポスターは耐久性と無縁なものだ。そして、そうした性格にたいする相補的な傾向として芸術性ということがクローズアップされてくることはかんがえられることである。しかし、それが絵画にたいする傾斜であるかぎり、それはなにも

編2　「第八回日宣美展」高島屋（日本橋）、一九五八年八月一二日—一七日

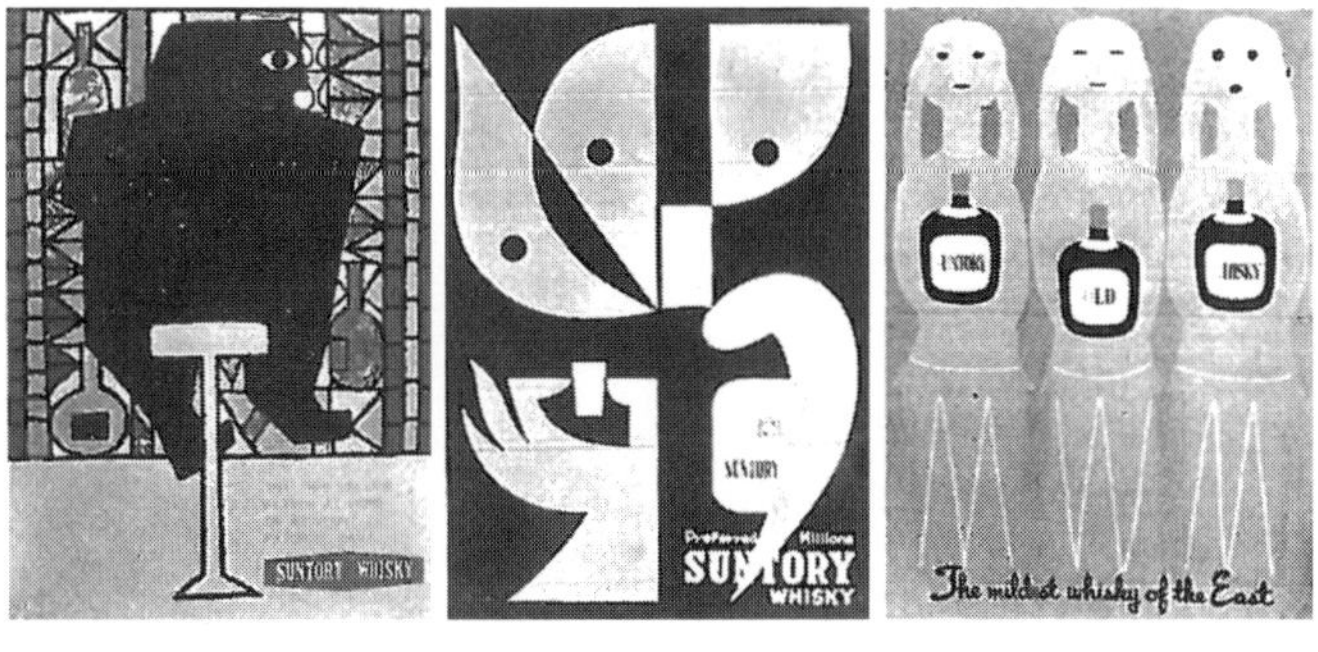

「第四三回二科展」商業美術部出品作品（右から）富尾宣史、毛利博年（特選）、河津武明

のにたいするアンチ・テーゼにならないだろう。

　アンチ・テーゼにならないどころか、ポスターは機能をもっているからな、というたぐいのもたれかかりのうえにたったどのような機能的美術も、結局は純粋美術温存という魅力ある引力にたぐりよせられて、機能はいつのまにか霧散してしまうのだとおもう。自分自身にしかかたりかけないポスターなど、自己矛盾というほかはない。

　それにしても、もっともショウマンシップを発揮している二科会におけるコマーシャル・デザインが、もっとも非商業的というのはどういうものだろう。あんがいつねに反俗的であるというのが二科会のモットーかもしれない、という気がしてきた。そういえば、ことしの二科展は芸術的香気のつよい上品だという一語につきたことをおもいだす。

「第四三回二科展」商業美術部出品作品（右から）竹内和夫、今長谷肇、河村運平

宣伝と美術の分裂

日宣美展'58の問題点

パッカードというひとが『かくれた説得者』（編1）という本のなかで、アメリカの商品広告におけるモチヴェーション・リサーチの具体例をいろいろと列挙している。合理的な判断力にまかせていては売れないので、消費者のかくされた欲望にうったえかけるというのがその原理だが、それがまたすこぶる成功しているらしい。モチヴェーション・リサーチというとちょっとスマートだが、それは商品物神化の意識的操作のことなのである。

もっとも、いかにアメリカの出先とはいえ、アメリカと日本では生産の規模がちがう。だからそれほどのこともないかもしれないが、こうした内部をみとおすエックス線的手段に対抗するためには、全身を防御壁で武装するにこしたことはない。デザインの仕事は機能性と芸術性の統一というところにあるのはむろんのことだが、宣伝美術のばあい、特に「宣伝」というところに力点をおきたいとおもうのは、防御壁の武装解除をしたからでなく、それによって逆に「美術」のほうを浮かびあがらせたいとおもうからである。「美術」に力点をおきながら、結局「宣伝」でもなんでもない作品が多いのである。

たしかにこのことは簡単なことではない。オリジナルばかりを展示していた日宣

初出『美術手帖』第一四八号（一九五八年一〇月）、一三八―一四一頁

編1　V・パッカード『かくれた説得者』林周二訳、ダイヤモンド社、一九五八年

編2　「第八回日宣美展」高島屋（日本橋）、一九五八年八月一二日―一七日

美展が、昨年から、会員のつくったじっさいに使用された作品をならべはじめたのも、商品ポスターとオリジナルのあいだの矛盾をとり除こうとしたものだろう。ことしは、そのなかにあたらしく新聞広告のデザインをふくめているが、わたしはそうした拡大にさんせいだ。たしかにオリジナルは可能性をさししめす。しかし、その可能性はあくまで実現を前提とするもので、ただ可能性のままでは意味がない（むろん、それにはデザイナーの社会におけるじっさい的な位置が入りくんでくる）。

　ことしの日宣美展(編2)で、公募作品つまりオリジナルに、映画、演劇、音楽会……のいわゆる興行もののポスターが多く目立ったのは、特に注目すべきだとおもう（昨年は原水爆実験禁止、国際地球観測年などのものが多かった）。こうした分野のものには、デザイナーの自由なイメージが比較的駆使しやすい。たとえば勝井三雄が写真の明暗のコントラストをつかって、それをモンタージュ風に構成した作品、それに江島任の明るくてしかもポエティックな感じのする作品など、自由なイメージということばがふさわしい。しかし、商品ポスターのとぼしいという現象は、（デザイナーの好みという個人的な特殊性をこえて）そうした作品をオリジナルとしてつくりだす具体的なモメントを見いだしがたい、ということを物語るものだとおもう。興行もののポスターは、ともかくも具体的な手がかりがあるのである。

　ともかく、ことしの日宣美展の低調さはおおいがたいようにおもう。中堅的会員は、公募作品にみられるような、一応ともかく、自由なイメージに足がかりをおこうとするには、より「宣伝」という点にとらわれないわけにゆかず、また、ヴェテラン達が「宣伝」ということに徹して「美術」の面での可能性を探索しているほどに

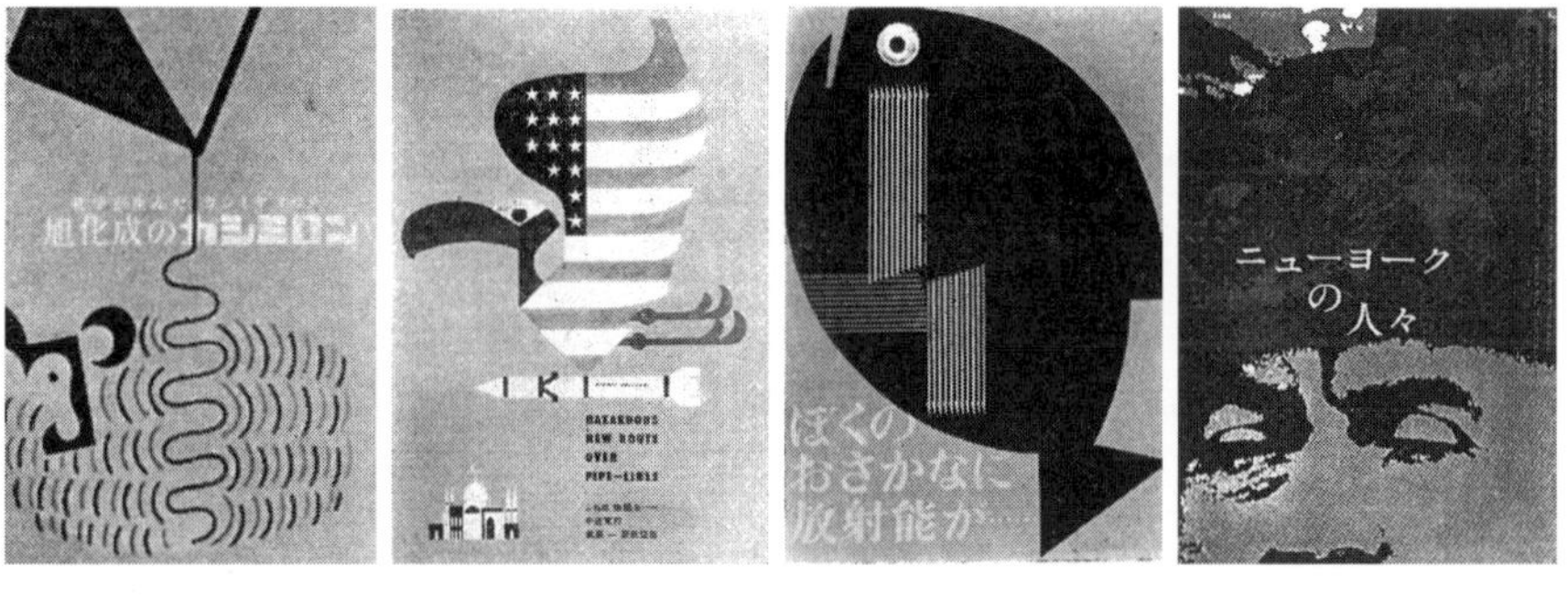

（右より）勝井三雄「映画・ニューヨークの人々」（日宣美賞）、亀倉雄策「原水爆実験禁止運動」、河野鷹思「物騒な中近東航行空路」、山城隆一「旭化成カシミロン」

は、「宣伝」ということに徹していないという、分裂したままの状態で仕事をするということになっているのではないかという気がする。

もっとも亀倉雄策、河野鷹思、大智浩、大橋正、伊藤憲治、山城隆一なども、いままでと同じペースの仕事だ。ただ、河野鷹思が、昨年にひきつづき、今年はアラブ問題という時事的なテーマをとりあつかっているのが、内容という点で印象的だ。ところで、すぐれた仕事をする早川良雄が「ＪＡＰＡＮ」という観光ポスターで、ゲイシャ・ガール（あるいは日本美人かもしれないが）的なものを描いているのをみて、わたしはポスターをはなれてデザイナーのアクチュアリティにたいする無関心さを示す、という一つの典型をみるようにおもった。外人はおそらく日本といえばこうくるだろうというのは、そのまま、日本にたいする無関心ということだ。

日本的なものというのは、そうした、シンボル的なものをかえてゆくことによってしかうかびあがってこないとおもう。田中一光の作品も能面を中心にしたもので、能もまたよくしられた日本的なものの象徴だが、かれのばあい、それの趣味性を排して、もっと造形的なものの一要素に化そうとしている。原弘の仕事は、既に印刷されたものだが、成功した例のひとつだろう。

あたらしく加えられたテレビ・デザインは、意外に作品がすくなく、期待はずれだったことと、福田繁雄の公募作品に注目したことを附記しておこう。

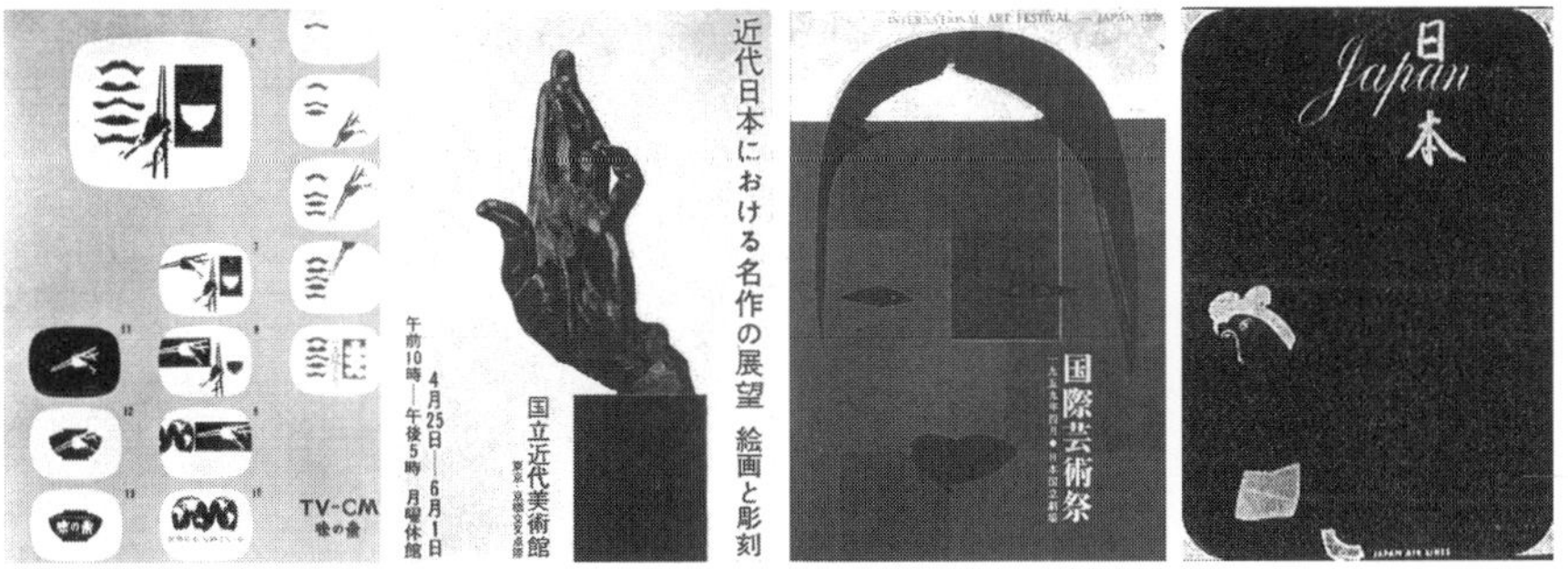

（右より）早川良雄「ＪＡＰＡＮ」、田中一光「国際芸術祭」、原弘「国立近代美術館展覧会」、福田繁雄「味の素　ＴＶコマーシャル」（特選）

第九回「日宣美展」評

「ことば」と「イメージ」の問題を中心に

カメラ・スティロ説

《女の一生》という映画をつくったフランスの監督アレクサンドル・アストリュック氏は、映画をつくるばかりでなく、あたらしい映画理論をつくる才能もあって、「カメラ・スティロ説」というのを提唱した。[編1] アストリュック氏は、こういう意味のことをいっている。小説とかエッセイというのは、作家が「ことば」によって、かれの思想とか抽象的な思惟を、ただしく表現するための形式である。それにたいして、いまや、「イメージ」が、ある具体的なものごとを示すだけという直接的な性格からときはなたれて、そのつながりで、「ことば」によってのように独立した精密な叙述ができるようになった——と。これを要するに、ペンで小説をかくように、映画はカメラで記述する形式だ、ということができるだろう。アストリュック氏が、「カメラ・スティロ」と呼ぶゆえんである。

　アストリュック氏は、《女の一生》をつくるにあたって、人間は「ことば」のほかに、「イメージ」というもうひとつの思考形式をもっている、ということまでかんがえていたかどうかはわからない。ともかく、映画の分野では、この「カメラ・スティロ説」が発展して、「映像論」という論議が席巻している。それは、つまるとこ

初出『電通調査と技術』第七九号（一九五九年一一月）、一一—一八頁

編1　Alexandre Astruc, "Naissance d'une nouvelle avant-garde: la caméra-stylo," *L'Écran français*, n° 144 (30 mars 1948).

ろ、人間は「ことば」とは別に、「イメージ」という思考形式ならびに伝達手段をもっているというのである。

この議論は、「イメージ」によるコミュニケーションの量が飛躍的に増加していく現在——たとえば、「イメージの時代」などと呼ばれたりすることのある現在にとって、ある意味では、まことに頼もしい理屈である。かつての文化の中心は文字が占めていた、ところが、いまや、それが映像にとって替わられようとしている。「イメージ」こそ、もうひとつの、しかも、はるかに強力な「ことば」なのだ。映画、テレビ、写真、グラフィックなどをみればいい！　というわけだからである。

「イメージ」によるコミュニケーションの量的増加というのは、まったくそのとおりである。現象としてみて、これほど明白なことはないといっていいだろう。しかし、そのことから、「イメージ」をもうひとつの「ことば」だというかんがえを抽出してくるのは、比喩ならばいざしらず、さもなくば、間違ったやりかただ、というほかない。それは、ないものをあるとする誤解か、もしくは、誤謬を承知したうえでのなにごとかをなさんとする理論である。わたしは、生まれてこのかたの経験と、それに加えて大脳生理学の片々たる知識によるほかないが、思考は「ことば」によってしかなされないと、かんがえている。「イメージ」についていえば、映画でもテレビでも、あるいはグラフィックにしても、それらがもっている「イメージ」が「イメージ」として存在し得るのは、「ことば」を媒介にしているからであって、そうでなければ、どうして「イメージ」が人間と関連づけられるものとなることができるだろう。つまり、「イメージ」をもってもうひとつの「ことば」とするのは、名あって実のないものというべきである。

イメージへの過信

グラフィック・デザインについての展評的一文をものするのに、「映像論」などをもちだし、しかも、それにたいして一箭を加えたのはほかでもない。グラフィック・デザインは、いうまでもなく、「イメージの時代」をつくりあげるのに、かなりおおきな勢力をもっている分野のひとつである。そして、わたしは、このグラフィック・デザインにも、「映像論」が装いをかえて、姿をあらわしているケースをみないわけにゆかないからである。それは、なにも映画に特有のことがらではない。「イメージ」と「ことば」を対置させる映像万能論ともいうべき風潮は、ここかしこに浸透しようとしているのである。「イメージ」と「ことば」の弁証法的な関係を追求することこそ、「イメージ」についての正しい洞察を可能にする出発点だ。「イメージ」についての過信は、みずからの力をもよわめてしまうという結果をうむのである。

グラフィック・デザインにも、この過信が浸透しつつあるというのは、一面からみると、それほど、グラフィック・デザインが堂々たる一城をかまえていることの証左でもあるわけだ。しかし、一城をかまえることと、そのなかで、じっさいの効力以上に自負することとは同じではない。たとえば、こういうことである。

昨年の第八回日宣美展の公募作品に、圧倒的におおくみられたのが、映画・芝居・音楽会など催しもののポスターと、本の広告であった。むろん、われわれの実生活のなかでも、こうした種類のポスターは、もっともよくみるもののひとつであって、そういう意味では、これはいわば実生活のかなり適確な反映とみることができるといってもいいものである。けれども、その作品にあらわれている限りでは、それらは、ポスターの主題に忠実であるというよりは、イラストレーションによって、デザイナーがみずからの思惟を語るといった類のものであり、そこには「イメージ」によって、デザイナーの自己の思考とか感情を叙述するという「映像論」の傾向がよみとれるものであった。「イメージ」によってのみ、独立した世界をつくることができるというのが、その背後にある思想である。この思想は、「ことば」と「イメージ」の有機的な関連を脱落させることによって、必然的に作品と受け手の衝突をも稀薄にしてしまわないわけにゆかない。わたしは、ほかのところで、日宣美にみられるひとつの傾向として、ロマンチシズムということを指摘したことがある。この思想こそ、ロマンチシズムの核をなしているものだとおもう。

容易に失笑をかうかもしれない、いったい、デザイナーにロマンチシズムだとか、現実の回避だということが、そもそも通用するのであろうかと。わたしは通用するとおもう。デザイナーは商品と共にある存在だ。それは、人間と商品の関係をいよいよ緊密にしてしまう役割をはたさなければならない。しかしながら、デザイナーは一方で人間とものの関係を、人間と人間の関係に転換することを作品のうえで志向し、実践しなければならないし、することの可能な存在でもあるのだ。これこそが、デザイナーのもつ矛盾なのであり、この矛盾は、現在、他のどのような芸術家のもつ矛盾とも本質的にはかわらない。そうでなければ、なにをもって、デザインを批評する衝動にかえることができるだろう。

イメージとの衝突

さて、ことしの日宣美第九回展(編2)についてのべなければならない。まず、出品作品の大多数がポスターであることがことしの特徴であるけれども、それはどうでもいいことにしよう。わたしは、『みづゑ』誌上で、このことについて、「コミュニケートすることの積極性よりも、表現そのものの自律性に、デザイナーの恣意をみたすという風潮のつよいことを認めないわけにゆかない」(編3)とかいたが、それは、今まで、「映像論」否定にふれて強調してきたことだからである。それに、そういう風潮よりも、それを肯んじない動向のほうが重要だ。

わたしはまず、亀倉雄策、伊藤憲治、原弘、大智浩、河野鷹思など、この会のいわゆるヴェテラン諸氏の作品についてふれたいとおもう。「日本対ガン協会」(亀倉)、「日本タイポグラフィ展」(原)、「ルームクーラー」(伊藤)、「JAPAN」(大智)、「瑞典工芸展」(河野)などのポスターが、これら諸氏の作品である。「イメージ」にたいする過信という点からみれば、これらの作品には、みずからを語ろうとする傾向はほとんどない。しかし、そのことを認めたうえで、なおかつ、それらには自律性への傾向のつよまっていることを指摘しないわけにゆかない。この自律性の支柱になっているものが、作家の個我でないことは、いまもかいたとおりである。それではなにか。わたしはそれを、ある観念的な美というものだとおもう。そこにみられるイラストレーションは、いずれも淡々としたものだが、その淡白さは、徹底

編2 「第九回日宣美展」高島屋（日本橋）、一九五九年八月四日—九日

編3 中原佑介「第9回日宣美展をみて」『みづゑ』第六五三号（一九五九年九月）、八五頁

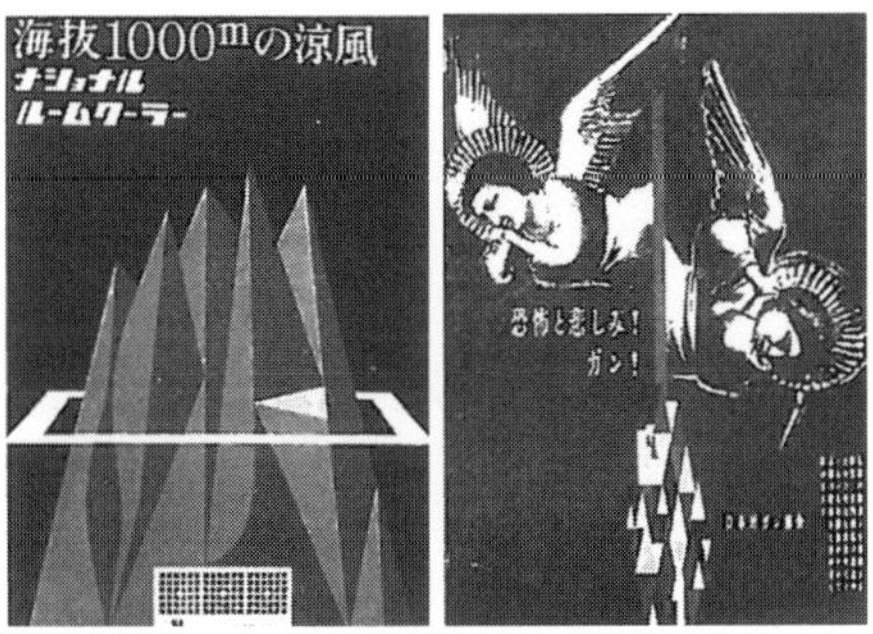

「第九回日宣美展」出品作品
（右より）亀倉雄策「日本対ガン協会」、伊藤憲治「ナショナル・ルームクーラー」

しすぎることによってうみだされたものである。イラストレーションに観念的な美をもとめるというのは、デザインに普遍的なひろがりをあたえるための、ひとつの方法である。たとえば「日本対ガン協会」にみられる二人のエンジェルは、エンジェルというより、それがシンボライズするある観念を表現している。しかし、その観念的な美が目的と化してしまった感がある。徹底しすぎというのはそれをいい、そのため、これらの作品はアトラクティヴでなくなってしまっているのである。

同じ「日本対ガン協会」のポスターで山城隆一氏が、マスクをつけた医師の写真を挿入したのは、一見なんでもないようだが、ポスターと受け手の相互作用に、かなり鋭く気を配っていることのあらわれである。むしばまれてゆくということを示したイラストレーションは、そんなに新鮮だとはいい難いが、全体の「イメージ」は、「イメージ」に語らせるのでなく、「イメージ」との衝突をまってはじめて思考をうながすというゆきかたがみられる。白井正治氏の「シェル石油」は、砂漠の写真と地図をアレンジした、というただそれだけのものだが、この作品もまた、いささかも「イメージ」の過信におちこんでいない。むしろ作者は、能動的な対話の精神の誘発をもくろんでいるといっていいものである。

わたしは、ここで写真をレイアウトすることが、もっともいいなどといっているつもりではない。むろん、十分条件としてみれば、写真によるイラストレーションは、きわめて有効なものである。しかし、たとえば、出牛実「12人の怒れる男」、千田甫「英字新聞のためのポスター」、石川武・宮沢重雄「三菱ユニ鉛筆」、今津誠太郎「自動車ショウ」、沢村徹「平和がほしい」などの作品は、いずれも写真をつかっ

「第九回日宣美展」出品作品
（右より）河野鷹思「瑞典工芸展覧会」、
山城隆一「日本対ガン協会」

たもので、印象にのこる作品ではあるが、写真のもつこの衝突という方法——それは探求心をあおることもあるだろうし、あるいは、感情をうみだすこともあるだろうし、さらには、もっと知的なばあいもあるだろうが——が鋭く自覚されているとはいいがたいという例がみられるからである。くり返すまでもなく、写真と自律的な「イメージ」ということほど、その本質において矛盾するものはない。ただし、ただひとつの例外をのぞく。それは、もともと写真でなくてもいいばあいに、写真をはめこんでしまうという例である。むろん、このとき、対話の精神などあろうはずがない。

このほか、写真ということでは、増田正「国際主観写真展」、植松国臣・北井三郎「狭い道は日本の恥だ」、稲垣行一郎・岩永泉・杉木直也「JAZZ MESSENGER FROM U. S. A.」を意欲的な作品として注目することができるだろう。

「原水爆実験反対」というのが、かななり数多くみられるテーマのひとつだった。このテーマなど、イメージはそれ自体でなにかを叙述することができるという思想と、もっとも相入れないものだとおもうのだが、実状はそうではない。凡百のたわ言よりも、一枚の被害写真のほうが多くを示すというのは、ある意味ではほんとうだが、しかし、虚偽であるばあいはさらに多いのである。ほんとうだというのは、それがわれわれの思考を励起するという意味からであり、虚偽であるというのは、写真の示す具体的なものより、それを包括したより本質的なことがらを語るのは、「イメージ」と「ことば」の有機的関連をおいてないという意味からである。

わたしが、このテーマで注目したのは、粟津潔・杉浦康平「核実験反対・広島の

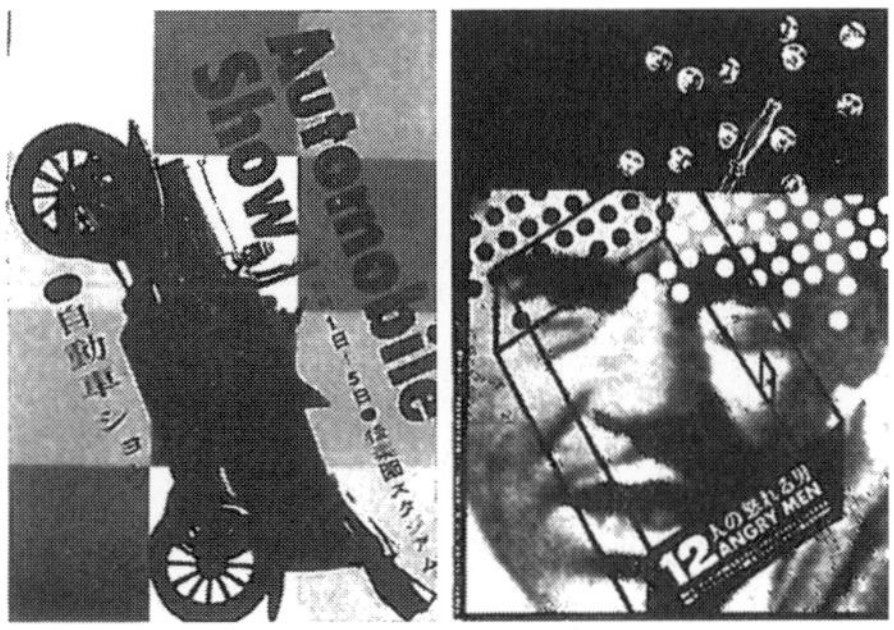

「第九回日宣美展」出品作品
（右より）出牛実「12人の怒れる男」、今津誠太郎「自動車ショウ」

声を世界へ」というプラカードのデザインだけであった。能谷明宏「原水爆禁止世界大会」も同巧異曲の作品だが、前者にとおく及ばない。わたしは粟津・杉浦氏の作品を卓抜だということにはためらいを感じる。しかし、テーマと表現の直截性は、作品にかなりつよい能動性をあたえていることには注目しないわけにゆかないのである。アクチュアルなテーマをとりあげることが、作品にもアクチュアリティをあたえるものでないという事実を、多くの「核実験反対」の作品は示しているようである。催しもののポスターにみられたと同様、「イメージ」が作家の観念を表現することができるという、「イメージ」自律説が、テーマのアクチュアリティをもみ失わせているものが多いというほかない。つまり、プロパガンダということについての積極的な能動性の喪失をあがなうものとして、このテーマが採択されたとしか判断しかねるものが多いのである。このことは、松見八百造「日ソ漁業を打開せよ」、小野寺信雄「中共に貿易を早く」という劣悪なポスターをみるに如くはない。それは、語りかけるのではなく、多くみずからを語ってよしとする典型だからである。

藤田慎治「アガサ・クリスチー選集」、井上修・麹谷宏「孤児救済」、樋口英男「蟹工船」、鈴木勲子・片野保「ステュディオ」のブック・ジャケット、島田光雄「オペラ・ヴァネサのレコードアルバム」などは、イラストレーションにあたらしいヴィジョンをもりこもうとする仕事である。いずれも、心理的な反応ということを眼目においた作品であり、観念的な美でなく、ある普遍性を獲得するためのパターンを追求しているのが、それらを共通する特徴ということができるだろう。

それにしても、ユーモラスな表現ということで、みるべき作品のなかったのは、

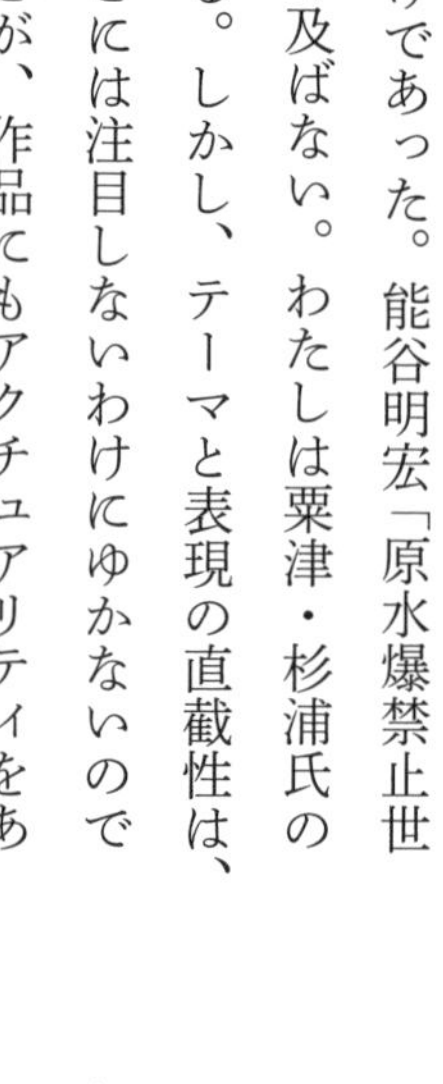

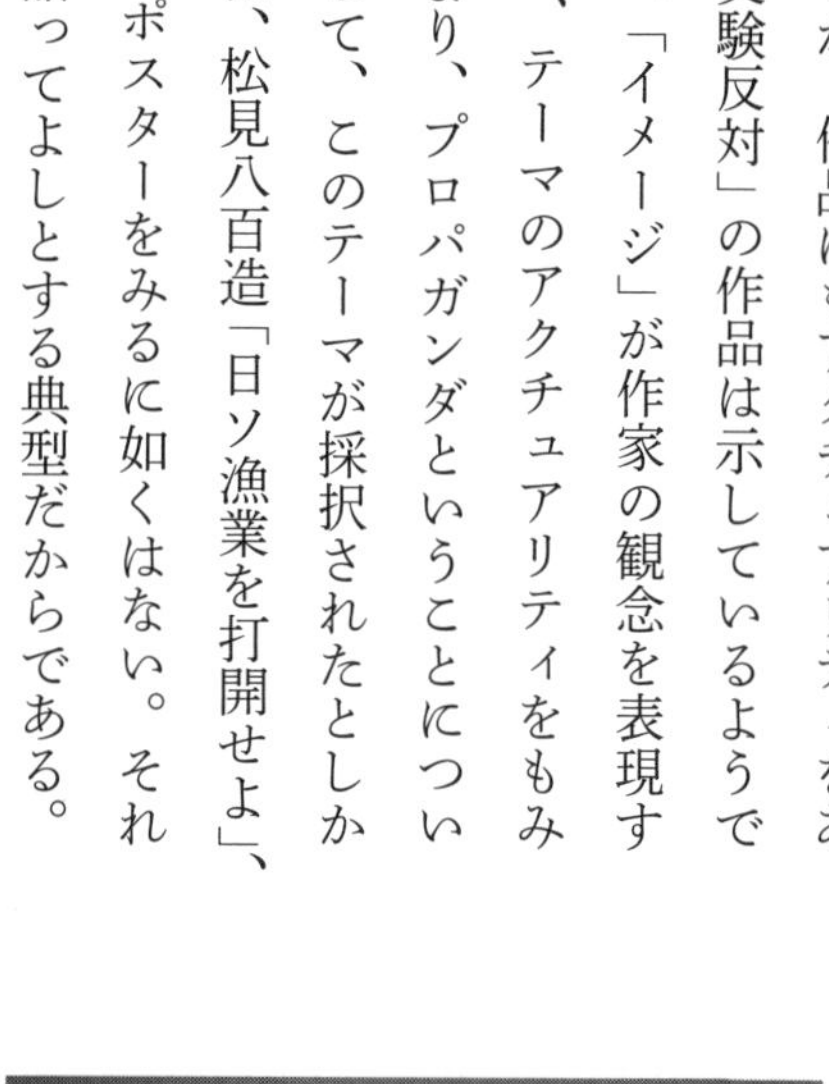

「第九回日宣美展」出品作品
（右より）植松国臣、北井三郎「狭い道は日本の恥だ」、粟津潔、杉浦康平「ヒロシマの声を世界へ！／第五回原水爆禁止世界大会」

どういうことであろう。かんがえてみれば当然のことかもしれない。「ことば」と「イメージ」の対置と切断ということから、ユーモアなどうまれるはずがないからである。ユーモアというのは、「ことば」と「イメージ」のつながりのなかからしか、かたちをあらわさない。これまた、「映像論」の傾向のひとつの証左ということになるかもしれない。

これを要するに、日宣美展が次第に会場の内部にだけ、コミュニケーションの空間を限りはじめたということではないか。なるほど、そこには雑踏があっても、また平穏なのである。アストリュック氏のひそみにならって、「グラフィック・スティロ説」などが風靡しないほうがいい。これが、わたしの会場を一巡しての感想である。

「第九回日宣美展」出品作品
（右より）藤田慎治「アガサ・クリスチー選集」、井上修、麹谷宏「孤児救済」

デザイナーとは何か

デザインをめぐる諸考察

1　はじめに

昨年の一〇月号のこのページで、「デザイナーへの問」(編1)という一文を寄せた林進さんは、いったいデザイナーは、「職人的」な存在なのか、それとも「司教的」な存在なのかという設問を提出した。それにたいし、デザイナーの側からなんらかの応答があたえられたかどうか、ぼくはつまびらかにしないが、これは充分検討してよい問題だろうと思われる。たとえば、「職人的」か「司教的」かという具合に問題を設定することが妥当であるかどうかということもあろう。林さんはどうかといえば、デザイナーというものは、そのいずれかに分極してしまうことは好ましくなく、「人間」としてのデザイナーでなければならぬという立場を主張しているようである。「司教的デザイナーへのオリエンテーションによって、デザイナーは芸術家と同じく、自立的で個性的な造形的思想者への道を歩むことになるでしょう。また、職人的デザイナーへのオリエンテーションによって、一部のデザイナーにみられた特権的、自足的な価値意識が清算されて、人間としての広い思想的連帯の道が拓けるでしょう。あるいは、デザイナーのオリエンテーションは二者択一ではなく、二つの

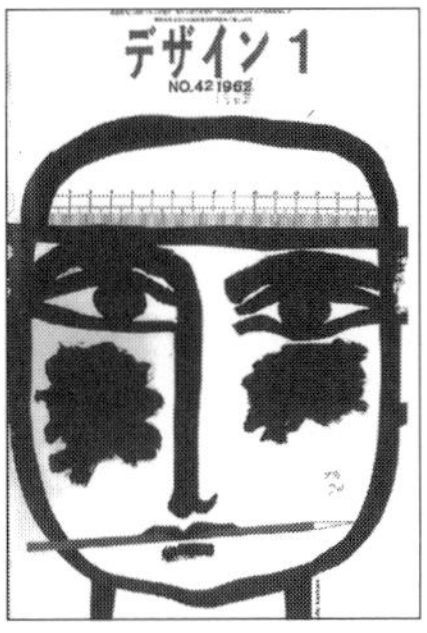

初出『デザイン』第四二号（一九六三年一月）、六―一〇頁。「デザインをめぐる諸考察」欄に発表された文章。

編1　林進「デザイナーへの問　デザインをめぐる諸考察」『デザイン』第三九号（一九六二年一〇月）、一二―一六頁

対極的な方向の間に無数のベクトルがあるというのが現実かもしれません。そのときは、特定のベクトルを選択するという行為に、デザイナーの人間としての思想的責任が荷重されているといえます」という文章はこのことを物語る。ここで「司教的」というのは、文明を秩序づけ、人間化するという使命感をもつというような意味合いがこめられていることばである。

2　技術者とは何か

もともと、デザイナーとは何かという問いは、デザインとは何かという問いと無関係ではあるまい。しかし、その逆、デザインとは何かという問いは、必らずしもデザイナーとは何かという問いと重なるものではない。たとえば、もしあなたが日曜大工の実践者であって、なにかを造ろうとする場合を考えてみればいい。疑いもなく、あなたはデザインしているのである。しかし、だからといってあなたをデザイナーというわけではあるまい。つまり、デザイナーという場合、それはこの社会で分業した専門家というイメージを持つ。さらにつけ加えるならば、デザイナーは分業した専門技術者というべきだろうと思われる。しかし、たとえば画家の場合には、たしかにこの細分化された社会では分業した専門家とみられるふしが決して少なくないが、しかし、考えてみれば、前世紀、さらにさかのぼって一八世紀などに較べると、専門家としての画家というイメージは次第に稀薄になっている。画家が巨匠に師事し、ながい間の訓練を経てメチエを修得し、それによって画家というトレードマークを獲得するという過程は、今日では逆に一種のアナクロニズムとしてしかみられない。そういう習慣が未だに通用している日本画のような世界もないではないが、かえってそのために、そこでは技術偏重が支配的で、われわれに芸術というイメージから遠ざけてしまうのである。日曜画家にしたって、画家ということばを簡単にあたえてしまうことが少なくない。別段、好ましくないわけでもない。作品の価値判断を別にすれば、一億総画家であったって、いささかの不都合もないわけである。

しかし、デザイナーの場合はこうはゆかない。くり返すことになるが、デザイナーという場合、われわれは先ず専門技術家というイメージを持つ。それならば、そういう実状は好ましくないか。先ずおおざっぱなことをいってしまえば、ぼくは一向に構わないだろうと思う。職業としてみる限り、デザイナーはそれ以上でもそれ以下でもないというべきであろう。ここのところをとばして、デザイナーを「芸術家」としてだけとらえ、芸術家としての苦悩などというものだけをクローズアップするのは、返って後退的な考え方のような気がする。あるいは、そういうことを考えたり憶測したりするのは、第三者のおせっかいじみたみかただけであって、当のデザイナーの問題ははるか先に進んでいるというなら、喜ばしいことであり、むしろ、そうであることのほうが好ましい。しかし、林進さんの文章によると、デザイナーやデザイン評論家のなかには、やみくもにデザイナー「司教的」存在説をふりかざすひとが少なくないという。そういうひとは、デザイナー「職人的」存在説に反対しているという一面のあることを認めるにやぶさかではないが、他方、専門的技術者としてれっきとして存在しているひとびとにちがいない。

『中央公論』の昨年（一九六二年）六月号で、奥野健男さんが「技術者とはいかなる人間か」[編2]という論文を発表したことがある。奥野さんは文芸評論家だが、ながらく東芝の中央研究所につとめていた「エンジニア」でもあった。そして、この論文には「体験的技術者論」というサブ・タイトルがつけられている。つまり、内からみた技術者論ということになるだろう。ぼくは大学で物理をやり、卒業してからも数年間研究室にいたので、かれの体験的技術者論をまったく外から読むという気持ちでもなかった。しかし、それでも当事者というわけではない。ただ日立の中央研究所その他につとめている同僚の話などを想いうかべながら、そうかもしれないと思うところが少なくなかった。そこで、かれは実感から、技術者について三つの特徴をあげている。

そのひとつは、技術者は技術というものを把えがたいということである。というのは、技術は科学のように体系がなくケース・バイ・ケースであることが多い。つまりは即物的でプラクティカルという点。もうひとつは、技術家には技術というものの全体をおさえているという感じがしない。つまり自分のやっていることと、技術全体の連関性を客観化しにくいという点。最後のひとつは、技術家には職業の基本的共通項さえないこと。つまり、一〇〇人の技術者に何をしているのかと聞けば百様の返答があろうという点の三つである。

さらにかれは、アメリカの水爆はわるく、ソヴィエトの水爆はいいという論拠はないし、またＴＶＡ［テネシー川流域開発公社］は自然を荒廃させることであり、ヴォ

編2　奥野建男「技術者とはいかなる人間か——体験的技術者論」『中央公論』第七七年七号（一九六二年六月）、二三四—二四四頁

ルガ、ドンの灌漑技術は自然のすばらしい改造だという区別はおかしいのであって、技術そのものには、倫理性も思想性もないのだという。技術に思想性や倫理性のないことは、技術によって思想や倫理を直接語れないことをみてもあきらかだというのである。そして、ただ、「技術者の合理主義的信念」は「論理以前の関係、企業内に残る非論理的な封建制に対しては」有効だが、けれども、この合理主義は、近代的、合理的、論理的な圧力、資本主義的な力に対しては本質的に無力だということを述べている。したがって必要なのは、技術化、専門化しない、普通の人間の思想、感覚であり、技術や専門と別の次元の判断力や倫理であるというのが結語である。

3　デザイナーは技術者か

「技術者とはいかなる人間か」にながながと触れたのは、専門的技術者としてのデザイナーにも、いく分共通した問題がありはしないかと思ったからである。たとえば、デザインにも、科学のような体系をみつけることは難しい。即物的でプラクティカルなものである。それにエンジニアーに較べると、デザイナーという職業の共通項は、はるかにはっきりしているようにみえるが、しかし、一面それも程度の問題ではありはしないか。なぜなら、われわれの生活はことごとくこれデザインされたものによってとりまかれているのであり、デザインと無関係なのは自然そのものというほかないだろうからである。その自然についても、国土総合開発などというのはデザインに他ならず、小は一本のピンから、大は都市計画に至るまで、デザインならざるものはないといってもいい。もし、技術とデザインの区別をたてるとすれば、技術は人間の手や足、つまりは筋肉や大脳の働きを代行する「道具」の発明、改良にその根底があるのに比し、「デザイン」は、自然あるいはものを人間によりうまく適用するように変形、組立がえするところにあるということであろう。つまりは、これだけ広範囲なデザインということを考えるなら、一デザイナーがデザイン全体を支配しているという実感もうすかろうというものである。もし、そういう実感を抱いているなら、それはデザインを芸術という枠に押しこめ、芸術という概念の単一性に依存しているからではあるまいか。

さらに、デザインもまた思想的正邪を論じがたい。つまり、デザインの思想ということはたしかにある。しかし、思想のデザインということになると必ずしも明白ではない。奥野さんの用いた例を使えば、ＴＶＡの開発のデザインとドン、ヴォルガの灌漑開発のデザインについて、正邪は論じられない。

林進さんとすこしアングルをかえて、ぼくはデザイナーが現在の社会でもつ矛盾というのは、デザインが倫理性、思想性を直接もたないという、その中立性そのものによると考える。コップのデザインを考えてみればいい。反動的イデオロギーをもつデザイナーのデザインしたコップがよくないということは、一義的にはきまらないのである。

すると、直ちにこういう反論が起るだろう。それは、デザインというものを技術というレベルで考えているからであって、もしそれなら、デザインを芸術から技術へ移しかえただけに過ぎないではないかと。その通りである。今までの議論のてつづきは、そういうことになっている。デザインは、われわれが既に知っているカテゴリーを用いると、芸術と技術の両方の分野にまたがりながら、しかも、そのいずれにもかたよってしまうことなく、もうひとつのあたらしいカテゴリーを打ち樹てたものだと考えているが、つまり、ここでは、デザイナーというものは芸術家というより、技術家というイメージをもっててがかりにしたほうが、じっさいに即しているだろうと考えたからである。『芸術と技術』(編3)のなかでL・マンフォードは、現代における芸術の荒廃は、手段と結果ばかりに没頭している無人称の世界を過大に評価しているからであって、こういう技術偏重の時代の出発は、ギリシャ神話のプロメテの故事ばかりを賞揚するからだという。例の神々の神殿から火をぬすんできたというプロメテの話である。人間が道具を用いる動物——いや正しくは動物を超えたものの証拠がここにあるという話である。それに対し、マンフォードは、プロメテでなくオルフェこそ人間の人間たるゆえんの出発点だという。それならデザイナーはプロメテの末裔か、オルフェの子孫か。どっちみち夢物語に過ぎないが、もし、プロメテとかオルフェを論ずるなら、ぼくにはどうしてヘパイストスを論じないかという気がする。ゼウスとヘラの間にうまれたというヘパイストスは、建築をやり、鉄を鍛え、よろいをつくり、また二輪車をこしらえ、真鋳の家を建て、靴、テーブル、椅子をつくった。まさに、デザイナー以外のなにものでもない。プロメテやオルフェに勝るともおとらない、人間の人間たるゆえんを証明した人物(?)ではないか。ヘパイストスはゼウスに蹴下されて地上へ転落するのだが、デザイナーの本質がここに既に語られているとはいえはしないか。

編3　L・マンフォード『芸術と技術』生田勉訳、岩波書店、一九五四年
Lewis Mumford, *Art and technics*, Columbia University Press, 1952.

4　デザイナーは芸術家か

ぼくはこれまで、デザイナーというものは芸術家よりも技術者として考えたほうが、色々問題を考察するうえで、じっさい的であろうという意見をのべてきた。しかし、それはもっぱらこの社会において、分業し、職業化したデザイナーという面に着目してきたからだった。じっさい、再度いうことになるが、芸術家というイメージはある意味では、デザイナーの願望でしかないかもしれないのである。しかし、問題は、むしろ、ここから始まる。たとえば、技術者ならば奥野さんのことばを借りると、「技術者は決して技術の主人、支配者ではないのだ。技術者は、単にその家畜の調教師に過ぎない。技術者はその与えられた目的にかなうよう、もっとも効率よく、完全なものにするだけが役割なのだ。技術者の良心や使命はそこにしかない」ということになるかもしれない。しかし、デザイナーはそうはゆかないだろう。かれは単に調教するのみならず、サーカスでいえば、お客にみせる順序、効果、反応、つまり結果まで考える責任がある。エジソンは電球を発明するだけでよかった。しかし、発明されたものが生活のなかでどのように受け容れられるかという最後の章を考えるのは、デザイナーの仕事である。なるほど、この作品、あるいは結論にまで責任をもつという点では、芸術家と同様ともいえる。けれども、次の点で、これら二つの仕事には大きな差異がある。通常、芸術作品というのは、単なるつくり手からうけ手への一方交通とおもわれていることが少なくない。たとえば、われわれがピカソの《ゲルニカ》を見るのは、「見せられている」というのと同じことだと考えがちである。こういう鑑賞観というのは、かなり一般的のようである。しかし、ひとつの芸術作品が一義的にみるものの反応を決定してしまわなければならぬというのは、いわれのないことがらである。あらかじめ、どう受けとられてもよろしいという判じものみたいな作品を創るのは論外としても、しかし、芸術にとってはうけ手の内面的な自由度というものを否定するわけにはゆかない。つまり、鑑賞がこの内面的自由度をうごかして、自己創造をもたらすことのほうが大切である。むろん、これは人間が芸術作品に対してのみひきおこす心の動きというものではない。実生活のいろいろの事柄にたいしても起こしうるものである。しかし、芸術はそれを意識的かつ集中的にひきおこすものである。デザインされたものには、われわれは単にその使用価値だけに着目して、その他の心の動きは一切ひきおこさないという馬鹿げたことはない。デザインにおける「機能性」か「芸術性」かというような問題のおきるのも、むろん使用価値だけに着目することがないことのあらわれでしかあるまい。

しかしながら、芸術作品がもっぱら内面的な意味での自己創造ということを、うけ手に触発させるのに対し、デザインされたものはそれが最大の目的というわけにはゆかない。たとえば、建築がそこで住むひとの内面にまで大きな影響をあたえることはある。例の建物における「不安感論争」というのは、こういうことのひとつのあらわれであろう。しかし、たとえ、デザインがうけ手に自己創造をもたらすとしても、それは生活という具体的なもの、あるいは外的なものを通じてでなければあり得ないし、また、そうでなければ、デザインということもあるまい。たとえば、最近、グラフィック・デザインの分野で、コミュニケーション・デザインということの重視がある。これとて、一枚のデザインをみることで、つまり、あたかも、芸術作品をみる場合のように、そのことでうけ渡しが終わったとは考えられない。それが生活のなかで、具体的に生きてくるのでなければ、コミュニケーション・デザインの効果は少なくとも八割以上消失したものと考えていい。

つまり、同様、終章まで責任をもつとしても、芸術家とデザイナーはまったく異なった仕事である。もっとも、こういうことも、既に自明のことがらなのかもしれない。ただ、考えてみたいのは、デザイナーがいわゆる技術家からはみだすところ、つまりは技術家にプラス・アルファーされる部分は、芸術家としての要素でないということなのである。はじめに、ぼくはデザインは芸術と技術の両方の分野にまたがりながら、そのいずれでもないあたらしいカテゴリーを打ち樹てつつあると書いたが、この場合の芸術との共通性は、たんに造形というようなことでしかなく、それ以外のものではない。したがって、技術家としてのイメージにプラス・アルファーされるもの、それをひっくるめたところにデザイナーが存在すると思われる。

5　技術者＋芸術家＋アルファー

ところで、このプラス・アルファーというのは、つまるところデザインとは何かということになるわけだが、その前に次のようなことを考えてみたいと思う。たとえば、先にぼくはデザインとは自然をわれわれに適用するように変形、組立てがえすることだとのべた。人間とこの変形、加工されたものとの関係は、一方で超時代的という面をもつ。たとえば、固形飲料というものが発明されて、人間がそれを不都合なものだと思わないとすれば、コップを使用しないときがくるかもしれない。しかし、それまでは、近世であろうと近代であろうと、容器というものの必要はかわらない。超時代的な面をもつというゆえんである。むろん、生活にあたらしい部分があらわれ、それにともなって、あらたに発明されるというもののあることは、われわれのよく知っているところであろう。

さて、この超時代性——これをヨコにみれば、ＴＶＡもドン、ヴォルガの運河の開発のデザインも、中立的だということは、デザイナーがある時代に生きているということと、どう関係するか。ここで、ぼくはデザインを自然対人間ということでだけ見てきているような印象をあたえると困るので、人間対人間の関係の調整ということもつけ加えておく必要があろう。コミュニケーション・デザインなどというのは、それである。たしかに、デザインそのものは中立的なものといえる。しかし、デザイナーが自然と人間、あるいは人間と人間の関係をどうみるかとなると、これはもう中立的ではない。ただし、ぼくはこのことを資本主義社会と社会主義社会の区別というようなみかただけを念頭においているわけではない。

せんだって、ぼくは物理学者の広重徹さんからこういう話をきいた。現代物理はおどろくべき進歩をとげて、とりわけ素粒子論の発達はめざましい。そして、多くの科学者は、素粒子の構造が解明されて、それをつらぬくある法則がみつかれば、逆にそれを用いて、あらゆる自然現象が理解されるだろうと考えている。つまり、自然にはある究極的なものがあり、それによって森羅万象がくみ立てられているのだから、その究極的なものを見極めると、すべてがわかるのだという、考えである。もっとも、こういう考えは、デカルトの分析的哲学からはじまり、ニュートン、マクスウェルとつづいて、つまりは近代科学の根本になっている考えである。すると、ひとびとは、こういうみかたは人間のひとつの自然観でなく、自然そのものが人間とは無関係にそうした組立てをもっているのであり、人間は一歩一歩、その組立ての核心に近づいているのだと思う。しかし、必ずしも、そうかどうかはわからない。

つまり、こういう自然観はひとつのみかたに過ぎない。そしてこういうみかたが成立したのは、近代市民社会――つまり、バラバラの個人の集合が社会である、あるいは個性の確立という市民社会観が科学者に投影している、「歴史的所産」に他ならないことが、最近はっきりしてきたというのである。

またまた横道へそれたかもしれない。しかし、科学のように客観的とみられている活動さえ、人間が歴史的産物であることが大きく作用しているなら、デザインの場合はなおさらであろう、つまり、社会体制だけにこだわるのは、逆にそれだけの制約をデザインの上に投影するということを考えなければならない。林さんの論文でのひっかかりはこの点である。ムッソリーニのつくらせた、ローマ中央駅は、建築家が疎外されたため、悪という結実をもたらしたとはいえない。むろん、林さんは、疎外の自覚の有無を問うているわけだが、デザイナーが反体制意識をもつことは、超体制という立場からでなければならないのではないか。没体制と超体制というのはまったくちがうだろう。わざわざ、物理の無縁とみえる話をもちだしたのも、もっとも具体的な生活に関係するデザイナーは、逆に超体制という意識をもつ必要がありはしないかということを考えたからだった。

6 デザイナーとは

というのも、われわれの生活の一部にデザインされたものがあるのでなく、すべてがデザインされたものだからである。そのことは、しばしば、外的なものを人間に適応するよう組立てがえするのでなく、われわれの方がデザインに適応しなければならぬと思い込ませるほどである。もっともこれは相補的なものであって、デザインと生活の関係は相互作用的なものである。しかし、それだからこそ、デザイナーのこの超体制という自覚が必要だろうと思うのである。しかし、いうまでもなく、これは超生活を意味しない。要するに、デザインは具体的な生活にふかくくっついていればいるほど、全体的なパースペクティヴを欠くことになりがちだからである。コップのデザインを体制によってかえるのは、第一起こり得ない（そういうことが起こるのは、デザインにとってよけいなことがらに商品価値をあたえ、それによって利潤を追求しようとする、たとえば、モデル・チェンジの形骸化のようなものでしかない）。起こり得ないというより起こり得ないという方向でデザインすることが、デザイナーの社会的責任というものである。

デザインの中立性こそが、デザイナーの社会での矛盾の原因だとぼくはいった。

そして、デザイナーは、むしろ、この中立性（デザイナーの中立性ではない）を貫徹することが望ましいのである。それには、このデザイン中立性を意識するというルートをぬかすわけにはゆかない。

しかし、こういういい方は、たとえばコミュニケーション・デザインのように社会をどう考えるかということをぬきにしては考えられないこともあるという反論があろう。むろん、それもデザインのもつ大きな分野である。それはまた、グラフィックのようにヴィジュアル・デザインにもまたがる問題でもある。たとえば、杉浦、粟津の二人のデザイナーによる「日本原水協ポスター」を考えてみてもいい。この場合には、抽象的にデザイナーのことを論ずるだけでは意味があるまい。つまり、放射状のシンボルは、単にそれだけのものとしてなら、中立的なものであり、倫理も思想も関与しない。つまり、この場合重要なことは、このシンボルは反核武装という「運動」によって生きたということである。こういう場合、デザイナーは単にデザイナーでなく、「運動」の参加者というイメージをおいては考えられない。いいかえれば、中立的であるデザインをそうでなくすのは、必らず具体的な生活だということになる。その生活に迄、デザイナーが進出してゆくのは、もはや分業的デザイナーということで停まらないということを意味する。ぼくは、デザイナーの人間としての良心というような言葉を好まない。もし、デザイナーが、みずからデザインしたものが、どうあってほしいというなら、かれは、「運動」ということを考えねばならぬ。これは、大きくいえば、あらゆる種類のデザインに通じていえるだろう。デザイナーとは何か。ぼくはそれを職業的技術家にアルファーのプラスされたものといった。しかし、そのアルファーは芸術家的なものでない。むしろデザインの中立性に着目して、超体制という立場をつらぬく方が好ましいと思うとかいた。つまり、デザインでこの社会をどうこうしようとするなら、かれは、「運動」を考える必要がある。いうなれば、それは「思想デザイナー」というべきか。

無用のデザインを

ペルソナ展をみて

1

テレビのCM、あれはなんとかならないものでしょうか――今でも、新聞の放送欄を見ると、一般視聴者からの投稿として、そういう訴えを眼にすることがあります。スポンサーのほうでも、それが気にならないでもないらしく、時々、この放送には途中でCMスポットをいれません、というような断りをつけて、放送する例がないでもありません。せっかく、ドラマのなかに没入しているのに、風邪には○○をなどとやられると、急に現実にひき戻され、感興をそがれることおびただしいというような理由からでしょう。他人ごとのように書きましたが、私もまた、頻々と顔をだすCMを、心から歓迎するといった心境の持ち主ではありません。私の友人には、CM憎悪症にとりつかれているのがいて、テレビのCMスポットになると、ダイヤルをまわして音声を消してしまうという、念のいったことをする男がいます。音声を消したところで、テレビの画像はちゃんとCMを伝えているでしょうが、その男によると、声なきCMを見ると、どんなに陳腐でつまらないのでも、まるで、サイレントのドタバタ喜劇を見るようで、結構おもしろいのだ

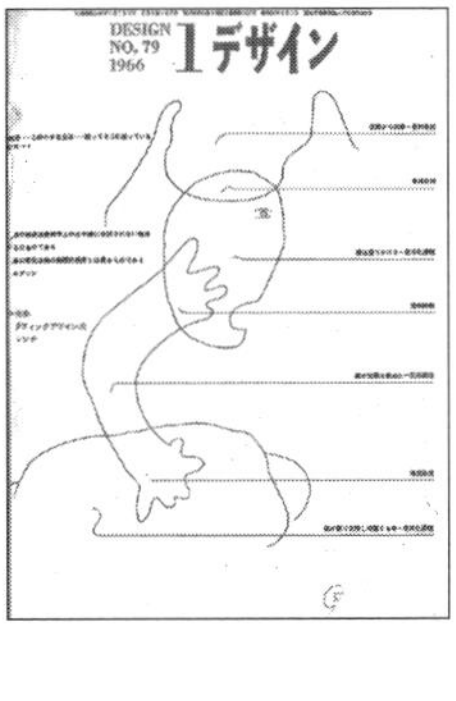

初出『デザイン』第七九号（一九六六年一月）、四一―五六頁。特集「グラフィックデザイン展〈ペルソナ〉」に発表された文章。

そうです。私も、それを一、二度試みてみましたら、なるほど、そういう節もあり、まんざらでもないような気がしましたが、いちいち、音量をあげたりさげたりするのが面倒で、やめてしまいました。

さて、テレビ・ドラマなどというものは、それを見たからといって、一文の得になるものでもありません。得になるといえば、CMを見て、各種商品の品定めをするほうが、すくなくとも、ドラマよりは、生活の上で役に立つでしょう。それを見て、買う買わないは別として、日本のテレビ広告の現状についていささかのおもいを馳せるというのだって、損するというものでもありますまい。もっとも、CMが眼ざわりだなどといっても、その影響は結構大きいのであって、CMぎらいの一方的敗北というのは、眼に見えてあきらかでしょう。しかし、われわれの心理的次元でみるなら、一文の得にもならないドラマはよろしいけれども、生活にとって役立ちそうなCMは、どうでもいいというような反応のあることは、事実のようにおもわれます。つまり、役立つといわれているものは、そのように、はなはだ非情にとりあつかわれているということです。

こういう事情は、この不運なテレビのCMに限られるものではありません。ポスターだって同じことです。それを、グラフィック・デザインといおうと、ヴィジュアル・コミュニケーションといおうと、事情は一向にかわるものではないでしょう。たとえば、街頭に貼られているポスターを、まるで絵でも見るようにまじまじと眺めているひとがいるとすれば、それは余程ものずきか、さもなくば、余程ひまなひとにちがいありません。日宣美展へ、ひとがワンサと押しかけるのは、将来、デザイナーたらんとする野望に燃えた若ものを別とすれば、それは、われわれが、日頃、グラフィック・デザインなどをまじまじと眺めないことの証明のようなものであって、それだからこそ、そこで、一挙にてっとりばやく見ようということのあらわれでしょう。デザイナーが展覧会といった旧態然たる催しをやるのは、そもそもおかしいじゃあないかという批判がないでもありませんが、しかし、理由がまったくないではない。要するに、そこでは、まじまじと眺めるという機会があるということです。

ひところ、「美術と社会」ということが、多く論じられたことがありました。今でも、この問題は潜在していて、まったく消滅してしまったわけでもありますまい。この問題、一言でいうと、美術は社会的機能性を失ってしまったが、グラフィック・デザインにはそれがあるといったことでした。しかし、もっとも単純化してしまったらどういうことになるか。絵は金になりにくいが、デザインはなるということに他なりません。問題をそのように卑俗化することはけしからんという、抗議があるかもしれません。しかし、「機能」などといっても、それは超歴史的なものでなく、現代の商品社会のルールからはみだして存在するわけはない。たとえば、手仕事職人の生活がせばめられていっているのは、それ以外のどのような理由もないでしょう。手仕事職人のつくりだすものは、れっきとした「機能」があります。ただ、その「機能性」が商品社会の大量生産というルールからみて、値打ちが暴落しつつあるということに過ぎません。

この問題はさておくとしましょう。私のいいたいのは、役に立つとか、機能といったものすら「物神化」されるという現代ということです。むろん、文明論という視野から、ヴィジュアル・コミュニケーションの大義名分を否定する気持は毛頭ありません。しかし、ヴィジュアル・コミュニケーションというのは、「社会的機能」についていわれているのであって、これを「視覚伝達」というようにいえば、それは人類の歴史の昔にさかのぼって存在するものであり、今にはじまったわけでもありますまい。ただ、その「視覚伝達」ということが、その伝達のひろがりを飛躍的に拡大し、おそらくは、グローバルなひろがりをもちつつあるというところに、改めてヴィジュアル・コミュニケーションの云々される根拠があるのでしょう。

しかし、私には、このヴィジュアル・コミュニケーションということばが、なるほどスマートにはちがいないのですが、まるで、人間が視覚だけの存在であるかのような強調を感じさせないでもありません。というのも、それが、あまりにも「視覚伝達」の有用性——つまり、役立つということばかりに意を注いでいるようにおもわれるからです。「機能」はあくまで「機能」にとどまります。「社会的機能」は「社会的価値」と同じものではありません。私が先に「物神化」といったのは、この「機能」がそのまま「価値」であるかのように受けとられている風潮があるからです。

文化とは、その時代の人間の思考と行動のパターンをふくめた総体であって、それは、人間をとりまく有用性と無用性の両者の事物をふくめた全体というものでしょう。私は、人類の発達史を、ただ人間にとっての有用性という観点からのみ整理することを、一種の機能的進化論だと考えています。しかし、それは、あくまで一面の抽象というに過ぎません。機能は、たしかに進化するものだからです。

2

「ペルソナ展」(編1)を見て、私がまず感じたのは、ああここには、グラフィック・デザイナーが、無用性をポジティヴにとらえようとしている方向があるな、ということでした。この展覧会は、粟津潔、福田繁雄、細谷巖、片山利弘、勝井三雄、木村恒久、永井一正、田中一光、宇野亜喜良、和田誠、横尾忠則ら一一人があつまったものです。ついでにいえば、アメリカのポール・デイヴィス、ルウ・ドーフスマン、スイスのカール・ゲルストナー、ポーランドのヤン・レニッツァ、それに亀倉雄策の五人が招待出品しています。ここにあつめられた作品は、まさに一一人一一色、あるいは一六人一六色というものであって、それを要約することは、まずできそうにありません。それだからこそ、タイトルを「ペルソナ」といったのかもしれません。展覧会には、ちゃんと「グラフィック・デザイン展・東京・一九六五・ペルソナ」とありましたから、グラフィック・デザインにはちがいないのでしょう。しかし、正直にいって、私は、これは何のポスターであり、それは何のポスターだなどということに、ほとんど留意しませんでした。それでは困るというかもしれません。ポスターでは、テレビのように音量をさげるわけにはゆかないなどという皮肉をいうつもりは、決してありません。私はただ、そこに描かれているシンボルとかイメージばかりを眺めていたからです。それらは、いったい絵画とどうちがうのでしょうか。もちろん、まったく同一のものではないでしょう。改めていうまでもなく、絵画は一回かぎりのものという性質によって規定されています。それにたいし、グラ

編1 「ペルソナ：exhibition of graphic design in Tokyo 1965」松屋（銀座）、一九六五年一一月一二日―一七日

「ペルソナ」展カタログより
粟津潔

フィック・デザインは複製を自明のこととしています。しかし、この一回性ということと、量産性ということのちがいは、現在、それほど大きな意味をもっているとはいえません。意味があるのは、一回性、量産性そのものでなく、それぞれにたいする、われわれの接しかたの差のほうにあります。

つまり、一回性の絵画にたいしては、われわれは、誤解を招きやすい表現になりますが、一種の「宗教性」ともいうべきメンタリティをなお温存しているようにみえます。それにたいし、量産性のグラフィック・デザインにたいしては生活のレヴェルで接しているということです。しかし、現代の絵画とグラフィック・デザインについていえば、それはイメージとかシンボルそのものに、「宗教性」とか「生活性」といった区分けがあるのでなく、そのように区別をして接しているというに過ぎないといっても、大過ないでしょう。

グラフィック・デザインの特徴のひとつは、その「機能」云々よりも、そういう受けとられかたの性格によっているところが決定的といっていいでしょう。はじめに、テレビのCMの話をもちだしましたが、「役立つものが、非情にあつかわれる」というのは、それとうらはらのことです。しかし、この「生活性」、あるいはなじみのことばを用いれば「日常性」というレヴェルでの接しかたがあることによって、グラフィック・デザインのおよぼす効果は大きいという事実です。私は、それを、マス・コミと同じような意味合いで、受け手の量の大きさという視点でいっているのではありません。量でなく質ということです。テレビのCMも、それがくり返しくり返し、嫌悪症をおこさせるほどに送られるので、影響が大きいというよ

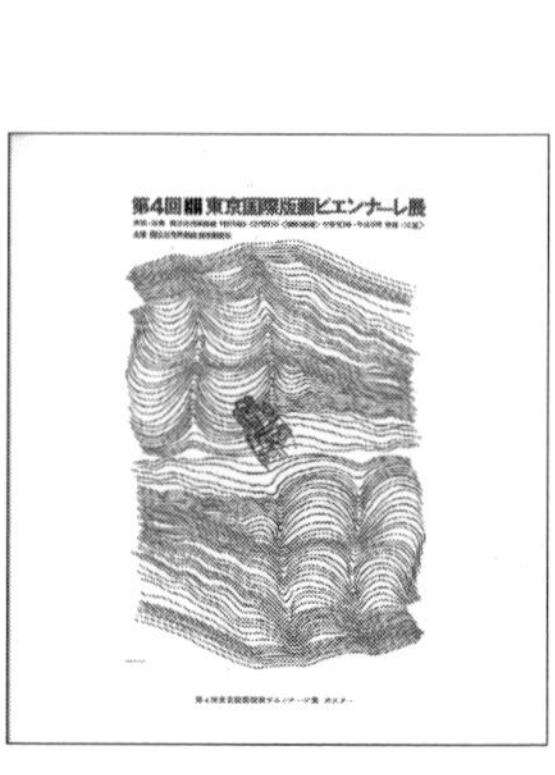

「ペルソナ」展カタログより
粟津潔《第四回東京国際版画ビエンナーレ展　ポスター》一九六四年

り、われわれの身がまえない「日常的」な受容のレヴェルに送られてくるからに他なりません。

つまり、グラフィック・デザインは、われわれの日常的知覚の形式化といってもいいものです。もっとも、私は日常的知覚だからといって、それが底のあさい表面的なものだなどとは考えません。何故なら、われわれの日常的知覚というものには、歴史とか社会といった一切のものが、行為とか慣習などにくりこまれて、それを規定しているからです。どうして、それが有用性一色にぬりつぶされているでしょうか。

「ペルソナ展」で感じたのは、そういうことの確認でした。イメージのあたらしさとか、シンボルのユニークさとか、いろいろのいいかたがあるかもしれません。しかし、それは、今いったような、あらゆるもののごた混ぜといっていい日常的知覚を形式化するというのが、そこにみられる特徴のようにおもわれました。そうなれば、グラフィック・デザインということばに、呪縛される必要はないでしょう。というのも、日常的知覚は日常的視覚よりおくふかいものであって、視覚はむしろ、あまりにも現象的なものによって、たぶらかされ、固定化されてしまうものだからです。もし、コミュニケーションというなら、ヴィジュアルというより、パーセプチュアルといったほうがふさわしいようにおもいます。

この展覧会は、どのデザイナーもオリジナル作品を出品しています（もっとも、本の装丁などもありましたが）。グラフィック・デザインということで、ただちに、ここに並べられたものの実用化、あるいは量産化という問題がおもいうかべられな

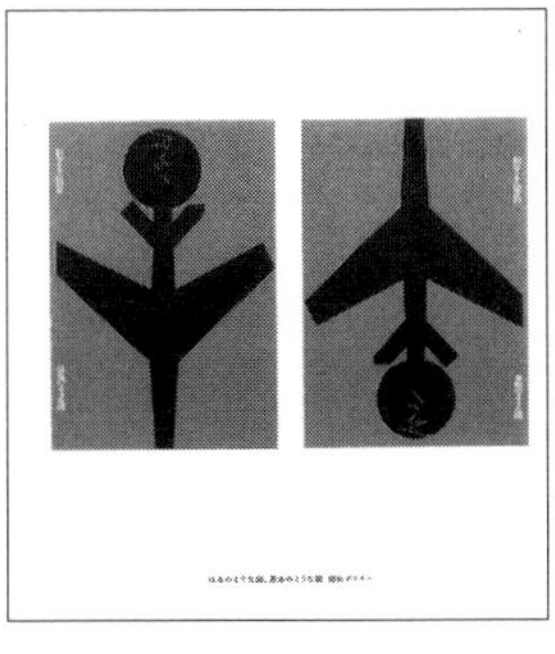

「ペルソナ」展カタログより
福田繁雄《はなのような国、基地のような国　廻転ポスター》一九六五年

いでもありません。しかし、この問題についていえば、私は、どうでもいいようにおもいます。印刷されて、じっさいに用いられれば、それはそれでいいし、ここに並べられるだけというのであれば、それはまたそれでいいとおもうのです。先にもいったように、日常的知覚の形式化ということで、そのひとつの実現があるということでつきるようにおもわれます。

エロティシズムやスリルやサスペンス、あるいはユーモアやペーソス、そういったもろもろのものが、あまりにも特殊化されて形式をあたえられてきたような気がします。それらを、もっとも日常的な次元でかたちあるものとすることができるのは、グラフィック・デザインの可能性といえないでしょうか。なるほど、テレビもあればマンガもあります。あるいは映画もあります。私は、グラフィック・デザインがそれらを独占するなどというつもりはありません。ただ、そういうことが、デザインのアトラクティヴな要素としてでなく、そのものの形式化ということで登場してもいいようにおもうのです。「ペルソナ展」をみながら、そういうことも考えました。

そういうことは、つまりは「無用のもののデザインを」というような意味合いになるかもしれません。しかし、そういう欲求は、デザイナー自身のなかに渦まいているのではないでしょうか。ここにあつまったデザイナーたち(だけには限りませんが)が、ポスター、絵本、映画、その他いろいろな分野に手をのばしているのは、デザインの領域のひろがりを物語るのでなく、そういう欲求のあらわれのように、私はおもいます。

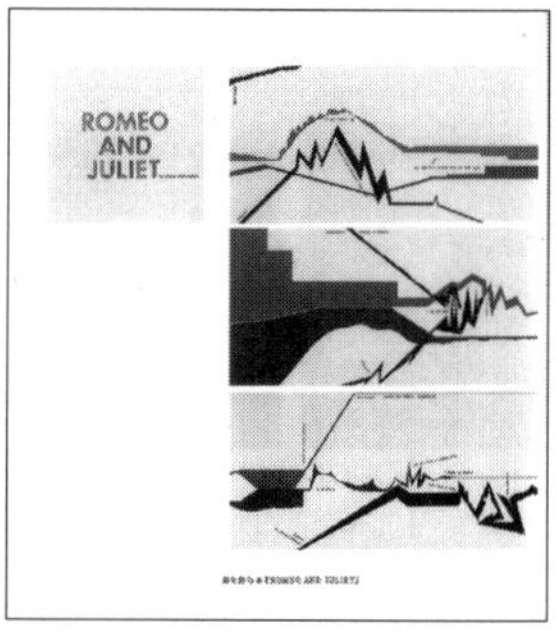

「ペルソナ」展カタログより
福田繁雄《線を読む本『ROMEO AND JULIET』》一九六三年

「転移」の思想

ソットサスのデザイン

スタンリー・キューブリックは、映画《二〇〇一年宇宙の旅》の冒頭で、猿人がはじめて道具の使用に目ざめる光景を劇的に描いている。猿人の一人が、動物の死骸から偶然骨を一本拾いあげ、それが手の力をはるかにこえた物の破壊力をもっていることを発見するのである。

人類史上で、人間が人間となる第一歩というべきこの瞬間が、キューブリックの描くようなものであったかどうかは知る由もないが、道具の発見が、骨の骨ならざるものへの「転移」だったということは真実であろう。石器時代は、石の石ならざるものへの転移によってうまれた。石は矢じりとなり、槌となった。

道具の発見にみられるこうした「転移」は、単に原始的な現象にとどまるものではなく、それが素朴であるが故に、むしろ、きわめて人間的な現象である。シュルレアリスムにみられるフロッタージュは、木目とか葉脈といった自然のパターンに、人間の欲望に関連する幻想をみいだしたものだが、これも「転移」現象のひとつといっていい。

レオナルド・ダ・ヴィンチは、その手記に、壁のしみがいろいろなイメージを誘発することについて書き記している。イメージについては、こうした現象は「連想

初出『SD』第四三号（一九六八年六月）、三八—四二頁。特集「建築家エットレ・ソットサスの世界」に発表された文章。のちに『人間と物質のあいだ』（田畑書店、一九七二年）に再録された。

作用」といわれているが、別に特別なことではなく、誰しも経験することであろう。

物体についてもイメージについても、この「転移」ということは、それがあたりまえであるようにみえるせいか、あまり大きな価値をあたえられていない。

たとえば、古い器物を飾りに転用したり、ビンを花器に用いるといった卑近な例は、しばしば目撃するところである。「転移」とは、人間が物体に支配されるのではなく、物体を支配しようとする意識のあらわれである。しかし、キューブリックが、空中にほうり投げられた骨の一片と宇宙空間を航行するロケットとを結びつけたように、人間の発明の歴史は、以後、より単一機能を強める方向へ一路進んだ。

機械は、単一機能のもっとも高度なあらわれである。そして、今では、道具即機能ということは、当然となっている。というより、単一機能的なものほどいいデザインであるという思想すらうまれているのである。しかし、われわれの生活はいくつかの機能の不連続な集合体であるわけではない。生活は、いってみればひとつの「あいまい性」である。

自然を分析するように、生活を分析し細分化してゆくと、ついには生活は消失してしまうだろう。「転移」は、この「あいまい性」と対応している。ひとつのものがいろいろの意味づけをもちうるというのは、「あいまい性」に根ざしているのである。

したがって、「転移」の思想は、なにかあるものをデザインするにあたって、多目的性を保存するというのではなく、それを使用する人間がある自由度をもって、そのものとの関係をつくりだせるような「あいまい性」をうみだすということである。いわば「あいまい性」のデザインともいえる。しかし、千差万別多種多様なデ

スペローネ画廊（ミラノ）における陶器の展示、一九六七年

ザインは、生活の「あいまい性」を制約し、むしろ、生活を規制する方向に向かっている。デザインされたものが機能をもっているのでなく、デザインの機能を通して、われわれの生活を機能的に細分化しようとするのである。機能主義とはそれをひとつの思想に昇華したもので、それは、デザインを通して人間を不連続な機能に分解しようとするものだった。住居は住むための機械であるというのは、人間の住むという機能を抽象化するように住居を考えるということにほかならない。

ソットサスの思想を、一言で要約するなら、この「転移」ということの回復である。ソットサスが、日本の家屋について関心を抱いているのも、この「転移」ということからであろう。

> 日本の伝統的な住宅について、いままでわずかながらに見た範囲では、日本の住宅にはまず第一に家具が少ないといえる。たとえば戸棚は押入れとして壁のなかに組込まれ、建築の一部となっている。また床に敷くカーペットは、日本においては床の面の上にのせるものではなく、畳自体がすでにそのような役割を果たしている。また椅子やテーブルのようなものもなかったように思われる。このように建築と家具のアレッダメント「アレンジというような意味」の境目がどこにあるのか指摘することが非常に難しい。したがって日本においては、住宅そのものがすでにアレッダメントとなっているわけで、室内設計は住宅建設が行なわれるのと同時に行なわれると考えられる。(編1)

編1　エットーレ・ソットサスJr.「家具の経験」『工芸ニュース』第三六巻一号（一九六八年三月）、四九―五四頁こうした日本家屋論は、別に独創的な意見というわけでもあるまい。ただ、ソットサスは日本の住居に、ものとしてのデザインでなく、「あいまい性」のデザインをみいだしているのがおもしろい。これを、ヨーロッパの住居は単一目的によって成立しているのにたいし、日本の住居は、多目的性を土台として成立しているというように対比させるみかたもある。

しかし、こうしたみかたも、デザインを目的という視点で切るみかたであって、ただ、それを単一目的と多目的というように区別するに過ぎない。しかし、デザインの目的といえば、人間を物の従属からできる限り解放するということであり、その逆ではあるまい。人間は道具から機械におよぶ、各種の人工的産物の発明によって、自然への一方的従属から可能な限り解放することをもたらした。

しかし、それと引き換えに、人工の世界に従属するという事態をうみだしたのである。むろん、それは、自然を人間に適応するように変えたのであって、自然への一方的従属と同じわけではない。

しかし、人工的環境が稠密になればなるほど、それが新しい自然となり、再びわれわれを支配するような事態をもたらしていることも、あらためていうまでもあるまい。

「あいまい性」のデザインは、こういう状況にたいして、ひとつの活路を見出すものである。しかも、それは現状にたいするアンチ・テーゼであるだけでなく、骨を骨ならざるものとし、石を石ならざるものとし、木の幹を木の幹ならざるものとした、人類の祖先にすでにみられたものの蘇生でもある。つまり、「転移」の思想

エットレ・ソットサス《Fuori Katalog》（衣裳箪笥）、一九六七年

の回復なのだ。ソットサスの家具や室内デザインは、単一機能性から遠い。
それらは、かれのいうアレッダメントを内在したものであって、ものでありながらものならざる性格を強調したデザインである。ソットサスが家具に彩色し、その表面性を強調するのも、「連想作用」の自由度を最大限につくりだすという意図を物語っている。つまり、それも「あいまい性」の強調なのである。もし「あいまい性」ということが誤解を招くなら、自由度のあるデザインといいかえてもいい。

ソットサスは、家具による室内構成を、アンソロジー・タイプとクリエイト・タイプの二つに分け、通常みられるのは、前者であるという。アンソロジー・タイプとはいいかえればアセンブリッジ・タイプであって、さまざまなものの寄せ集めということである。アンソロジー・タイプにおける最大限の自由度は、その配置による一種の偶然性であろう。

現代の美術家ダニエル・スペーリは、この家具の配置の偶然性に関心を抱き、それを精密に記述することを通して、そこに現代の「寓話」を見出した。『偶然の寓話的図形』[編2]とは、スペーリの著書である。しかし、この「寓話」はあくまでも、あたえられた家具、器物のアセンブリッジのもたらしたものであって、必要なのは、デザイナーが自由度のあるデザインをつくりだすということであろう。

ソットサスの室内デザインをみると、同じミラノのジラルディのフォーム・ラバーによる野菜畠を模した立体絵画的カーペットを用いているものがあるが、ジラルディのこの作品も、どのようにでもなる。というよりもともと用途のないなにものかなのであって、それは主体である人間によってはじめて関係づけられるような

編2　Daniel Spoerri, *Topographie anécdotée du hasard*, Editions Galerie Lawrence, 1962.

エットレ・ソットサス《Cassetti, in purple》（衣裳箪笥）、一九六七年

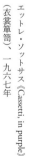

ものである。つまり、それは徹底した「転移」の思想に裏打ちされたものだ。

こうしたデザインを、「遊び」のためのデザインということもできないではない。それは「遊び」が生活の「あいまい性」をもっともよく示すものであり、またもっとも自由度を含んだものだからである。しかし、「遊び」を人間の機能のひとつというように抽象化し、たとえばレクリエーションという目的のためのデザインというように限定してしまうと、かなり単一機能のデザインということになってしまう。「遊び」を「転移」の行為というようにとらえなければならない。子供の「遊び」はまさにそういうものであって、かれらは石ころでも空きカンでも、身のまわりのものを見事に「転移」させ、いわば「遊び」にとっての宝ものにしてしまう。子供の生活では、「転移」の思想がなまのまま生きているのである。

昨年、パリでみた「生きた家具」展は、こうした自由度のある家具の増加を示すもので興味深かったが、ソットサスは、そういう方向を目指しているひとりである。そして、この「転移」の思想の究極は、なにもつくらないということであろう。

むろん、それはあくまでも、イデーの上のことであって、なにもつくらないということは、現実の生活ではあり得ないが、しかし、観念の上でなにもつくらないデザインというものもありうるのである。有用性のあるものの過剰にウンザリするような精神が、もっと一般化しなければなるまい。自然の法則にさからうわけにはゆかないが、デザインには、それに従属しなければならないといった法則は存在しない。

しかし、現在、それとうらはらにデザインはあまりにも人間に君臨する神のごときものとして、みられすぎているのである。

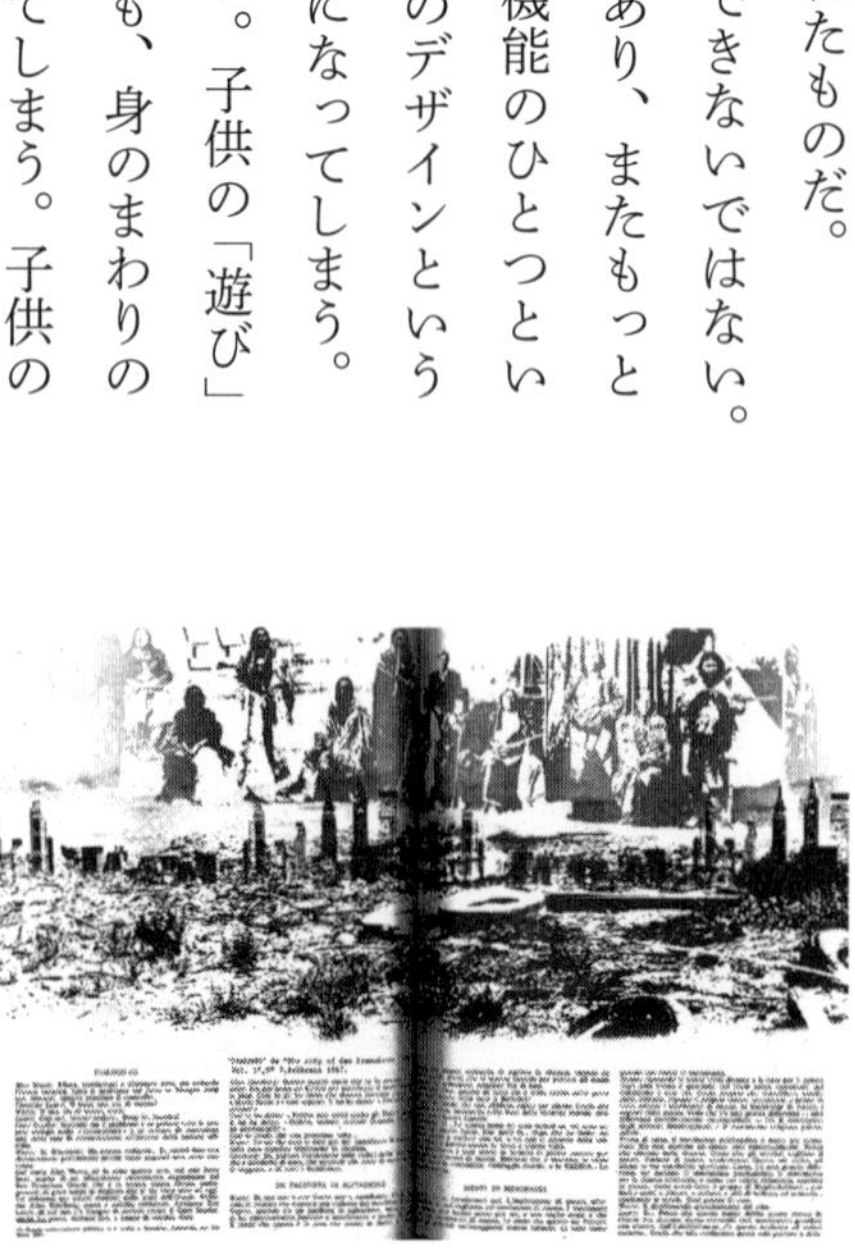

フェルナンダ・ピヴァーノ、アレン・ギンズバーグ、エットレ・ソットサス共同編集による雑誌『新しい惑星』（*Pianeta Fresco*, vol. 1, 1967.）より

印刷美術について

「日宣美」[編1]展を見た。毎年夏の盛りにひらかれるこの催しも、今年が一八回目である。日本宣伝美術会の伝えるところによると、今回の応募総数は三三二〇点で、昨年よりいくぶん増加しているという。しかし、一九六〇年をピークとして、応募点数は三〇〇〇から三五〇〇のあいだを上下しているというので、今年の点数あたりが、いわば平均値ということになるのかもしれない。

「日宣美」展はここ数年、「パネル・キャンペーン」とか「私の提案」とか、いろいろと趣好をこらしてきた。しかし、今回はそういった、とりたてて華々しく映るような趣好は見当たらない。趣好は見当たらないけれども、パッケージとか本の装丁とか、その他立体の作品を一切排して、印刷されたパネル作品に限定しているのが注目すべき特色である。

何故そういうことにしたのか、その意図は全然語られていない。あるいは、ことあげすべき深い理由もなく、なんとなくそうなったというだけのことかもしれない。しかし、偶然であるとしても、私には、そこに意味をみいだせないわけではない。

ポスターの絵画化というのは、このところあちこちで指摘されていることがらである。ある論者はそれを肯定し、またある論者はそれを否定すべき現象とみている。

初出『三彩』第二三五号（一九六八年九月）、六〇―六一頁。「美術時評」に発表された文章。のちに『人間と物質のあいだ』（田畑書店、一九七二年）に再録された。

編1 「第一八回日宣美展」京王百貨店（新宿）、一九六八年八月一六日―二一日

しかし、肯定否定という評価を別にして、現象としてみるときポスターの絵画化は疑えない事実である。それは、要約すれば、ポスターが宣伝とか効用性を失い、印刷された美術という性格を強めていることを意味する。つまり、「宣伝美術」でなく印刷美術としての新しい性格をはっきり示すようになりつつあるということである。

今年の「日宣美展」についてみれば、この「印刷美術」化への傾斜は、そこに現代絵画の模倣ともいうべき現象が多くみられることによって示されている。どういうわけか、ルネ・マグリットの影響は歴然たるものがある。また「影」や「シルエット」を描いた作品が少なくないことも、今回の特徴である。現代美術で見馴れているイメージが、ただ印刷という手段に移されているようなこうした現象を、私はいいことだとは思わない。しかし、この現象を裏返せば、現代美術の模倣とみられても仕方のない現象を通してにせよ、そこでは「宣伝美術」でなく「印刷美術」という性格が強くあらわれているということになろう。ポスターは、宣伝とか効用性を捨てて、自立化の方向を強めているのである。

ここ数年来、現代美術の分野では、平面より立体作品がクローズ・アップされている。プライマリー・ストラクチャーと呼ばれるスケールの大きい立体、あるいはライト・アート、さらに芸術の環境化といわれる動向など、それらに共通するのは平面的なイメージからの脱却ということである。とりわけ、プライマリー・ストラクチャーに、絵画の立体化という一面のあることは象徴的だと思う。私はそれを絵画の凋落というのではないけれども、美術におけるこの立体的世界への関心の増大と、ポスターの絵画化という現象はまったく無関係でなく、そこには時代の性格ともいうべき相関関係があるように思われるのである。極論すれば、イメージは印刷美術が占有することになるかもしれない。

今はなき読売アンデパンダン展の第一〇回展（一九五八年）[編2]に、河原温は《絵画と人間》という「印刷絵画」を発表した。私は気負いたって、「版画でも、またポスターでもない、こうした新しい領域の創造はおおいに注目すべきだ」と書いたことがあるが、[編3]しかし、河原のこの試みは広範な現象となるには至らなかった。おそらく、それは早過ぎた試みだったのである。将来、「印刷された絵画」といった展覧会でもひらかれるときには、河原のこの仕事は、先駆的なものとしてクローズ・アップされるであろう。

しかし、イメージの印刷化という現象を推進した要因として、ポップ・アートの果した役割を無視できない。ポップ・アートは作家の個性的表現よりも、絵画化されたイメージに重点を移した。そこでは、手描きということは非個性的手段以上のものではない。マス・プロされたものやイメージを、手描きの特殊性を通して、個性化することはほとんど無意味である。何故なら、それらはすべて個性をこえたものであって、既に他の手段によってつくりだされているものだからである。

印刷美術は、イメージの創出を現代の生産機構と一体化させようということである。それはイメージをより抽象化して、個へ帰属する度合を最小限にすることを意味している。ポスターとは、そういう性格のものであった。それが、宣伝とか効用性のために奉仕していたのは、何よりもまずその量産性ということに基礎を置いて

編2　「第一〇回読売アンデパンダン展」東京都美術館、一九五八年三月一二日—二七日

編3　中原佑介「劇薬的精神に望み　アンデパンダン展をみる」『読売新聞』一九五八年三月一八日夕刊、第三面

いたからだが、今や、そこに印刷されたイメージの非個性的な構造が関心を呼ぶに至ったのである。

壁画から、いわば持ち運び可能な壁画ともいうべき額縁絵画に移行したとき、絵画は個性化の道を歩みだしたが、額縁絵画からイメージを抽出した印刷美術が、再び個性を中心とはしなくなっていることは、興味深いことがらである。印刷美術は新しい壁画とでもいえようか。既に商品ポスターが、たとえば街の壁にぺたりと貼りつけられることによって、交換可能な壁画としての役割を果したことにも、こうした性格は内在していたといえよう。印刷美術は、こうした性格を土台にしたまま、その内容を変質させているのである。

ヒッピー・ポスターやパーソナル・ポスターはポスターのこうした変質をいちはやく示すものだった。それによって、ポスターにたいする関心がたかまった。それは、忘れられていた関心が呼びさまされたのではなく、ポスターが新しい性格を帯びはじめたのである。いうまでもなく、それは絵画よりも、もうひとつ世俗的なものである。ポップ・アートによって飛躍的に推進された絵画の世俗化は、ポスターの絵画化によってさらに徹底される。

今年の「日宣美」展が、こうしたポスターの絵画化——あるいは印刷美術への傾向を意識化したものかどうかは速断しがたい。あるいは、それを好ましくないとする雰囲気のほうが強いかもしれない。しかし、そこにみられる現代絵画の模倣とみられる現象の増加は、好むと好まざるとにかかわらず、そうした傾斜をはっきりと示しているのである。ただ、私はそこに世俗化をよしとせず、一種の高尚化への志向を感じずにはいない。「絵画コンプレックス」ということばが当たっているなら、それはポスターよりも絵画というジャンルが、一段高いとする心理でなく、ポスターの内容が絵画の内容よりも低いとする心情である。もし、グラフィック・デザイナーに芸術家コンプレックスがあるとするなら、それはいわば幻影にたいするコンプレックスというべきものである。

現在あるのは、芸術的行為と呼ばれるものだけであって、芸術家という存在ではない。しかも、その芸術的行為にはなんらの限定がないのである。芸術的行為を成立させるのは、芸術という無形の意識と、それと融合しがたい行為を通じてあらわすということだけである。現代芸術の示す奇妙さは、現象の示す奇妙さでなく、こうした本質的な奇妙さに根ざしている。逆にいえば、こうした奇妙さが現代美術の唯一の起動力になっているとさえいえるのである。

印刷美術は、こういう状況からみると、形式をもっているということで、一種の社会的説得力を備えている。それが受け容れられるのも、この説得力のせいである。しかし、この形式をもっていることが、逆に、現代絵画の印刷化という安直な現象をうむ母体でもある。「日宣美」展の示しているのは、まさにこれであった。それは、印刷美術という形式への安易な居坐り以外のなにものでもあるまい。

ポスターの絵画化とは逆に、絵画のデザイン化というのもつとにいわれてきたことである。絵画のデザイン化とは、個性的な手の痕跡を稀薄にするということである。手の痕跡が稀薄にされることによって、それは擬似印刷絵画に近づく、絵画のデザイン化は、イメージを抽象化し、それが容易に印刷化される状態にもってゆくことである。こうして、絵画と印刷美術は、ほとんど合体するまでに接近する。ポスターと現代絵画は、ほとんど区別しがたいところまで接近しているのである。

しかし、印刷美術は現代美術の印刷化ではない。それはひとつの形式であり、手段である。それは始まるものなのだ。はなはだ不本意なかたちではあるが、「日宣美」展もこうした方向を示さざるを得なかった。これがどう変化するかは、今回でなく次回以後の問題ということになる。将来の予測は容易ではないが、私は次第に「宣伝美術」なかんづくポスターは、「印刷美術」の一部分として包含されてゆくのではないかと思う。今年の作品の多くは、レタリングがいずれも、いかにもひかえ目であった。そこではイメージが中心となっているのであって、文字は近づいて見るのでなければ判然としないものが多い。こうした文字へのアプローチは、あきらかに新聞、雑誌にふさわしいものである。それは、広告のメディアがポスターでなく、新聞、雑誌にとってかわられていることの反映である。

こうして、私の結論は次のようなものになる。「日宣美」展は「宣伝美術」でなく「印刷美術」へためらいながら進みつつあるというのが、今回の全般的傾向である。

引出し論

倉俣史朗の家具

薄暗い土蔵や、ガラクタのつまった屋根裏部屋を失ってしまった現代の都市生活で、「引出し」は、最後の秘密の場所である。子供のころ、ありきたりの借家で育った私は、引出しには私の知らない秘密がひそんでいるのではないかという誘惑にかられ、あちこちの引出しをこっそりとあけてみたものだ。ある日、春画を発見したのにはびっくり仰天したが、一方では、引出しにひそむ秘密に触れたことでふしぎな満足感を覚えた記憶がある。むろん、未知のものがそんなにあちこちにひそんでいるわけではないが、しかし、そうはわかっていても、引出しには日毎に新しい秘密がこっそりと忍びこんでいるようで、空想をふくらませたものである。

　引出しは、その機能からいえば、物を収容する空間のひとつというに過ぎないが、押入れやタンスやその他の収納家具と、どこか違うニュアンスをもっている。多分それは、小さな空間がひとつの世界をかたちづくるような印象をあたえるからであろう。取るに足らないガラクタで埋まっていても、それは周囲から孤立したある小世界を形成しているようにみえる。たとえば、押入れや洋服ダンスは、単に物の収まった空間ということを感じさせるに過ぎないが、引出しはそれ以上の性格を帯びているようにみえるのである。

初出『SD』第六六号（一九七〇年四月）、八五—九一頁。のちに『人間と物質のあいだ』（田畑書店、一九七二年）に再録された。

題名は忘れてしまったが、あるＳＦで、引出しをあけると、そこから異次元のもうひとつの世界が覗けるという話があった。たしかに、この発想にはリアリティがあるように思う。引出しをあけることに対する好奇心には、なにかしら期待があるからである。個人の引出しには、その個人の記憶がしみついていてプライバシーを形成する。家の引出しには、家のかくされた歴史が隠されているように感じられる。

引出しというと、ダリの作品が想い浮かぶ。たとえば、一九三六年にダリは《引出しのあるミロのヴィーナス》という石膏像をつくった。胸に五つ、ひざのところにひとつの引出しをもったミロのヴィーナスである。ダリは、この作品について、ヴィーナスの誕生したころには、「良心の苛責というキリスト教の発明がまだ示されていなかったので、ひろびろとした肉体にすべての引出しを取り付けねばならなかった」と述べた。引出しは個人の秘密なのだ。あるいは、《燃えるキリン》の中央に立つ、胸にひとつ、左足に七つの引出しをもった女性像。胸部から腹部にかけて引出しで構成された女性のうずくまる《引出しの都市》。

一九三〇年代のダリの作品には、引出しの描かれたものが多い。ダリは引出しにオブセッションを抱いていた。ダリの引出しは何かを待ちうけている空虚である。その空虚を充たそうという欲求、それがダリの食人肉主義と結びついている。それをもっともよく示すのは、《秋の人肉喰い》であろう。そこでは、半びらきの引出しが、無気味な口のように何かを待ち受けているのである。引出しは、単なる箱とは異なる。箱は、そこへ物を出し入れする容器に過ぎない。引出しは、文字通り引出されるのであり、そこに物が充たされているか、あるいは、充たされるのを持ちうけている空虚であるかいずれの場合にしても、われわれはある未知のものに遭遇する瞬間に立ち合うような体験をもつのである。

この小世界、閉ざされた小宇宙、あるいは何処かにつながる秘密の通路のような性格をもっていることによって、引出しは現在アナクロニズムといった風貌を帯びている。現代は、生活空間から秘密の場所をできる限りしめだすことが原理なのである。引出しが最後の秘密の場所だというのは、それがこの原理に従うまいとする最後の空間だということにほかならない。

建築からディスプレイまで、空間はできる限り開放的であることが要求される。無境界の空間、たえず連続していて、すべてが明らかであるような空間が要求されている。そこでは、あらゆる物は隠されるのでなく、可能な限りあらわにされなければならない。プラスチックの普及は、こういう要求を一層容易に実現することを可能にした。

引出しは、こういった一切に逆らうのである。それは開放的ではなく、閉鎖的なのだ。無境界でなく、周囲から孤立して小世界を形成するものだ。物はあらわにされるのではなく、秘密のヴェイルをまとって隠される。この引出しのもつ反時代性、それが引出しを、家具の一般的機能から脱落させるのである。

一見、引出しの需要は一層増加しているかにみえる。たとえば「整理学」というようなことがいわれ、いかに物を整理するかということが、現代生活できわめて大事なこととされ、そのためのキャビネットがさまざまに製造されていることは、今

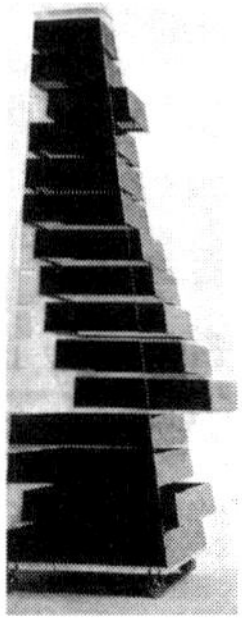

倉俣史朗《Pyramid》一九六八年

更いうまでもない。しかしそれはもはや引出しではなく、まったく別種のものなのである。

たとえば、カードの整理用の引出しは、引出しではない。それはカードの整理のための空間分割であって、引出すということは、単なるメカニズムなのである。そこでは、物を隠すという要素は消え失せ、整理するということが前面に押しだされる。それは、文字通り、可動的な容器という性格をもったものだ。整理用の引出しには、もはやどのような幻想も結びつかない。そこをあけても、四次元の空間を覗きみることなど、空想もできない。それは一見閉ざされているが、本質的には開放的であり、無境界のものなのである。

アール・ヌーヴォーの時代、家具はその外面が大事であった。そこでひとびとは、外面の装飾に深い関心を抱いたのである。家具は、なによりも家具として尊重された。装飾は、家具を飾るのでなく、部屋を飾ったのである。しかし、現在、われわれは家具の外面でなく、その内容のほうに関心を注いでいる。家具は、その中味をいかにあらわにするかということが眼目なのである。ひとびとは、外面を飾ることより、家具の中をいかに飾るかに腐心している。ガラスやプラスティックは内容をよりはっきりみせるために使用されるのである。

こういう傾向に対する不適応性こそ、引出しの本質である。引出しはあらためて、その奇妙な性格をあらわにせざるを得ない。それは家具でありながら、家具をはみだした何ものかであるかのように思われるからだ。倉俣史朗が、引出しにとりわけ関心を抱いているようにみえるのも、引出しのもつこうした奇妙な性格にひかれてのことにちがいない。彼は、引出しを役立てるのでなく、引出しとともに遊ぶことのほうを選んでいるからである。

たとえば、一番最近つくられたという、曲線をもった二つの引出しのキャビネット。むろん、それらは実用にたえるであろう。もっとも実用にたえるのは、倉俣のデザインのいかんにかかわらず、引出しであるという事実によるのであって、それ以上でも以下でもあるまい。しかし、重要なことは、これが「引出し」であって、あのカードの整理箱のような、単なる空間の分割ではないということである。

彼は、引出しをデザインしているのではない。引出しのもつアナクロニズムに加担して、それをそのまま提出しているのである。引出しのメカニズムは、いかに工夫を加えても、本質的に変わるものではない。ひとりのデザイナーにできることは、引出しを引出しとして提出することでしかあるまい。

つまり、そこで可能なのは、外面の変化だけということである。引出しは物をあらわにするのでなく、隠すものである以上、デザイナーは、その内部に立ち入る権利を有しない。彼には、外面に手を加えることだけが許されたことである。倉俣は、そこで歪んだキャビネットという、外形に手を加える。あるいは、角錐状のキャビネットにしても同様である。

倉俣は、一方で透明な家具をデザインしている。透明な洋服ダンス、透明な椅子、テーブル、そこでは、彼は、あらゆるものをあらわにして隠すまいとする時代の原理に、大胆過ぎるぐらい忠実に従っている。それは、家具でありながら、孤立することなく住居空間と連続しようとする家具にほかなるまい。おそらく、こういう家

倉俣史朗《Furniture in Irregular Forms Side 1 and Side 2》一九七〇年

具に関心をもつことと、引出しの外形に手をかすこととは、うらはらなのである。つまり、どうしても開放的になり得ないもの、不連続で孤立するものとしての引出しがクローズ・アップされるのは、むしろ、必然的とさえいえる。試みに、室内のあらゆる家具を透明化することを想像してみればいい。それをかたくなに拒否するものといえば、引出ししかないだろう。

引出しと遊ぶ彼は、一種のユーモリストである。しかし、このユーモアは引出しのもつ反時代性に根ざしている。彼のデザインのひとつに、椅子とテーブルのあちこちに引出しのついたものがあるが、そこに感じられるユーモアは、時代おくれのものが、あちこちにくっついてはなれないというコッケイさにあるように思う。たとえば、ひとつの部屋のあらゆる部分に、大小さまざまな引出しがくっついているとしたら、われわれはコッケイさを超えて、グロテスクすら感じるのではあるまいか。

それは必要をこえているからでなく、われわれが秘密にとりかこまれるからである。たしか、カフカの『審判』の映画化には、そういう場面があったような記憶がある。あるいは、私の想像のつくらせたイメージかもしれない。いずれにしろ、それは、古風で、閉ざされた感じで、どこか不気味なものだ。

*

あらゆるものをあからさまにしようというのが時代の原理であるとき、物体を隠すことは特別な意味を帯びてたちあらわれる。隠されたものは、単にわれわれの視界からさえぎられるというだけにとどまらず、あたかも非日常的な体験を喚起するように映るのである。そして、それは突然、芸術的行為となって出現する。

クリストの物体の梱包は、まさにそういうもののように思われる。はじめ、ささやかな身のまわりの物体の梱包に始まったクリストの物体を隠すという行為は、次第に隠される物体を拡大してゆき、机、自転車、自動車などを経て、ついに建物の梱包にまで達した。さらに梱包の対象はスケールを拡げてゆく。空気の梱包、さらに地面そのものの梱包にまで達するのである。一九六九年の秋、オーストラリアのシドニー湾近くの海岸の岩肌を梱包したそれは、クリストの梱包のうち最大のスケールのものであろう。

物体を隠すというクリストの考えが、もっとも直接的に示されているのは、ウインドウ・ケースに布をたらして、内部をみえなくしてしまっている一連の仕事である。ここで、彼は明らかに時代の原理に挑戦しようとしている。総ガラス張りのウインドウ・ケースは、まさに、すべてをあかるみにだして、物体を開放しようとするものだが、クリストはそれを閉ざしてしまうのである。むろん、彼のできることは、時代の原理への挑戦のジェスチュアーであって、それを転覆させることではない。なぜなら、ひとりの芸術家が逆立ちしても、この原理をくつがえすことはできないからである。クリストはジェスチュアーを通して、物を隠すことの意味をつかの間だけでも示そうと試みる。そして、それは一種のアナクロニズムなのであって、そのアナクロニズムの故に、そこもユーモアがにじみでているのである。マルクス

オーストラリアにおけるクリストの岩肌の梱包（クリスト&ジャンヌ・クロード《梱包された海岸》一九六八―六九年）

ではないが、それは過去との喜劇的な訣別かもしれないのである。

クリストの梱包は、いいかえればひらかれることのない巨大な引出しを夢みているようなものである。梱包をはぎとってしまえば、そこにみられるのは特別変わったものではない。梱包とは、梱包のはぎとられる可能性を、凍結してしまって、期待を積算させることにほかならない。

われわれが物体を隠すことから遠ざかったのは、ひとつには物体についての情報の普及による。商品についての広告の氾濫は、もはや物体について個人のプライバシーを刻印づけることを不可能にしてしまった。マス・プロは、どこにも同じものがあるという状態を恒常化している。物体に歴史のしみの刻印される暇は、もはやほとんどあり得ない。その前に、その物体は新しいものと交換されるだろう。それが現代社会の法則である。空間はたえず新しい外貌をもってたちあらわれるだろう。そこに、秘密の空間の誕生する余地はほとんどないのである。

東京都庁が建ったとき、ガラス張りの建築について、「不安感論争」というのがまきおこった。すべてが見通されているようであって落着かないというわけである。しかし、こうした感情もそのうちに失せてしまう。ガラス建築に不安を感じたひとびとは、自分の机の引出しに、特別の親しみを感じなかっただろうか。

私は今、物体があかるみにさらされることと情報の普及の関連について、簡単に触れたが、いいかえれば、あらゆる物体が秘密の場所から取り出されて開放的になるとは、それが情報に置き換えられてゆくということと、同じプロセスなのである。おおいが一枚はがれるたびに、われわれは物体の情報をより多く獲得できると考え

ている。空間と物体の開放化とは、空間や物体の情報化にほかならない。クリストは、この情報の切断を意図したのである、

あらゆるものが、人間にとって情報であるというのは、真理でもなんでもなく、われわれが物体に対してとるひとつの態度というべきものである。それは、あらゆるものをアニミズムという立場でとらえるのが、人間のひとつの態度であったのと同様だ。かつて、あらゆるものは、機械的な構造をもったものとしてとらえられた時期もあったのである。つまり、情報というのは、われわれの世界観の枠組にほかならない。それはあくまで世界観であることに留意すべきであろう。

しかし、われわれは情報として一元化できないなにものかの存在することも感じている。おそらく、秘密の場所、情報をむしろ拒否する場所にたいする関心は、そこに根ざしているだろう。というのも、人間はひとりで生きることができないだけに、個人に執着するという一面を無視できないからである。これは個人主義などとは無関係なものなのであって、情報の合理性に対する非合理な傾斜というほかないものだ。情報化しきれない物との関係、それはどのような功利性をももたないだろうが、なおかつ、かけがえのないものだという意識が人間にはひそんでいる。

いうまでもなく、引出しは物を収容する場所ということで、人間のつくりだしたものである。つまり、機能としてうまれたものであった。それに機能以上の意味をあたえようとするのは、こうした現代の人間の非合理な傾斜に根ざしていよう。たしかに、それは一種の物神化現象ともいえる。しかし、そのとき、われわれは情報化し得ない物体との関係に触れるような感じをもつのである。

倉俣史朗のキャビネットの曲線に、私はとりわけ深い意味を感じない。たとえば、そのことから、それをダリのひそみにならって可食的家具だなどという考えをもたない。曲線はあくまで、引出しをきわだたせるためにあるのであって、それ自体が特に意味をもっているとは思わない。つまり、それは曲線として独立しているのでなく、引出しそのものと合体している。もし、あえて曲線について語るとするなら、それは一種の予兆のようなもの、われわれの期待を触発する符諜のようなものなのである。それは、外へ向かってなにかを意味するのではなく、われわれの関心をその内部へひき入れるきっかけというべきものだ。

おそらく、引出しもまたいよいよこうした秘密の空間から遠ざかってゆくように思われる。そして、他方、こうした反時代的な引出しは、デザインの領域から取り出されて、芸術といういくぶん古めかしい用語にくるまれることになるだろう。倉俣の一連の引出しのキャビネットも、それをデザインというべきか、個人に根ざした芸術というべきか、すでに判然としないのである。私は、どちらかに割り切らねばならぬというようには考えないが、しかし、ポスターが芸術化したのと同じプロセスが、そこにも示されているような気がする。

＊

ところで、空間の開放的な連続性と物体があかるみにだされることの一般化という傾向のなかで、秘密の場所はどこに求められてゆくのであろうか。あるいは、それを空間のなかに求めることは不可能となり、時間のなかにのみ求められることになるのではないか。つまり、記憶のなかにだけしか存在しなくなるのではないだろうか。というのも、そこには情報化できないなにものかが厳として存在するからだ。

しかし、それについてはなんともいえない。興味深いのは、まったく空っぽの引出しのキャビネットにさえ、われわれはいくばくかの空想を抱くということである。それはすでに空間的というよりは時間的な記憶に属することかもしれない。もし、そうでなければ、空っぽの家具の外観のあれこれについて語ることは、まったく空しいことである。それは私にとって無縁だからである。

八〇年代のイラストレーション

もう二〇年以上も前のことになるが、数人の画家、マンガ家とともに「イラストレーション」という言葉を冠したグループをつくったことがあった。「イラストレーション」というものに、一人前の市民権を与えるべく有志が結集したものだとなると聞こえはいいが、実際は絵画やマンガよりも「イラストレーション」のほうが、てっとり早く金になりそうだという形而下的欲求に根差していたことのほうが大きかった。もっとも、それだけだったというのも嘘で、集まった画家やマンガ家たちは、当時挿絵やカットなどが主たる収入源だったが、それらを生活のための副業と見なすのではなく、絵画やマンガと並ぶれっきとした創造行為であると主張したい気持ちが働いていたこともいっておかないと、グループ活動に費やしたエネルギーと時間に気の毒であろう。

それから数年たって、一九六九年の六月に「日本イラストレーター会議」（ＮＩＣ）というのが発足した。「現在、ビジュアルコミュニケーションの飛躍的増加にともない、イラストレーションの役割はますます多岐にわたってきています。それは印刷メディアから映像メディアまでをおおい、イラストレーションを無視して現代文化を考えることは不可能と思われます」。これはこの会議のマニフェストの冒頭の

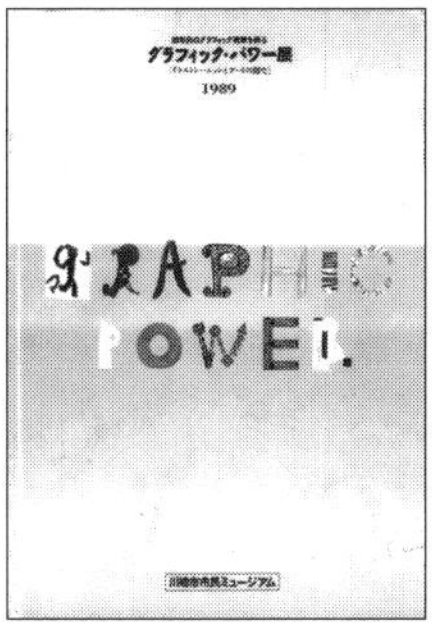

初出　アタマトテ・インターナショナル編『グラフィック・パワー展』川崎市、一九八九年、四—五頁。「グラフィック・パワー展」（川崎市市民ミュージアム、一九八九年一月二一日—二月一二日）のカタログに発表された文章。のちに「不死身の怪物——80年代のイラストレーション」と改題し、榎本了壱監修『アートウィルス——日本グラフィック展 1980–1989』（ＰＡＲＣＯ 出版局、一九八九年）に再録された。

文章だが、ここでようやく「イラストレーション」は形而下的欲求から飛翔して現代文化の問題と位置づけられるに至ったのだった。もっとも、マニフェストは、「しかし」と続く。「しかし、現象面でのイラストレーションの拡がりにもかかわらず、イラストレーションの本質とか、その望ましいあり方がどういうものかといった問題は、あまり深く追求されていないのが現状ではないでしょうか」と。そこで「イラストレーションの浅薄な解釈によって生まれる偏見や誤解を解消し、イラストレーションの正しい認識や正当な評価を確立する」ためにこの会議が結成されたとマニフェストはうたっていた。

それからちょうど二〇年を経た今、改めてこのマニフェストを読むと、その憂国ならぬ憂イラストレーションの心情の格調高さに隔世の感がするが、視点を変えていえば、このマニフェストは、六〇年代の終り頃になって、ようやく「イラストレーション」という得体の知れない怪物が現代文化のなかを闊歩しつつあるという認識の表明だったという気がする。現代文化のあちこちに姿をあらわしだしたこの怪物の正体はなんであるのか、それをじっくり眺めてみないわけにはゆかなくなった、そしてその正体をはっきりさせなければならないという使命感のようなものが、「日本イラストレーター会議」発足の動機だったと見ていいように思う。

それ以来、怪物の闊歩がいよいよ盛んになっていることは、改めて指摘するまでもあるまい。それならその正体がはっきりしてきたかといえば、それはすこぶるあやしいといわねばならない。怪物は依然として怪物でありつづけている。しかし、それは正体が摑みがたいからではなく、そもそも正体というものがないからではあるまいか。

たとえば「絵画」といえば、なんとなく特定の形式のようなものを思い描くことができる。いや、「絵画」といってもいろいろあって、きまった形式などある筈はないという見方もあろう。洞窟壁画も絵画なら、額縁絵画もまた絵画だ。「絵画」といわれてなにを思い描けというのかと反問する人もいるに違いない。そういう向きには譲歩して、近代以降の「絵画」に限定していただくことにしよう。いや、そうであっても現代の絵画は額縁がなかったり、やたらにでっぱったり、なかには壁から離れて床の上におかれているものもある、絵画も多様である、といったさらなる追い討ちの声が発せられることは承知である。そういう追い討ちにたいしては、成程いろいろあるかもしれないけれども、それでも「絵画」というとあの壁にかかった四角い絵というものが思い浮かべられるのではないでしょうか、と答えるほかはない。

ところが「イラストレーション」となると、形式としてどういうものが思い浮かべられるだろうか。ポスターだろうか。週刊誌の表紙だろうか。雑誌のさまざまなカット(なんと古典的な言い方)だろうか。本の装丁のための絵だろうか。その他さまざまなもの挙げることができるが、残念ながら、これがイラストレーションのティピカルな形式といったものは存在しないのである。怪物はいろんな場所に姿をあらわし、特定の生息地というものをもたない。印刷メディアがその生息地であるという指摘は、うん、成程と思わせないでもないが、怪物はテレビやスクリーン上にも出没するのである。

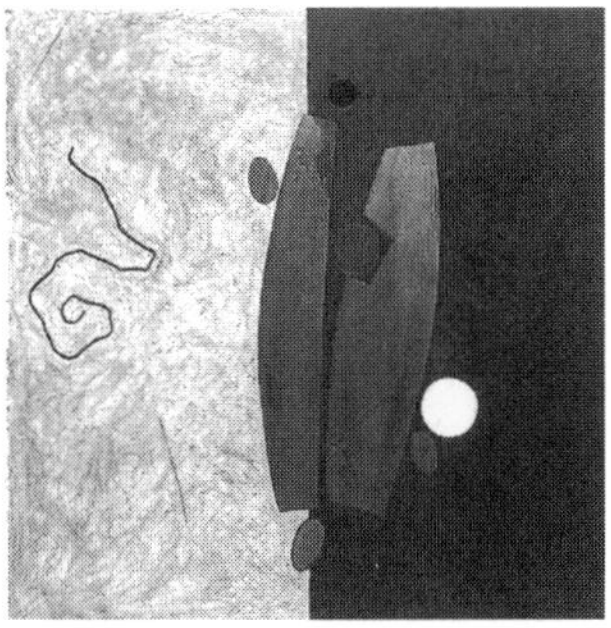

井原靖章《コンポジションⅡ》一九八六年

イラストレーションがティピカルな形式をもたないのは、そもそも「イラストレーション」という概念が形式からではなく、機能から引き出されたからである。それはなにかのための絵、あるいは図解という機能を指している。これを裏返せば、機能をもった絵はすべてイラストレーションということになるだろう。それに加えて、この機能というのが一筋縄ではゆかない。一筋縄ではゆかないというより、ほとんど正体がないといったほうが当たっていよう。商品の広告のためというのも機能のひとつなら、私自身のためというのも機能のひとつである。イラストレーションが怪物であるゆえんは、特定の形式に限定されないという正体の無さに加えて、それが手をたづさえているこの機能というもうひとつの怪物の曖昧模糊とした特質によっている。

この怪物は特定の生息地をもたないけれども、それならそこにはどのような特徴を見出だすこともできないのかというとそうではない。住居不定といっていいこの怪物は、ひとつのきわだった特徴をもっている。それは変容という特徴である。いわば変わり身を身上とする。この変容はしばしば流行のスタイルという名で呼ばれるが、イラストレーションはどこかにある流行という外力によって変容を受けるのではなく、イラストレーションの変容そのものが流行をあらわす。したがって、イラストレーションは形式が語られるのではなく、つねにその変容が語られるのである。

さてこのイラストレーションの変容だが、八〇年代になってその変容振りが著しいと指摘されることが多い。私もまたそう思うが、その変容はイラストレーション

オヤマダヨウコ《Mr. Dark》一九八七年

が内に秘めていたポテンシャリティの上昇によるところが大きかったように思う。それは、特定の生息地に限定されないというこの怪物のポテンシャリティが励起され、怪物の存在可能なところはもうどこでも生息地でありうるという考えが醗酵したことである。イラストレーションは機能に従うのではなく、逆にイラストレーションのほうが機能を呼び起こすのだという考え方である。こうした考え方はほとんど絵画を生みだす思考と接しているといっていい。八〇年代のイラストレーション界のチャンピオンとしてクローズアップされた日比野克彦は、イラストレーションの世界に立体をもちこんだことで人々の意表をついたが、意表をついたのは、立体の導入という事実そのことよりも、そういう異色なイラストレーションにも機能が必ずちゃんとついてくるということを示した点によってである。そのことはまた、前に述べた、機能というものは正体がはっきりしないものであり、むしろイラストレーションのほうが機能をつくりだすものだということを示すものであった。「形態は機能に従う」という有名な言葉をひっくり返して、「機能は形態に従う」、あるいは「機能はイラストレーションに従う」と主張したのである。

八〇年代は、「日本グラフィック展」、「日本イラストレーション展」を始めとして、いくつかのイラストレーションのコンクールが活況を呈したことで特筆される。こうしたコンクールが、イラストレーションの世界の変容をもたらしたのではなく、変容の予兆が感じられたからこそ、これらのコンクールが計画されたというべきであろう。そして、予兆のキャッチは当たった。あるいは、当たり過ぎたというべきかもしれない。というのも、これらコンクールの会場は、イラストレーター

日比野克彦、Galeria Berini (Barcelona)
展示作品、一九八八年

の登竜門であることを越えて、イラストレーションという怪物の新しい一時的な生息地となったからである。八〇年代のイラストレーションの変容のもっとも見やすい外観は、この新生息地の出現といっていいように思う。新生息地を特徴づけたのは、日比野克彦に代表される「機能はイラストレーションに従う」という思想だった。この思想は「機能は美術に従う」といっても、その差は見えないようなものである。イラストレーションと美術の異同をめぐる問題はそこに起因したように思う。

この「機能はイラストレーションに従う」という思想は、イラストレーションにあらたなクリエイティヴなエネルギーを注ぎ込むこととなった。八〇年代のイラストレーション界の活気を感じさせたゆえんである。とはいえ、機能は必ずついてくるとは限らないというところから、この思想はふたたび崩れ始める可能性を内包している。もっとも、崩れ始めても、そこは変容を身上とするイラストレーションのことゆえ、また新しい変容をもたらすに違いない。たとえば、既にしてその兆しはあらわれているよう感じられる。それは、イラストレーションのつくりだした機能に従うイラストレーションの創出といった現象である。怪物はそこでまた、外観を変貌させるだろう。不死身の怪物だからである。

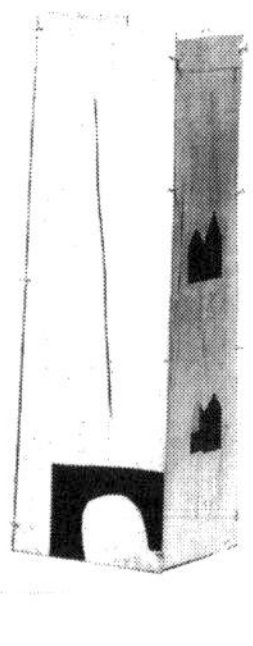

日比野充希子、《A Present for Nicholas》一九八八年

第四章　写真論

度のあわないめがね

ザ・ファミリー・オブ・マン写真展

一九五五年の一月から五月まで、ニューヨークの近代美術館において、はじめて開催されたとき(編1)動員された観客数はおよそ三〇万人、つづくワシントン展では、一ヵ月の期間中にほぼ同数の観衆をあつめ、さらに、アメリカ国内での圧倒的成功ののち、ベルリンを始点とする世界各国の巡回展でも、すばらしい反響をまきおこした。マコー社から出版された写真集『ザ・ファミリー・オブ・マン』(編2)は、今なおアメリカのベスト・セラーのひとつに教えられる。写真展がこのように驚異的な数字の観衆をあつめ、写真集がこのように長期にわたってベスト・セラーになったことは空前の記録であって……と「ザ・ファミリー・オブ・マン」写真展は、はなばなしい履歴書をひっさげてわが国に登場した。(編3) はなばなしいこれまでの名声は、じゅうぶん今日のはなやかさをうみだす母体となりうるのだというきわめて一般的な現象のひとつかと思われる程、新聞によればそれは圧倒的に好評であり、じじつ超満員の盛況であった。

周知のようにこの写真展は、ニューヨークの近代美術館が、その創立二五周年の記念事業の一環として催したものであり、戦争の悲劇を呪い、平和の幸福を希求するために、国境や民族を超越して、全人類が「われら人間家族」というひとつのも

初出『美術批評』第五三号（一九五六年五月）、七九―八二頁

編1 The Family of Man, The Museum of Modern Art, New York, 1955. 1. 24. – 5. 8.

編2 *The family of man; the greatest photographic exhibition of all time – 503 pictures from 68 countries created by Edward Steichen for the Museum of Modern Art.* Published for the Museum of Modern Art, New York by the Maco Magazine Corp. 1955.

編3 「ザ・ファミリー・オブ・マン写真展」、高島屋（日本橋）、一九五六年三月二一日―四月一三日。その後、大阪、名古屋、福岡、京都など国内各都市を巡回（一九五七年まで）。

のであることを謳いたいという念願をこめたエドワード・スタイケンの企画が実現したものだといわれる。

ところで、平和への欲求と、戦争に対するプロテストというきわめてアクチュアルな意図をもって企画されたものであればあるほど、それらの欲求とかプロテストが、今日のわれわれの現実の生活と深いかかわりをもって、訴えるものでなければならない筈だ。しかし、ぼくには、そのアクチュアリティが単にテーマにとどまり、写し出された世界はそのテーマに対して意外なほど現実性が稀薄に思われ、つよい不満を感じないわけにゆかなかった。皮肉でなく、ロバート・キャパの著書『ちょっとピンぼけ』（*Slightly out of focus*）〔編4〕という言葉を思い浮かべたほどだ。

けれども、現代のメカニズムのなかでは、好評は連鎖反応をひきおこすものだ。わが国の写真評論家や、小説家をはじめ多くのひとびとが手放しで賞讃しているのをみると、ぼくはそこに善意の有害な乱用を認めないわけにゆかない。スタイケンの真摯な意図にもかかわらず（いや、それが善意であればあるほど）その意図は、現実の世界とはすこし焦点のくい違った世界をうつし出してしまい、好評の連鎖反応の渦中にあるひとびとは、善意のめがねによって、距離のはずれたフォーカスを補正し矯正された世界に感動しているように思われるのだ。

これらの作品は、全世界（といっても、ほとんどが、いわゆる自由主義国家だが）に呼びかけ蒐集された二〇〇万枚の写真のなかから、スタイケンを筆頭に近代美術館の全機能を動員して、六八ヵ国、二七三名の作品五〇三点が選びだされたものだが、このぼう大な仕事は、その結果が好評の連鎖反応をひきおこしたということか

「ザ・ファミリー・オブ・マン」出品作品より（石元泰弘）

編4　ロバート・キャパ『ちょっとピンぼけ』川添浩史、井上清壱訳、ダヴィッド社、一九五六年 Robert Capa, *Slightly out of focus*, Henry Holt, 1947.

ら、ぼくにウラニウムの抽出を連想させる。たとえばウラニウム原鉱二〇〇トンからは、わずか一キログラムのウラニウム二三五が抽出されるだけだが、原鉱を分析し、精錬し、ウラニウムを抽出するためには、物質についての正確な科学的知識と、それによって見とおしを与えられた精密な抽出操作を必要とするのであり、操作が完璧であっても、抽出の原理を誤るかぎり、意図は結実しないだろう。だいいち原鉱には、同じ放射能をもつラジウムだって含有されているのだ。ところで七八歳の老実験者スタイケンは、二〇〇万枚の原料を分類し、整理し、作品を抽出するにあたって、現実についての正確な把握と、それにうら付けられた見とおしに誤算があったように思われる。全人類は、人種、思想、言語が異っていようと、つまるところ人間はひとつの家族だという、彼の信念のめがねを通してながめたため、逆に人間がひとつの家族であるための現実的なモメントを見落してしまい、人間の表情や身振りの皮相的な共通性を強調することに終止してしまった。

さまざまな国における異質的な生活様式のなかで、真の意味での人間的な生活条件を獲得するためのたたかいが行われているのであり、平和への希求も、戦争に対するプロテストも、その現実的な生活から発するにもかかわらず、ブルジョア・ヒューマニズムの「度のあわないめがね」をかけたスタイケンは、逆にその人類愛という理想をパターンとして世界を裁断してしまった。ウラニウムでなくラジウムを抽出してしまったのであり、一方観衆もまた「度のあわないめがね」をかけて、それをラジウムでなくウラニウムであると思いこみ、作品によって訴えかけられている世界を素通りして、直接スタイケンの人類愛のうつくしさに素朴に感動してし

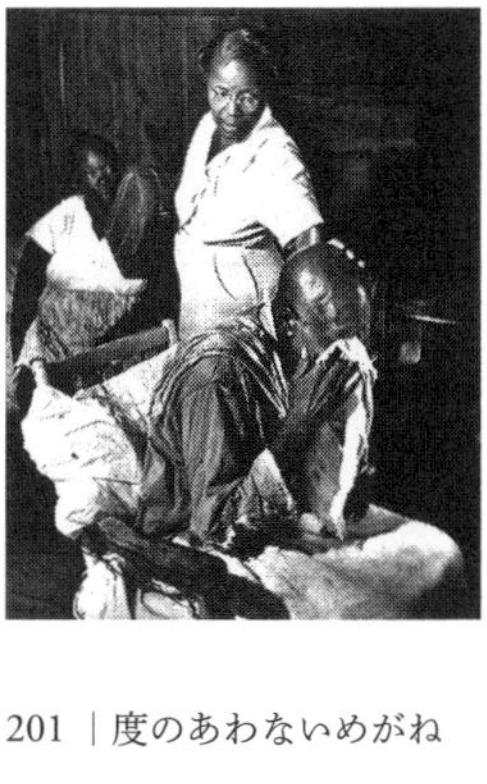
「ザ・ファミリー・オブ・マン」出品作品より（ウィリアム・ユージン・スミス）

まった気配だ。

「世界にはひとりの男しかいなくて、その名は、すべての男であり、世界にはひとりの女しかいなくて、その名はすべての女であり、世界にはひとりの子供しかいなくて、その名はすべての子供である」とはカール・サンドバーグが捧げた献辞の一節だが、ホイットマンに比してはなはだ非現実的なこの労働者出身の詩人の讃歌は、この「度のあわないめがね」の度数を象徴してあまりあるだろう。一体、われわれの周囲には、ひとりの男、ひとりの女、ひとりの子供しかいないだろうか。資本主義のメカニズムのなかで、人間はさまざまに分解され、自己を喪失しているとき、ひとりの男が、ひとりの女が、ひとりの子供が、レンズを通過することを信じることは奇術に近いしわざだ。

ここにはアメリカの摩天楼、パリの市街、北極の低温地帯、あるいはメキシコの岩石、象牙海岸の空とさまざまの風景が、背景となって立ちはだかっており、日本の農村、黄金海岸における漁船、さらにはプリンストンの高級学術研究所の研究室と多方面の光景が呈示されている。母親の子供になげかける慈愛の眼は白色人種たると、褐色の民族たると同じものであり、パリの公園でも、浅草の店の前でも恋のよろこびは変わらないことが示される。食欲の前には人間は全く同じように、貧欲なまなこを光らせ、それから労働のくるしみ、踊るたのしみ、勉学、死のかなしみと恐怖……。そう、それらは同じものかも知れない。しかし、それらの外観上の類似性の内側に、驚くべき異質性と多様性が存在しているのであり、それを捨象して、現実の把握をはかることは、きわめて非現実的でしかないだろう。それを抜いたど

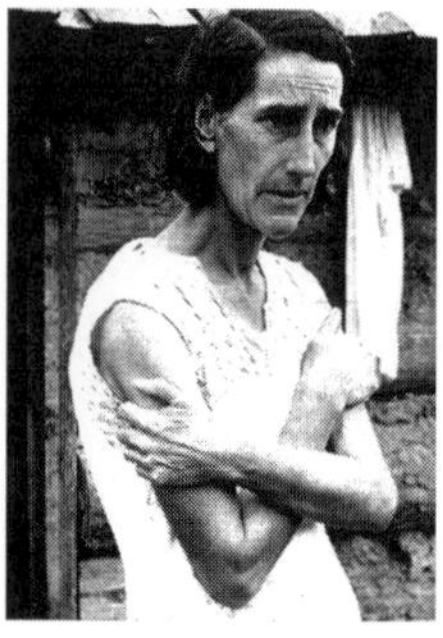

「ザ・ファミリー・オブ・マン」出品作品より（ベン・シャーン）

のような平和への願望も、戦争に対するプロテストも、現実離れしたファンタジーに過ぎないだろう。

これらの写真にみられる人間のよろこび、悲しみ、歓喜し、絶望する姿の共通性にもかかわらず、政治上の相違と、思想上の対立によって、世界は恐怖と疑惑のため分裂しているというのがスタイケンの「度のあわないめがね」を通した見解だが、われわれは「同じように生活している」、にもかかわらず思想のくい違いが、現実の生活と次元の異なったところからわれわれを圧迫しているのだろうか。人間の生活を、物質との対立という視点から、それらの複雑な相互関係の上に営まれるという「めがね」をかけず、そのなかから思想がひきだされると考えない、理想主義者の実験のデータがこの写真展に外ならないだろう。形式的にいえば、これら作品のなかには、単なる自然主義的リアリズムと呼ばれる作品から、主観主義写真も包含されている。しかし、その表現形式の多様性にもかかわらず、一様にそれが非現実的な印象しか与えないのは、「度のあわないめがね」を通して世界を写しとったからに外ならないだろう。

かって両大戦の従軍による作品をもとにして、戦後二度にわたって、報道写真展を開催したスタイケンは「ひとは戦争の悲惨よりは勇壮を、武器の罪悪よりは人間の勇気を多く感じとったようだ」と語ったそうだが、この彼の「最後の仕事として、大胆に、勇気をもって」なしとげた「ザ・ファミリー・オブ・マン」写真展は成功したといえるだろうか。

ひとは、彼の平和への希求と、戦争へのプロテストというより、彼の人類愛と、

「ザ・ファミリー・オブ・マン」出品作品より（ラファエル・プラトニック）

人間の理想に感激してしまい、ただ徒らにすばらしいを連発するだけに終わるのではないだろうか。そのとき、われわれはわれわれの現実を完全に忘却してしまっているのである。

「ザ・ファミリー・オブ・マン」出品作品より（アーサー・ラヴィン）

予感としての写真

絵画と写真の関連性

　いきなり読者にあまりなじみのない画家を持ちだすことになるが、スペインにホアン・ヘノベスという画家がいる。一昨年、ヴェネツィア・ビエンナーレ（編1）にスペインから出品して、受賞したことがある。といっても国際的に大きな話題を呼び起こしている画家というわけではないが、このところそのユニークさで徐々に注目を浴びつつある画家である。技法的にいうと、ヘノベスの作品は絵画である。油彩とアクリル塗料を併用しているけれども、キャンバスに描かれたオーソドックスな絵画である。したがって、さまざまな素材が使用され、多彩な技法が開発されている現代美術の動向からみると、この画家などいわゆる古典派に属するとさえいえよう。しかし、ヘノベスの作品は、第一にそのテーマにおいて、第二にその描きかたにおいて、他に類をみない。注目を浴びつつあるのは、そういう点によってだ。

　この画家のテーマは「群集」である。それも、空襲や戦火を避けて、逃げ惑う群集である。どの作品にも、豆粒のような無数の人間が描かれている。かれらは一つの方向を目指して、恐怖におののきながら、必死になって走っている。そういう群集がヘノベスのテーマなのである。しかも、変わっているのは群集を描く画家の視

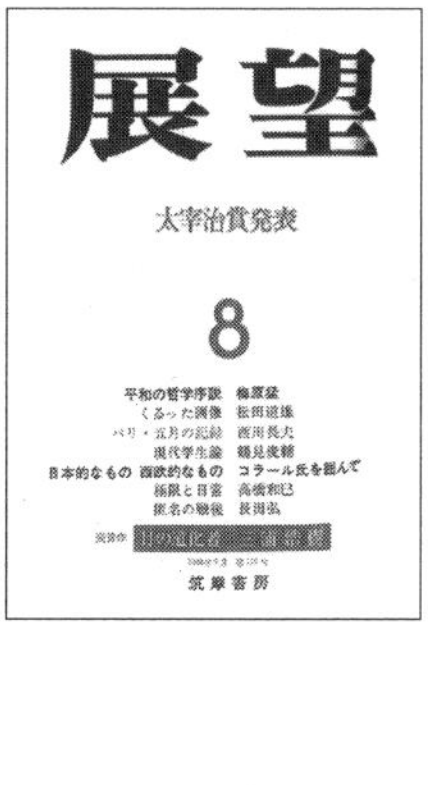

初出『展望』第一一六号（一九六八年八月）、一五八—一六一頁。「現代芸術のフロンティア」欄に発表された文章。

編1　33. Esposizione Biennale Internazionale d'Arte, 1966. 6. 18.–10. 16.

点が空中にあることだ。逃げ惑う群集に照準をぴたりとあてている飛行機のその照準が、かれの視点なのである。したがって、群集は地上に散らばった豆粒のようにみえる。作品のなかには、その群集とオーヴァーラップして、地上に映る飛行機の影の描かれたものもあるといった具合である。

こうしたテーマを選びながら、かれはそれを写真のように描いている。それはまるで新聞の写真かなにかをおもわせるのである。ひとつには、作品がほとんどモノクローム（もしくは、せいぜい二色）であることにもよるだろう。しかし、そればかりではなく、画家自体カメラを意識していることを歴然と感じさせる。それはたとえば、豆粒のような群集、やや拡大された群集、さらに拡大されたそれ、最後にひとりのクローズアップというような描きかたを並置しているあたりに読みとれる。あるいはまた、円形に切りとられた構図なども、そう思わせるのである。つまり、かれの描きかたの特異さは、つきつめるとこの意識的な写真との類似性に求めることができるだろう。

私はたまたまニューヨークで、昨年の秋、この画家の個展をみた。(編2) それまで雑誌などで作品の二、三はみたことがあるが、個展に並べられた多数の作品は、改めて強い感銘をあたえるものであった。日頃、現代美術を痛烈にこきおろすことで悪名高い『ニューヨーク・タイムス』のジョン・キャナディが、珍しくこの個展を賞讃した記事を書いた。(編3) そこで、キャナディは、こういう意味のことを述べたのである。どのように素晴しい写真といえども、それはある瞬間をとらえたものであって、時間の経過とともに色あせることは避けられない（確か、キャナディはロバート・

編2　Genovés, Marlborough-Gerson Gallery, New York, 1967. 10.–11.

編3　John Canaday, “Violence and anonymity,” *New York Times*, 1967. 11. 3., D33.

キャパの名を持ちだしていた記憶がある）。しかし、絵画はそれを永遠なものとする。逃げ惑う群集のスナップを、ヘノベスは人間の本質に触れる永遠なものにしたのであると。切り抜きが見当らないので不確かだが、大意はそういうことだったと思う。キャナディもまた、この画家の作品を写真との関連性から論じている。つまり、それほどヘノベスの絵画は写真を連想させるということであろう。いいかえれば、このスペインの画家は、そういう意味でたいへん興味深い問題を提出したのである。

絵画と写真を並べて、写真は時間に支配されるが、絵画は永遠だというキャナディの意見は一考に値しよう。第一、絵画と写真を同じ土俵に置いて比較することが妥当かどうかということもある。かりにそれが妥当としても、キャナディとあべこべの意見を述べることも可能である。つまり、写真は時間に支配されるからこそアクチュアリティがあるが、絵画にはそれがない。そこでヘノベスは写真の視覚を借りることによって、絵画にアクチュアリティをもりこむことができたのだと。じっさい、この画家は写真を直接用いたわけではないが、その描きかたを通して、絵画を写真に可能な限り接近させている。つまり、絵画に写真のようなアクチュアリティをあたえようとしているのである。

私がこのほとんど未知といっていい画家をもちだしたのは、かれがみるものに写真を連想させるような絵画を描いたからだが、それと同時に、それがまさに絵画であるということによってかえって写真というものの特質について考えさせたからである。先にも書いたように、この画家の絵画は、モノクロームといい、レンズを通したような視覚といい、いわばその表現技巧によって写真をおもわせる。しかし、それだけだろうか。そのこと以上に、逃げ惑う豆粒のような群集のイメージによるのではないだろうか。新聞の写真とちがって、作品はこれは何時どこの戦争の光景であるなどと書かれているわけではない。にもかかわらず、そこには空間でなく時間が濃厚に押し込められている。私には、それらの絵画はそこに描かれている以上のもの、あるいはそこに描かれていない光景を想像させるのである。この群集は次の瞬間どうなるのか。死体の山となるのか。安全に逃げのびるのか。それは解らない。解らないけれども、イメージはその次に生ずる光最を既にそのなかにひきこみ、いわば放電の寸前にあるといった緊張感をはらんでいるのである。

絵画を空間的というなら、おそらく写真はいちじるしく時間的なものにちがいない。それは、潜在的に時間をひきこんでいるものだ。というより、そこへひきこまれた時間の濃度のようなものが、写真を決定するのではないか。ヘノベスの絵画が写真をおもわせるのは、それが時間というものを感じさせるからにちがいない。キャナディのいうような永遠性ではなく、それが想像とか憶測、あるいは予測とか予感といったものによって充たされているということが、独得な点なのである。どのような写真にしろ、撮すということは過去のイメージをつくりだすということである。写真が一瞬をとらえるということは、過去をイメージとして固定するということである。もし、その一瞬を空間的にとらえれば、それはまさに時間とともに色あせてゆく一瞬ということになるだろう。

しかし、絵画のよくなし得ないのは、イメージを予感によって充電するということとであろう。むろん、例外がないではない。たとえば、ダ・ヴィンチのモナ・リザは永遠の微笑ではなく、そこに描かれていない次の瞬間といったものを潜在させているようにおもわせることで、謎めいて映るのである。モナ・リザはきわめて写真的だとおもう。それは一瞬の表情であることによって、そこに時間的変化の可能性が濃縮して押しこめられているようにおもわれる。写真とはそういう能力をもつものではあるまいか。

定かでない影をとらえる

私が高梨豊氏の写真に興味を抱くのは、そういう点である。氏の写真はひとことでいうなら予感の写真といえるとおもう。氏の初期の作品、たとえば《サムシング・エルス》(一九六〇年)とか《標的》(一九六二年)などは、どちらかといえば空間的である。氏はその頃、大型カメラをかついで、あちこちを歩きまわり、対象を見出すとじっくりかまえて撮ったというが、しかし、これら初期の作品にも(それはほとんど人間が登場しないのだが)、なにかが起るのではないかといった無気味な沈黙のようなものがひめられているのを感じさせる。おそらく氏は物ではなく、物と物との間にあるすきまのようなものを探して歩いたのではあるまいか。その頃の作品《メッセージ》に触れて、高梨氏は太陽系外の遊星から送られてくる信号解析を意図したアメリカの「オズマ計画」を例にひきながら、われわれの住んでいる街や壁や、広告や、ガラクタや新品の投げあっている不可解なメッセージの受信が必要だといった意味のことを述べていたが、それは予感の写真に向かって歩んでゆくかれの方向を物語るものだった。《休日》（一九六四年）を経て《東京人》（一九六六年）へと、高梨氏の視覚に人間が入ってくるようになるが、対象が動く人間であることによって、氏の時間性の意識はいよいよはっきりする。それらにみられる街角の光景は、現代の大都会の情景の典型としてとらえているのでなく、つねにその次の瞬間をひめた情景として撮られているのである。むろん、その次の瞬間はしかとは解らない。しかし、かたちの定かでない影のようなものとして、そこに忍びこんでいるのである。おそらく、氏にしても解るわけのものではないだろう。ただそれは、予感という漠然なものとして氏のなかを走るものでしかあるまい。しかし、高梨氏の作品は、一見さり気ないスナップにみえる。それはとりわけ特別な光景を選んでいるわけでもなければ、ドラマチックな瞬間を撮っているのでもない。氏がとらえようとするのは、まさにこのきわどいなにものかなのである。そして、その点でユニークなのだ。

考えさせる写真

昨年のパリ・ビエンナーレ(編4)の際、私は高梨氏の作品を写真部門に出品した。この年の写真部門は「幻想」というテーマがあたえられていた。氏の作品を「幻想」という部類に押しこめることは、おそらく妥当ではあるまい。もっとも、「幻想」ということ自体たいへんアイマイなものであって、何が写真における「幻想」かということになると、これまた議論百出であろう。そのアイマイさを承知の上で、氏の作品を選んだのだが、おそらく私は高梨氏の作品がイメージを完結的にとらえるので

編4　5ème Biennale de Paris, Musée d'art moderne de la Ville de Paris, 1967. 9. 30.–11. 5.

なく、そこになにかはっきりはしないが、イメージから放出する物としての手応えのないあるものを感じとったからだった。ドキュメンタリーではあるけれども、イメージとして映しだされている以外のものが、そこにはあるような感じがする。それによって私は「幻想」というテーマに押しこんだのである。いわゆる主観写真や抽象写真が多くみられる会場では、氏の作品はむしろそのドキュメンタリーとしての面が強く映った。しかし、それはコントラストのせいであって、結局、氏は写真部門の賞を獲得したのであった。私は審査員諸氏が、高梨氏の作品をどのようにみたのかたいへん興味深くおもう。現代の「幻想」写真として受けとったのだろうか。それとも、ドキュメンタリーならざるドキュメンタリーとしてみたのであろうか。

現代美術と写真の交流というと、写真の切抜きのコラージュとかシルクスクリーンによる写真の転写などがあげられる。こうした現象はここ数年来著しく増加し、いわば見馴れたものとなったが、いずれも写真のもつ時間性を絵画のなかにとり入れようとするあらわれとみていい。むろん、マス・メディアとしての写真の援用ということもある。というのも、写真がわれわれのイメージをどれ程決定しているかは想像以上のものがあるからだ。しかし、スペインの画家は現代のパターンとして写真に注目したのでなく、写真のもつ予感をはらんだ可能性に着目したのであった。同様、映像とはいえ、これは映画やテレビの写し得ないところでもある。というのも、これらの分野は、じっさいに時間的であり、可能性としての時間を含むことが少ないからである。

というようにいうと、予感としての写真だけが写真の唯一の可能性のように聞えるかもしれない。私は唯一というように限定するつもりはないが、写真のもつ大きな能力としてこういう性格に関心を抱く。高梨氏の写真は、そういう性格をもったものだとおもうのである。予感の写真はわれわれを考察にひきこむ。それは各人各様のものであろう。しかし、写真の氾濫によるおどろくほどの一般化は、それを単に表面をひとなでするように見るものとしてしまった。考えさせる写真というと大げさになるが、写真がイメージを通してまだ眼に見えないことがらの予感をはらむとき、それはわれわれに多くのことを考えさせるきっかけとなるだろう。予感の写真とは、そういう写真のことである。私はそういう高梨氏の方向に期待したいのである。

「剰余」としての写真

複製技術としての写真がすっかり日常化し、生活の網の目のなかに完全に織り込まれてしまったと見えたとき、「剰余」としての写真という意識が姿をあらわすに至った。たとえば、ひとりの写真家が次のようにいうとき、それはこの「剰余」の意識の表白にほかなるまい。「……写真を撮って、それを焼きつけて提示するということが、さほど意味があるかというとよくはわからないな。それより自分が毎日生きていて目撃する、見る、あるいは人から見られているなということを感じる、そのことのほうが先だとは思う。とすれば〔……〕おれは見られているときょう感じたよ、ということで終わっちゃう。だからそこでなおかつ写真とかあるいは映画とかいうものの自分の中でのあいまいさは、ものすごく感じているな。それだとむしろカメラなんか要らない、肉眼と肉眼を伴った肉体のほうがはるかにいい。それはおそらく伝えることもできないいんじゃないだろうかという気もしますね」[1]。ここでは写真における「剰余」の意識が、肉眼をもった肉体の直接的な視覚体験との比較で語られている。そして、肉眼を通した「見る、見られる」という関係の実感は「伝えることもできないいんじゃないだろうか」というとき、この「剰余」の意識が同時に、写真のコミュニケーションの問題と根本のところで密接にかかわっていることが語

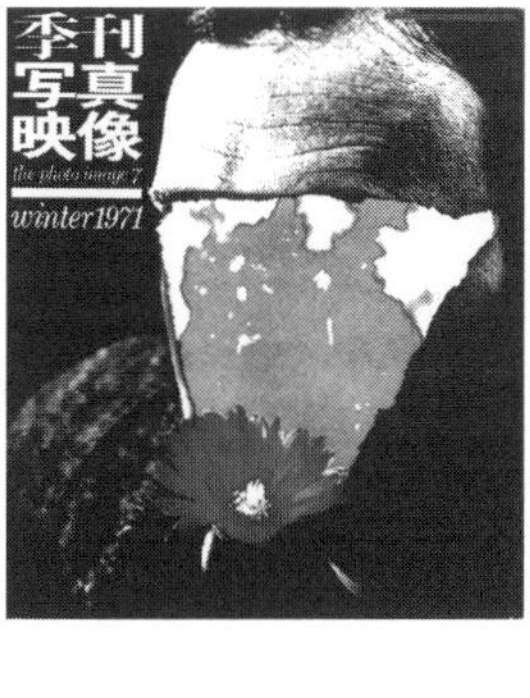

初出『季刊写真映像』第七号（一九七一年一月）、一七五―一七八頁。のちに『見ることの神話』（フィルムアート社、一九七二年）に再録された。

1　赤瀬川原平、足立正生、佐藤信、刀根康尚、中平卓馬、中原佑介「〈討論〉風景をめぐって」『季刊写真映像』第六号（一九七〇年一〇月）、一一八―一三四頁における中平卓馬の発言。

られているのである。

この表白が象徴的なのは、単にカメラと肉眼との対比ではなく、その対比において写真へのある懐疑が語られているという点にあるだろう。写真を撮ることが「剰余」にすぎないのではないかという意識は、ことばを変えれば写真は視覚の充溢ではなく、なにものかの喪失と引き換えでしか成立しないのではないかという自覚にほかならない。写真を撮るという行為に、ある「喪失」感を伴った「剰余」という意識が、あたかも闖入者のように押し入ったのである。写真が生活の網の目のなかに織り込まれるとは、写真がことさら写真として自己をきわだたせることなく、われわれの視覚の対象一般のなかへ溶解してゆくことである。あるいは、写真が人工の現実として生活環境のなかで位置を占有することにほかならない。その結果、写真はもはや虚構の視覚として現実に対立するものではなくなった。「剰余」の意識の発生する土壌はそこにあったというべきだろう。

たまたま、中平卓馬『来たるべき言葉のために』(2)、石黒健治『ＨＩＲＯＳＨＩＭＡ ＮＯＷ』(3)、浅井慎平『ＳＴＲＥＥＴ ＰＨＯＴＯＧＲＡＰＨ』(4)、内藤忠行『日野皓正の世界』(5)、木之下晃『音楽家――音と人との対話』(6)の五冊の作品集をまとめて見る機会を持ったが、そこからことばを引きだそうとして、なによりもまず逢着したのが、この「剰余」と「喪失」という問題であった。たとえば、中平・石黒・浅井三氏の作品は、いずれも風景写真というべきものだが、これらをいったい視覚の充溢というべきであろうか。むしろ、それらは深い「喪失」感に根ざしている。三氏とも、ひとかげのあまり見られない、あるいはひとかげ皆無の風景写真ということで

2 中平卓馬『来たるべき言葉のために』風土社、一九七〇年

3 石黒健治『石黒健治作品集第一巻＝広島 Hiroshima now』深夜叢書社、一九七〇年

4 浅井慎平『Street photograph』深夜叢書社、一九七〇年

5 内藤忠行写真、鈴木達雄構成『日野皓正の世界』サンケイ新聞社出版局、一九七〇年

6 木之下晃『音楽家――音と人との対話』私家版、一九七〇年

一種の共通性をもっているが、それらを前にして感じるのは、一方的な視覚の充溢を拒否し「喪失」感を土台にして始めるほかはないという態度である。それらの風景写真は、風景の詮索のためにも、また風景の鑑賞のためにもあるとは到底考えることができない。そこには、ある測量しがたい距離があり、もし、その距離がなければたちまち消滅してしまうほかないような風景ばかりである。この距離の感覚は、「見る人間」の視覚の優位を維持するのではなく、「見る人間」と「見られる対象」の同等性を生みだそうとするところに発している。カメラと肉眼との対比があたらしく持ちだされるのも、ここに起因しよう。というのも、写真ではこの同等性が破れ、一見「見る人間」の視覚の優位を固定させるように思わせるからである。しかし、この疑似的な優位性こそ、写真のもつ「喪失」感と直結している。現実の生活における肉眼をもった肉体において、視覚はいったい何を根拠にして環境からの優位性を生みだしうるだろうか。写真は、視覚の優位性と引き換えに、この同等性を失わせてしまうのである。

三氏の風景写真はまた、いずれも名もない場所ということでも共通性を持っているが、この名もない場所もまた、特別な価値や追憶や情緒によって、「見る人間」の視覚の優位性を生みだすことを拒まずにはいない。石黒氏の作品集は「広島」というはっきりした主題をもっているが、そこには原爆都市ヒロシマという通念の介入が可能なかぎり排除されている。通念とは「見る人間」の優位性を日常化してしまう——つまり、見なくても自明のことにしてしまう魔力にほかならない。われわれが環境のなかの事物を見るとは、単なる一方的な行為ではあるまい。同時に、わ

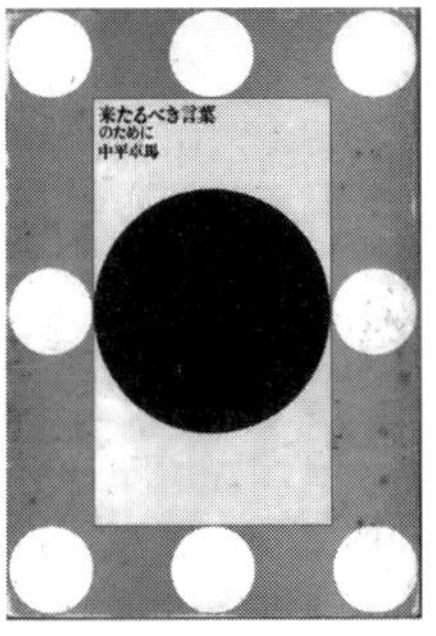

中平卓馬『来たるべき言葉のために』書影

れわれもまた見ることによって、事物から消しがたい刻印を押しつけられるのである。視覚の一方的優位にたいする信念は、この不可逆的な相互作用を不問にすることで保証されている。たとえば、肉眼とレンズが「見る」ということでのみ比較されたのは――それはほとんどの場合、眼の生理的機能とレンズの光学的メカニズムの比較にほかならなかったが――この「見る人間」の視覚の優位性を前提にしていた。

「見る人間」の視覚の優位性への不信、あるいは「見る人間」と「見られる対象」の同等性の自覚の根底には、「行為」による対象との結びつきという意識が横たわっていよう。その「行為」はある場合政治的でもありうるが、しかし、それだけではない。対象を見ることが同時に自己を確認することでもあるという相互依存性をはっきり自覚したいという欲求としての「行為」でもある。もちろん、この相互依存性をイメージとして写真に写しとることは不可能というほかはない。「剰余」を自覚した写真が同時に「伝達不可能」ということを意識せざるをえない側面がここから生まれる。中平氏の写真は、ある意味できわめて主観的と見えるが、それは主観的なイメージの製造、あるいはイメージの主観的歪曲――つまりは主観写真という意味での主観ではなく、この相互依存性を写真に反映させようという、ある意味では不可能な意図を感じさせることにおいて主観的なのである。そこでは、写真はイメージのなかをさまようのではなく、イメージとの関係において顔をだす。それは、イメージとしての写真というより、関係としての写真というほうがよりふさわしいように思われる。私がとりわけそのことを感じるのは、粒子の荒れた画面やぶ

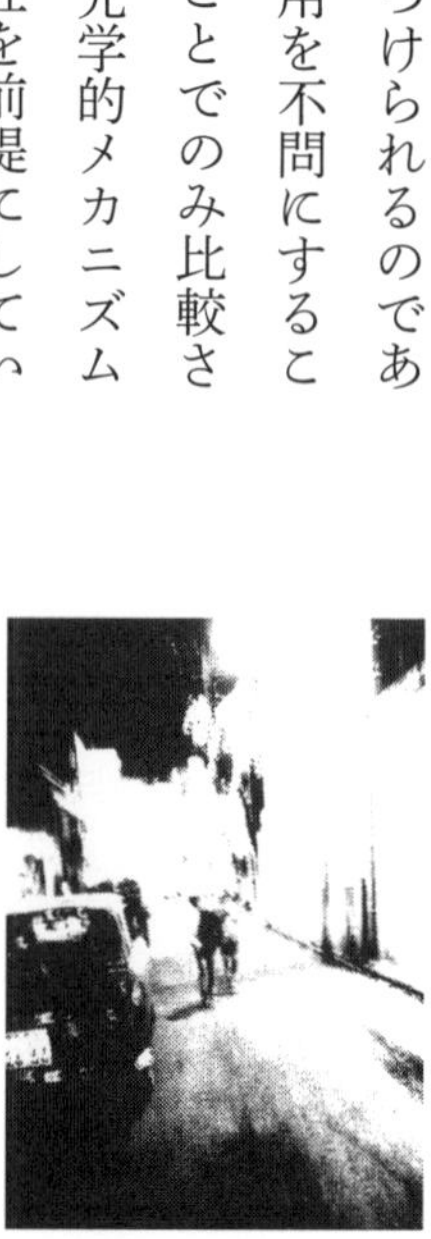

中平卓馬『来たるべき言葉のために』より

、れた写真よりも、写し撮られた風景が多くの場合、斜めに傾いているという、その空間とのかかわりによる。それはトリミングというより、中平氏と空間との関係をイメージに置換しようとすることのあらわれにほかなるまい。空間を見えない仕切りによってかなたに追いやるのではなく、「見る人間」と同等のものとしてとらえようとするのである。

「喪失」感から始めるほかない写真は、結局写真として成立することによって失われたものを語るほかないのではないだろうか。名もない風景のなかを、ふしぎの国のアリスのようにわれわれの視線を放浪させるのではなく、その風景とわれわれの関係を生みだすことが、そこでの視覚の意味のように思われるからである。どのように名のない風景であれ、そこに少なくともひとりの人間が参与しているという事実が、なお写真を見るに値するものとする。というより、考えるに値するものにするというべきかもしれない。つまり、「剰余」の自覚が生まれることによって、その「剰余」に参与する人間の問題として写真が浮かび上がらざるをえなくなったのである。しかし、その人間とはもはや視覚の優位性を信じるそれではない。優位性の瓦解のただなかに立つ存在としての人間にほかならない。

三氏の写真について、私はひとかげのほとんど見られないことも共通性としてあげたが、これもそのことと無関係ではない。風景のなかの人間は、多くの場合、まったく同じ理由によって風景の支配者となってしまうのである。風景のなかの人間は、画面の一要素としてこちらを見ているのでなく、画面のなかの風景にたいし優位に立って参与してしまうのである。比較的人間が写っている浅井氏の作品で、人物が

石黒健治『Hiroshima now』書影

きわめて無機的に感じられるのも、その支配権を剥奪してしまうためであろう。石黒氏の画面にあらわれる人間も例外ではない。それにたいし、中平氏の人間は無意味な物体のように同化させられている。

内藤・木之下両氏の作品集は、偶然にも音楽家を主題にしたものである。いわば、人間そのものがとりあげられている。しかも、名もなき人びとの写真ではないことによって、関心がその人物のほうへ向かってゆくことを否定できない。内藤氏は日野皓正という個性的な人間をいろいろな場面において、それをきわだたせようとしているようである。しかし、この作品集のおもしろさは、かえってひとりの人間の測り知れなさが浮かび上がっていることのほうにある。あらゆる人間は、ほんとうはそうであろう。測り知れなさは、神秘的であるということに基づくのではなく、逆に神秘的でないということによる。

「見る人間」の視覚の優位性とは、じつは「見られる対象」とのある恒常的な関係を前提としている。写真はそのあいだに挿入されるルーチンと化した。そこからはみでたとき、「剰余」の意識が発生したのである。

内藤忠行『日野皓正の世界』より

コンセプト・フォト断章

一〇月始め、デュッセルドルフへ寄ってクンストハーレへ出掛けてみると、ちょうど「プロスペクト'71展[編1]」の最中であった。「プロスペクト」というのは、ヨーロッパとアメリカの画廊の有志が集まって、毎年同美術館で開催される展覧会で、昨年は「コンセプト・アート」や「プロセス・アート」に焦点が据えられていたが、今年は特に「プロジェクション」というタイトルが選ばれている。参加画廊は三四、出品作家は七五人である。顔ぶれを見ると、アコンチ、ボイス、ブラウン、ダルボーフェン、デ・マリア、ディベッツ、フラナガン、ハーケ、ハイザー、クリヴェット、メルツ、モリス、オルデンバーグ、オッペンハイム、リンケ、セラ、スミッスン、ソニヤ、フォステル、ウォーホル、ウィーナーなどかなり幅広いが、しかし大半を占めているのは昨年と同様「コンセプト・アート」「プロセス・アート」あるいは「ランド・アート」などの動向に含まれる作家である。出品作は「プロジェクション」というタイトルが示すように、フィルム、ヴィデオ、スライド、写真など各種の映像に限られている。全部を隈なく見るにはまるまる三日ぐらいかかると聞かされて恐れをなし、私は二回ばかり出掛けて後は敬遠することにしたが、あれこれの作品を散見しながら、私はやっぱりそうかといった思いにとらわれていた。因みに、この

初出『美術手帖』第三五一号（一九七二年一月増刊　一九七二美術年鑑）、三三一—三三六頁

編1　Prospect 71: Projection, Kunsthalle Düsseldorf, 1971. 10. 8.–10. 17.

「プロジェクション」は映写室とか講堂を用いているのではなく、展示場のあちこちの壁面にフィルムやスライドが投影され、あるいは写真が展示されている。つまり形式的には、美術展示の延長である。

ウォーホルのフィルム《エンパイヤ》から、リンケのヴィデオ《水》などまで作品はきわめて多様であり、私の眼にした範囲でもすべてに興味を感じたわけでは当然ないが、この「プロジェクション」がひとつの特徴を際立たせようとしていることは感得できた。やっぱりそうかという私の感想も、それに結びついている。日本を発つ前、この年鑑の企画で何点かの作品を選びだすハメになった時、私はこの一年間たまたま私の見ることのできた写真を用いた作品のうちの数点を選び、それを巡っていくばくかのことを書こうと考えた。そして、同時に最近散見される美術家のフィルムについても触れたいと考えていた。もっとも、私のこうした作品についての考えは、「第一〇回現代日本美術展[編2]」について野村太郎氏との対談「〈テーマ〉と〈作品〉との間[編3]」でしゃべったことから一歩も出るものではない。それをいくぶん再録させていただく。

絵の場合は、物との直接的な関係を断念するところがあると思う。〔……〕自分が物との直接のコンタクトを離れてとらえるというところに、イメージというものが内在する。／しかし、最近みられる一連の現象のなかには、物との直接的な関係の断念に対する反発があると思う。どうしても作品にしようとすると、そこで物との関係が切れるということが不可避的に入ってくる。〔……〕写真と

編2　「第一〇回現代日本美術展」東京都美術館、一九七一年五月一〇日―三〇日（主催＝毎日新聞社）ほか巡回

編3　中原佑介、野村太郎談「〈テーマ〉と〈作品〉との間」『美術手帖』第三四四号（一九七一年七月）、八九―一〇四頁

いうのは瞬間的に撮れるわけでね。そうすると、持続の意識が写真にはないわけです。〔……〕瞬間的に物とある関係ができて、あとは紙きれに焼きつけられて、写真というイメージとなって終わってしまう。／しかし、単に物が写されたというだけでなく、そこに写真を使うということの意味があると思うんです。写真というのは、平面といえば平面だけど、絵画と違って、物と自分との関係をどう考えるかということが大きく介在する。そういう点で、写真は石とか、木とか、砂などでやっている仕事のほうに、はるかに近いという感じがしますね。絵画よりはむしろそっちのほうにいってしまう。だから、今年の平面の仕事で写真がずいぶん使われているけれども、ダダなどにみられたフォト・モンタージュとは、写真に対する考え方がまったく違うと思うんです。同時代現象として関連がある。石とか、砂とか、水みたいなものを使う作品があって、片方で写真がクローズアップされるということには、深い関係があると思いますね。

やっぱりというのは、ひとつには写真、その拡張としてのフィルム、ヴィデオなどがいちはやく「プロジェクション」といったタイトルでひとつの展覧会に組織されているという手際の早さに対してでもあったが、それよりも、こういう動向が「コンセプト・アート」や「プロセス・アート」の一環として目立つようになるのは当然だろうという感慨からであった。断っておきたいが、私はこうした映像作品を、写真やフィルムやヴィデオの可能性を切り開いた新しい表現だなどとは思わない。

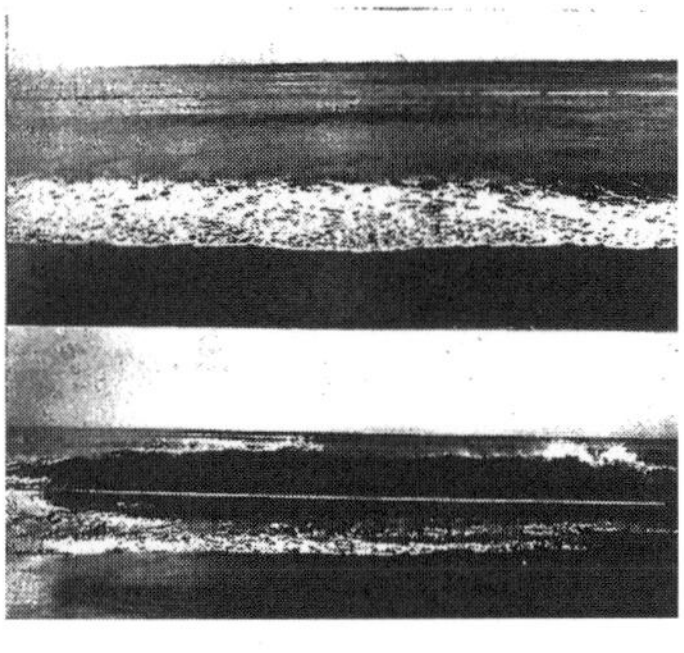

眞板雅文《自然との対話》一九七一年、村松画廊個展出品

たとえば、二〇年代の前衛映画や前衛写真が映像表現の新しい地平を開拓したのとは根本的に異なっているのである。もっとも「プロスペクト」のことはさておく。私がとりあげた写真の作品の第一の特徴は、作家がその写真を撮る主体として積極的な意味をもっていないことである。作家は撮る主体でなく、逆に撮られる対象の側に立ち、それと何らかの関係をとり結ぼうとしている。つまり、写真は第三の眼という非人称的な役割をになわされているのである。いいかえれば、そこでは写真はあくまでも伝達の手段であり、媒体としてとらえられているということができる。媒体の質という点ではまったく同一というわけにゆかないが、写真は地図や図面と根本的には変らない。写真に加工したものがあるが、そういう作品もフォト・モンタージュや主観写真と同一ではない。それは撮られた対象に手を加えることの代用的表現ともいうべきものである。この代用的表現ということを、「コンセプト・フォト」という言葉でいってもいい。

　これら写真の作品が、「ランド・アート」のように写真で紹介される機会の多い動向、さらにテキストや図面や写真をひとまとめにして媒体として用いる作品から派生してきたものであることはいうまでもない。したがって、その根底にあるのは「記録性」ということである。しかも、その「記録性」の焦点となっているのは、具体的な光景を通して時間と空間を可能な限り明確に意識させようとする配慮である。作家が撮る主体でなく、撮られる対象と直接的な関係をとり結ぼうとするのも、この時間・空間意識の明確化と関連している。これは位置と変化といいかえてもいい。たとえば「ランド・アート」の写真などに見られるのが、文字通りの「記録」とすれ

今中クミ子《植物》連作、一九七一年、「第一〇回現代日本美術展」出品

ば、そこから派生してきたこれらの写真の作品は、先取りされた「記録」とでもいうことができよう。

　もっとも、こうした作品には、一種のロマンチシズム的傾向というのもあり、それはたとえば、クリストがニューヨークの摩天楼を梱包するというプランをフォト・モンタージュで示したような作品である。これはフォト・モンタージュという手法のそのままの利用にほかならない。デュッセルドルフへゆく前、私はブランクーシの作品を見ようと思ってルーマニアへいった際、ブランクーシが一九三七年、ルーマニアの田舎町トゥルグ・ジウに高さ三〇メートルの《終りなき柱》を建てる前、その町の小さな広場の写真にその柱のプランを描きこんだものを見たが、それなどこのロマンチシズム的傾向の一例と思って興味深かった。もっとも、これは建設されたので、実現したという点では写真のみの作品ではない。それでも、先取りされた記録とはいえよう。こうした空想的写真は、それが実現の可能性と結びついている程、「記録性」を濃厚に示すのである。

　ともあれ、こうした作品は写真として自立しないという印象を与える点が特質である。美術と写真の交流といえば、おそらく世紀末にまでさかのぼり、ダダによってもたらされたフォト・コラージュやフォト・モンタージュはその直接的交流の最初のピークをなしたが、戦後シルクスクリーンや写真の画布への転写という技法が一般化し、美術と写真の交流は第二のピークを迎えているといっていい。今日、絵画や版画における写真の登場は改めていうまでもなく、頻繁にお眼にかかる現象である。コンセプト・アートやランド・アート、さらにそれから派生した写真の利用

佐々木実《日の四角》シリーズ、一九七一年、「北陸現代作家集団展」出品

というのは、現在みられる美術と写真の交流のもうひとつの現象である。もっとも、これはひとつの動向というよりは、附随的なひとつの現象というべきであろう。写真が自立性をもたないというのも、そのこととかかわっている。そこで、私はここにあげたいくつかの写真を、そうした意味で眺めたいと思う。そして、それは注目していい現象だと思うのである。

現代美術と写真の交錯

写真と美術の交流の歴史をさかのぼれば、写真の発端にまでゆきつくにちがいない。暗箱カメラの映像を固定化するというこの新しい技術は、その誕生において手描きによらない絵画という一面をもっていた。

しかし、それ以来ほぼ一五〇年にわたる、これら三つのジャンルの交錯と、相互影響の変遷史に関心がたかまり、あらためてそれが、顧みられるようになったのは、ここ一〇年ぐらいのことである。そういう機運をもたらしたのは、大著『芸術と写真』（一九六八年）[編1]の著者であるアーロン・シャーフも述べているように、近年、とりわけ一九六〇年代あたりから急激に目立つようになった、現代美術における写真の導入という現象であろう。

美術と視覚メディア

確かに最近の美術に見られる写真の導入という現象には著しいものがある。しかも、この現象は、それがもはや特殊なことがらだとは感じられないほどに頻発化しているという事実に加えて、写真の用い方がまたきわめて多様化しているところに

初出『朝日ジャーナル』第一六巻四号（一九七四年一月二五日）、四五―四八頁。特集「映像神話の崩壊」に発表された文章。

編1　Aaron Scharf, *Art and photography*, Allen Lane, 1968.

特徴があるように思う。写真と美術の交流の歴史のなかでも、それはこれまでに見られなかったある独自なものを感じさせずにはいない。

もっとも、六〇年代になって美術に顕著になった現象を、写真の導入という点にだけ求めるのは一面的というべきだろう。写真だけではない。他のさまざまな視覚メディア、たとえば漫画、広告、看板、ポスター、商品のレッテルや包装箱、交通標識などの各種の記号、映画やテレビのワン・ショット、さらに文字のレイアウトやタイポグラフィーなどに至る多彩なものが、作品に直接使用されたり、あるいは図像に転換されたりして、美術にもちこまれたからである。それより以前、五〇年代後半から目立っていたのは、廃品や部品、あるいは各種の日用品などを寄せ集めて作品とする「既成の物体」への強い関心だった。それと対比的にいえば、六〇年代になるとともに、「既成のイメージ」の導入といえる現象が顕著に見られるようになったのである。これら多種多様な「既成のイメージ」が、いずれも都市をメディアとして浮かび上がらせるものであるのは特徴的である。

六〇年代前半にクローズアップされたポップ・アートは、そういう意味でメディア的都市像ともいうべき性格をもつものだったといえる。それが再び都市の生活と風俗のなかへフィードバックしていったのも当然といえよう。

写真もまた「既成のイメージ」であり、したがって、写真の導入をこの「既成のイメージ」の導入という現象の一環として位置づけることもむろん可能である。確かにそれらは入り混じっていたし、そういう一環としてとらえることにも意味はある筈である。

しかし、美術に見られる写真への関心は他の「既成のイメージ」の導入に先立つとともに、その後も現在に至るまで、そのあらわれ方に変化を見せながら美術に大きく浸透しつづけてきた。とりわけ最近では、写真そのものだけによるという作品も少なくない。

とすれば現在見られる写真と美術の交錯した現状には、「既成のイメージ」としての写真の導入ということだけではおおいきれないものがあるといわねばなるまい。写真と美術の交流の一ページとしても、とくに注目される理由はそこにあるように思う。

ポップ・アートの誕生

ここ十数年来の美術における写真の導入という現象の兆しを、どこに見るかとなるとさまざまな意見があるにちがいない。私は一九五三年にロンドンで開かれた「生活と芸術の平行」という展覧会を、(編2)その前触れのひとつとして見たいと思う。美術家、建築家、写真家、評論家などが、大衆文化を研究するために集まって結成した「インディペンデントグループ」という集団が初めて開催したこの展覧会は、メンバーのひとりであった評論家のローレンス・アロウェイの言葉を借りれば、次のようであった。

それは一〇〇点の写真を集めたもので、「動作の研究(マイブリッジの代わりにメアリーの自転車に乗った裸の男性)、X線、高速度、物体の歪みの写真、人類学の資料、児童画などを含んでいた。イメージはすべて写真として引き伸ばされ、会

編2　Parallel of Life and Art, Institute of Contemporary Art, London, 1953. 9. 11. - 10. 18.

場の壁や天井から、観客をとりかこむスクリーンのように懸けられた。この迷路形式は、あらゆる源泉からのイメージを、そのあいだに価値の差別をうみだすことなく開花させることを可能にした」。

見方によれば、これは写真展といえなくもない。しかし、この記述からうかがわれるのは、個々の写真のイメージを独立してきわ立たせることではなく、そのすべてを等価値とするようなイメージの集合的空間の形成ということである。個々の写真はこの全体のなかでの要素に過ぎず、迷路のようにして寄せ集められた展示形式全体が写真を意味づけるのである。この展覧会は、今日の写真をめぐるいくつかの事例を凝縮して示しているように受けとれる。第一に、迷路のような展示形式は、現代社会における写真の氾濫とわれわれの関係の暗喩となっているということである。第二に、イメージの価値の差別を除去するというのは、写真のイメージはそれ自体では確定した意味をもたず、展示、発表といった空間的形式によって意味づけの可能性が付与される。第三に、多種多様な写真の寄せ集めは、個々の写真は現代文化の断片的源泉であって、そのさまざまな組み合わせが文化の表象となっているということである。

こういう展示形式を一枚の作品という形式に置き換えようとすれば、フォトコラージュあるいはフォトモンタージュとなってあらわれるのは当然であろう。

「生活と芸術の平行」展のあと、先に触れたグループの美術家たちはそういった作品をうみだすようになるが、それがイギリス・ポップ・アートの誕生となったのである。もっとも、フォトモンタージュという形式そのものは、別に目新しいというわけではない。それは戦前のダダとソビエト構成主義のなかでうまれ、一九二〇年代にひとつの形式としてひろまったものである。ダダのなかではとりわけベルリンのジョン・ハートフィールドが、またソビエト構成主義ではアレクサンドル・ロトチェンコとエル・リシツキーの仕事が知られている。前者は反ナチスのプロパガンダのため、後者は社会主義社会建設のアピールとして、多くのフォトモンタージュを制作した。したがって、フォトモンタージュという形式で見るなら、イギリスのポップ・アートを誕生させた写真の寄せ集めによる作品も、ダダや構成主義のフォトモンタージュに連なるものといって間違ってはいない。

美術の文脈で考え直す

しかし、この戦後において復活した写真の組み合わせによる作品は、ダダや構成主義のそれと比較するとき、かなり力点に変化が見られるように思う。それは、それらに先立つ「生活と芸術の平行」展という展覧会のタイトルが象徴的に物語っているように、写真を生活と芸術の両方にまたがるものとしてとらえ、その立体的な構造を反映させようという自覚的な態度においてである。こういう自覚の根底には、なによりもまず写真が印刷と結びつき、マスメディアとして生活のさまざまな断面に探くかかわるようになったという現代の社会的現実があるだろう。前に列挙したさまざまな視覚メディアでさえも、必ずしも写真と無縁であるわけではない。たとえば広告やポスター、あるいは商品の包装箱のデザインなどと写真とがどれほど密接に結び合っているかは、改めて指摘するまでもあるまい。イギリスのポップ・アーティストが写真を大衆文化の源泉と見たのは、そこに由来していた。それは彼らが写真を生活と芸術の両方にまたがるものとしてとらえたからである。この点で、写真への注目とそのとりいれ方には、「既成の物体」の導入という現実と共通性があったといえよう。「既成の物体」を寄せ集め、それらを組み合わせて作品とする動向には、アセンブリッジという包括的な名称が与えられたが、「生活と芸術の平行」展にも写真のアセンブリッジという性格を読みとることができた筈である。

フォトコラージュやフォトモンタージュという発想は、その後さらに、シルクスクリーンを通して新聞や雑誌の写真を画面に転写するという版画となってあらわれるに至った。現在でも頻繁に見られる方法だが、これは六〇年代における写真の導入という現象をもっと一般化した方法といえるかもしれない。とりわけ、アメリカのロバート・ラウシェンバーグの一連のシルクスクリーンの作品は、都市生活の記憶と断片的なイメージが交錯しているようで、現代の都市のアセンブリッジ的構造をもっともよく示している例として特筆されよう。

ところで、これまでは主として写真の側から語ってきたわけだが、それだけでは事柄の半面に過ぎないことになる。問題は写真と美術の交錯ということにあるのであって、写真の導入という現象を美術の文脈で眺め直す必要があるだろう。美術家が写真に注目するようになったのには、現代の都市生活が全体像を失ったという意識と写真のイメージの断片性の対応、さらに存在感の希薄さと写真のイメージの抽象性の呼応ということもあるにはちがいない。しかし、美術が視覚芸術の一形式である限り、形式そのものが写真の導入を可能にするように地ならしされていなければならなかった筈である。美術も写真も同じ視覚芸術だからというのは一般論であって、そのことからただちに写真を張りつけたり、組み合わせたり、転写したりして、写真を美術に引き入れる現象が招かれるということにはならない。

フォトリアリズムの登場

写真の導入は、美術そのものも抽象性をたかめ、「見る」ということが一種の純粋化現象を強めていたという状況において実現したのである。五〇年以降、抽象表現主義の風靡がよく物語るように、美術は描写とか再現性を極度にしりぞけ、それとともに作品の表面へ視覚を集中するという傾向を次第に強めるようになった。作品にあらわれた物質性の強調も、イリュージョンの喚起を避けるためにほかならなかった。この表面への視覚の集中という傾向が、写真の導入の地ならしとなったのである。写真の導入は本質的に抽象芸術の変容現象というべきものであり、そこには現代美術における「見る」ことの純粋化という問題が横たわっていたのである(戦前のダダや構成主義のフォトモンタージュが、抽象芸術と密接に結びついていたことも偶然ではない)。

いいかえれば、六〇年代に顕著になった写真の導入は、美術と写真が視覚の質において同一水準に達していたことを物語っている。「既成のイメージ」をもちこむことも、そういう状況と切り離してはあり得なかったといわねばなるまい。「生活と芸術の平行」展においてさまざまな写真がイメージとして同質化されたように、美術も写真も、さらに他の視覚メディアも、その表面への視覚の集中という点において同質的なものとみなされるようになったのである。

ここ二、三年以来クローズアップされてきたフォトリアリズムといわれる動向も、美術と写真の交錯現象のひとつといっていいものだが、この動向も今いった文脈の延長上にうまれたものということができる。フォトリアリズムは一言でいえば、写真を可能な限り正確に模写した絵画ということになるが、たとえばフォトリアリストのひとりであるアメリカのリチャード・エステスの次のような言葉は、この動向の特徴をよくいいあらわしているように思う。それは「解釈したり、かかわったりすることなく、事物を冷たく、抽象的に見る方法のことである」(編3)。

フォトリアリストのとりあげているのは、たとえば肖像であり、風景であり、自動車といったものだが、それらがきわめて念入りに描写されているのを見ることができる。しかし、この新しいリアリストたちは現実の対象を写実的に再現するのではなく、それらの肖像とか風景の写真そのものを画布上に可能な限り正確に再現することを試みるのである。つまり、実在の対象に直接「かかわったり」、それを主観的に「解釈したり」はしない。画家が関心をもつのは写真に映っているものだけであり、それを機械のように転写することだけである。「事物を冷たく、抽象的に見る」という言葉はそこに根ざしているだろう。

編3 Linda Chase and Ted McBurnett, "The Photo-Realists: 12 interviews, Richard Estes," *Art in America*, vol. 60, no. 6 (Nov.-Dec., 1972), pp. 78-80.

情報の正確さについての関心

この言葉はまた別の画家の「すべての新しいリアリストの画家に共通して見られるのは、情報の正確さにたいする関心である」という言葉にも対応している。ここで「情報の正確さ」とは現実についての情報の正確さではなく、写真についての可能な限り正確な情報ということである。したがって、フォトリアリズムは一見写実絵画のように見えるが、その本質においては抽象絵画にほかならない。写真のイメージは色彩とかたちの組み合わせという無機的な構造に還元され、画家の視覚はその表面へのみ集中されるのである。シルクスクリーンによる写真の転写と異なるのは、それが機械的転写であるのに対し、フォトリアリズムは手描きによる転写だということだけだといっても過言ではあるまい。もっとも、フォトリアリズムにおける冷たい客観主義から見ると、たとえばポップ・アートにおける写真の使用には、はるかに象徴的なところがあるといえるかもしれない。もし、これを後期ポップ・アートとでもいうなら、それはポップ・アートから象徴性を引き去った冷たい客観主義の産物というように見ることも不可能ではないだろう。

このフォトリアリズムをも含めて、戦後の美術に見られる写真の導入という現象には、まず美術における反イリュージョニズムという性格が横たわっていた。それは画面を、あるいは作品の表面をひとつの事実として見るということであり、写真はそこへ侵入してきたのである。しかし、写真の導入はそうしたかたちだけに限られてはいない。六〇年代の後半からもうひとつの現象が著しくなるからである。

これまで述べてきた写真の導入は、「既成のイメージ」としての写真をキャプションや解釈からひきはなし、いわばイメージを意味の不確定性にまで押し戻すことを土台とするか、あるいはフォトリアリズムの場合のように、イメージの解釈を捨ててそれをひとつの図形として客観的に見ることに徹するといったことで成りたっていた。それに対し、このもうひとつの現象では、逆に写真を思考（あるいは文章）の図解として用いようとするのである。ハプニングやイベント、あるいは山地や、砂漠や海岸で展開されたアースワーク（あるいはランド・アートとも呼ばれた）などのように、写真が記録として意図的に用いられるという現象も六〇年後半から激増し、それらは現在出版物として美術界に登場しているが、これは美術に導入された写真現象というより、美術家の行為と活動の領域が拡張し、それが補助的なコミュニケーションの手段として写真に注目させた現象というべきだろう。もっとも、これもあるものは補助的な手段であり、またあるものはそうではないというように厳密に区分しがたいところのあることは認めねばならない。それはそれとしてこうした出版物はますます増加して、このところ脚光を浴びつつある「芸術形式としての本」という分野の一翼をにないつつあるのが現状である。

観念と写真との関係

しかし、たとえばドイツのベルントとヒラ・ベッヒャー夫妻のように、給水塔や鉄工所の煙突などといったさまざまな鉄製の建造物を写真に撮って、それを「無署名の彫刻」と呼んでいるような場合には、写真は単なる補助手段とはいいがたいだろう。それらの建造物はベッヒャー夫妻の写真において「無署名の彫刻」なのであり、常に無署名の彫刻であるとはいえないからである。この場合、写真はベッヒャー夫妻の観念の図解であると同時に、写真が事物に対するひとつの視点をつくりだしていくという役割をになっている。写真といえば写真以外のなにものでもないが、しかし、それはただ外界をうつしとった写真とまったく同じものだというわけではない。それは存在するものを基点として写真の方へ向かうのではなく、写真を出発点として実存物の方へ向かい、その意味を変えるのである。これは観念芸術ということもできるだろうが、観念と写真の切り離しがたい関係が、この仕事の骨組みとなっている。

ベッヒャー夫妻は一例にすぎない。しかもこういうかたちでの写真への関心は、フィルムやビデオというメディアによることも少なくない。美術にフィルムやビデオが導入されたことには、メディアを混合するインター・メディアという考えも大きく作用しているが、それだけではなく、ここでも「見る」という問題との反省的なかかわり合いが介在しているのである。そのことは、最近写真をさらに写真に撮るといった反覆行為が作品としてあらわれていることによって、より純化して示されている。写真の使用は何を見るかということよりも、どのように見るのかという観点によって支えられているといえよう。

かつて、絵画と写真はどちらがよく現実を反映しているかで競い合った。しかし、それは遠い昔の話となり、美術と写真は視覚的に同一のレベルであるような地点に達して交錯するに至った。そしてその時、同一レベルであるような視覚の意味が問われだしたのである。フォトコラージュやフォトモンタージュ、あるいは転写といった形式から離れて、現在、写真が美術のなかで新しい役割をもち始めたのは、その問いと結びついているにちがいない。写真は問いの解答として提示され、さらにそれが問いを内包するという終わりのない運動として導入されているように見える。それはまた、結局写真のイメージが中間的なものであり、眼と対象の間で確定した位置をもたないことに基づいているだろう。そういう不安定性が消えるのは写真を過去のイメージとして時間的に位置づけるときである。写真を時間の関数として見るという、そういう記憶としての写真もまた現代美術に導入されだしている。自分のポートレートを写真に撮り、その写真をさらに写真に撮るということを次々に繰り返していったクラウス・リンケの作品はその一例であろう。

プライベート・フォトの意味するもの

「わが家のこの一枚」をみて

読者提供の古いポートレート紹介

『週刊朝日』がこのところ、巻頭のグラビア特集として、『わが家のこの一枚』に見る日本百年」というのを毎週掲載している（一〇月一一日号より）(編1)。

読者の家に保存されている古い写真、あるいは珍しい写真を提供してもらい、誌上で公開するといった仕組である。時代は幕末から始まっている。

写真は主として個人。あるいは数人のグループのポートレートである。その多くは写真機を前にした構えがありありと感じられ、その点でもポートレートの特質が躍如として感じられて面白い。むろん、あるものは古びて変色しているにちがいない。

グラビアのなかにセピアやブルーのかけられた頁があるが、それは写真そのものがそういった色調なのであろう。ともあれ、それらの写真は奇妙に惹きつけるものがある。

しかし、考えてみると、そこに登場している人びとは、私と個人的にどのようなつながりもない。私の祖先や家族、あるいは親戚のだれそれのポートレートを眼の前にしているわけではない。

初出『コマーシャル・フォト』第一三二号（一九七五年一月）、一八〇―一八一頁。「写真時評」に発表された文章。

編1　「『わが家のこの一枚』に見る日本百年」は、『週刊朝日』第七九巻四四号（一九七四年一〇月一一日）より翌七五年一二月まで、五〇回にわたり連載。のちに『庶民のアルバム明治・大正・昭和「わが家のこの一枚」総集編』（朝日新聞社、一九七五年）が出版されたほか、雑誌未掲載分も含めて再編集した『日本百年写真館Ⅰ・Ⅱ』（朝日新聞社、一九八五年）が刊行されている。

そうかといって、登場人物はだれもがよく知っている有名人士というわけでもない。いってみれば、私の知らない過去の人びとに過ぎない。にもかかわらず、それらの写真はある濃密なリアリティといったものを感じさせずにはいない。

私的な記録の不思議な魅力

最近、古い時代の写真や写真による絵ハガキへの関心がたかまっているが、ここに集められている写真の魅力も、要するにそれと軌を一にするだけのことなのだろうか。多分、無関係とはいえまい。

私は古い時代の写真や絵ハガキに対する関心のたかまりを、もっとも写真的な写真への関心、あるいは写真におけるプリミティヴィズムへの興味のあらわれと考えているが、「わが家のこの一枚」の写真の多くもきわめて写真的な写真である。とりわけ、ポートレートはそういう特徴が著しい。

しかし、そういうことに加えて、「濃厚なリアリティ」は「わが家のこの一枚」ということからくるのではないかと思う。私は「わが家のこの一枚」ということを、門外不出とか秘蔵といった珍しさの意味でいっているのではない。一言でいうなら、それらがきわめて私的な写真、あるいはプライベート・フォトだということである。それらは映像による私的なメモワール、あるいは日記をもじっていうなら写記とでもいうことができるような性格をもっている。

化粧でおおわれたパブリック・フォト

われわれが今日、印刷という媒体を通して見る写真のほとんどは、プライベート・フォトではない。新聞、雑誌、テレビ、あるいはポスターやカレンダーその他でお目にかかる写真は、パブリック・フォトともいうべきものである。

いってみればそれらはよそゆきの化粧にすっぽりとおおわれている。この化粧の品種はさまざまであって、たとえば報道写真の真偽が問題になるのも、結局、ある種の化粧のし具合に依存しているのである。

しかし、プライベート・フォトにとって、そういう化粧は不必要であろう。写される人物が厚化粧し、写真機に向かってポーズをとるということはあっても、写真そのものに、あれこれの化粧をぬりたくることは、いささかも必要ではない。

素朴性とリアリティが至上の価値

プライベート・フォトでは写真の素朴性——プリミティヴィズムが至上の価値である。何故なら、プライベート・フォトは血縁小集団のなかでのみ深い意味をもつものであり、小集団の間で思い出の資料としてかけがえのなさをになわされているからである。

この化粧のなさ、素朴性が、リアリティをうみだすのだと思う。登場人物が見知らぬ人びとであっても、そのポートレートが不特定多数に向けられた外向きのものではないという事実によって、逆にひとり（あるいは何人もの）の人間の存在を、なまなましく感じさせるのである。

「わが家のこの一枚」に見る日本百年・ヤングの履歴書。『週刊朝日』第七九巻五四号（一九七五年一二月一二日）より。

その場合、名前はどうでもよいことに属する（特集の写真には一枚一枚キャプションがつけられているが、たとえ名前が記されていても、私にとっては知らない人であり、その名前はなんの手がかりを与えてくれるものでもない）。

根元的に他者の眼と結びつく写真

たとえプライベート・フォトであっても写真はその根元において、他者の眼と結びついている。写す人、撮られる人という根元的な関係がそれである。そして、その写真を写真以上のもの（たとえば、ヴァルター・ベンヤミンふうにアウラとでもいえば）として思い入れて見るのは、被写体を含む血縁小集団である。

その血縁に属しない私は、今それを隔てられた外から覗きこむようにして見ているということになる。つまり、私は写す他人という立場に一時私の「眼」を置いているのである。

パブリック・フォトでは、われわれは写す立場、写す眼というものを、まったく想定しにくい。

それがそれらになにかとらえどころのなさ——あるいは一方的な受身のものとしてしか、写真を感じさせがたい理由ではあるまいか。このことは、もう少し考えてみたいと思う。

写真への考古学的関心

関心を薄くする美学主義

コンポラは落着きのない写真

ひと頃、コンテンポラリー・フォトグラフィー（略してコンポラ・フォト）という呼称が流行した。字義通り訳せば「現代写真」というだけの意味だが、それが特定の動向を指すものとして使われたため、独特のニュアンスを含む言葉として流布した。

ところで、コンポラ・フォトの特徴とはどういうものであったのだろうか。

今振り返ってみると、変ないい方だがどこか落着きを感じさせない写真とでもいえるものではなかったかという気がする。

落着きのなさというのは、視点が不安定ということであり、確定し難いということである。画面がブレているというのは、そのひとつのあらわれに過ぎない。ブレがあろうとなかろうと、コンポラ・フォトはなにか定まり難いもののあることを感じさせた。

先月号で触れた「プライペート・フォト」[編1]をもってくると、その定まり難いものが「写す眼」ではなかったかということを推測させる。

コンポラ・フォトは写真家の私的な眼へのこだわりというものをうかがわせたが、

初出『コマーシャル・フォト』第一三三号（一九七五年二月）、一七二―一七三頁。「写真時評」に発表された文章。

編1　中原佑介「プライベート・フォトの意味するもの」『コマーシャル・フォト』第一三二号（一九七五年一月）、一八〇―一八一頁。本書二三七―二四〇頁に所収。

なおそれは「パブリック・フォト」としての公的な眼への眼くばりを失うことがなかった。

いいかえれば、それは「パブリック・フォト」としての写真に、どこまで私的な「写す眼」というものを投影させ得るかという試みではなかったかと思う。視点の不安定は、そこからうまれたのである。

もっとも、この矛盾にどのような解決策があるのかと問われれば答に窮する。しかし、たとえば荒木経惟の写真はこの矛盾のなかから姿をあらわしたのである。荒木の仕事は、なによりもまず写されたものとしての写真ということよりも、写す眼というものを感じさせた。彼はわれわれの眼に、カメラのレンズを、あてがったのであった。

パブリック・フォトを支配する美学主義

これもまた先月号に書いたことだが、最近見られる「古い時代の写真や写真による絵ハガキへの関心」のたかまりを、今、写真への考古学的関心とでもいえば、それがそのまま、写真の新しい展望をきりひらく力になるとは思われない。

ただ、この考古学的関心のたかまりが物語っているのは、写真についての思考に質的転回が必要とされているということである。

映像技術の発達と表現技術のひろがりによって、写真創生期のきわめて素朴な写真からひたすら進展をつづけてきたというように見る写真への見方に、今やひとつの区切りがつけられようとしているのではあるまいか。

現在の「パブリック・フォト」を支配しているのは、一種の美学主義である。この美学主義は写真をひとつの美しいものとしてとらえようという態度であって、多分これはとどまるところを知らない思考にちがいない。

しかし、この美学主義的風潮と反比例するかのように写されたものとしての写真への関心は稀薄になりつつあるように思われる。

そこで、さらに美学主義が強化されるという論理がうまれる。

むろん、われわれはこの美学主義によっていささかも痛痒を感じるというわけではない。けれども写真への考古学的関心をうみだすだけのある欠如感はうみだしているのである。

古いものへの新しい関心が始まった

コンポラ・フォトはこの欠如を埋めようとする身振りのような写真であった。そして、それはまた、写真における私的な眼と公的な眼の埋め難いギャップをあらわにした写真でもあった。コンポラ・フォトの出現、衰退と重ね合わせるかのように写真への考古学的関心がたかまってきたのは、偶然とはいえないものを感じさせる(古い時代の写真にコットウ価値が生じ、値段がつくようになったのはその結果であって原因ではあるまい)。

考古学的関心といえば、写真よりも映画の方が一足先に訪れた。そこにはテレビの普及ということが大きな要因となっている。

写真の場合にも、テレビがまったく無関係とはいえないかもしれないが、しかし、それは写真がみずからつくりだしたというべきであるように思われる。図式的ないい方をするなら、それは写真が写真ならざるなにものかとなってよりひろく展開してきたからである。

写真は眼に見えないものをも見させる

くり返すようだが、写真への考古学的関心は、古いものへの新しい関心であって、そのこと自体が写真のスタイルを決定するわけではないだろう。

しかし、この考古学的関心は、写真のもたらす欠如感の少なくともひとつは、われわれの眼の位置にかかわったものであることを物語っている。

人間はただ肉眼に見えるものだけで世界の線をつくりだしているわけではない。眼に見えない観念ぬきには、見えるものの関係、つながりをとらえることはできない。しかし、写真は眼に見えないものを見させることが不可能である。

そこで、われわれは視点にこだわる。視点ではなく視線というべきか。見えるものとの視線のつながりの実感に飢えているのである。

第五章　映画・映像論

映画の「第四次元」

映画に「空間表現」と「時間表現」の総合を見るのは、格別、ことあたらしいことではない。いまから三〇年も前、セルゲイ・エイゼンシュテインは、この時空表現の総合とモンタージュを結びつけて、「オーヴァトーン・モンタージュ」という理論を生みだした例がある。かれの「映画の第四次元」[1]という論文は、この「オーヴァトーン・モンタージュ」の理論づけのために書かれているが、そこで、エイゼンシュテインは、器楽音においては基本振動と倍音・低音が複合されてひとつながりの音響が発せられるという比喩をあげて、「ショットの視覚的な倍音複合体」としてのモンタージュを提唱している。

映画《全線》(別題「古いものと新しいもの」)(一九二九年)は、このオーヴァトーンの原理に基づいて作られた最初の作品ということだが、見ていないからそれについて何もいうことができない。しかし、さしあたってわたしにとって一番興味があるのは、モンタージュそのものでなく、エイゼンシュテインの「第四次元」ということである。——視覚的オーヴァトーンは三次元の空間では表現できないものであり(おそらく、エイゼンシュテインのいっているのは、演劇を意味しているのだろうと思う)、それに時間のつけ加わった第四次元においてのみ存在するものだ、と

初出『映画芸術』第七巻一〇号(一九五九年一〇月)、四〇―四三頁。特集「《新しい映画》とは何か」に発表された文章。のちに『見ることとの神話』(フィルムアート社、一九七二年)に再録された。

1　セルゲイ・エイゼンシュテイン「映画の第四次元」『映画の弁証法』佐々木能理男訳編、角川書店、一九五三年、五二―六三頁

いう意味のことを述べた後で、かれが「運動の感覚を知覚するための映画のような——その幼稚な水準においてさえも——すぐれた手段をもっているわれわれとしては、やがて、この四次元の空間時間の連続体のなかにあって具体的に方位を測定することを学ぶであろうし、またそのなかにあっても自分の家のスリッパーをはいているのと同じような寛ろいだ気分になれるであろう」(2)と書いていることだ。エイゼンシュテイン自身、アインシュタインの名をあげていることからも分かるように、「第四次元」などという概念をもちだしたのは、明らかにアインシュタインのいわゆる「相対論的な時空概念」を念頭に置いてのことである。そして、それは奇抜な表現を好むかれ独得の単なる比喩にとどまらないように思われる。こういう時空についての新概念をもってきた背景には、ロシア革命、それにつづく社会主義社会の建設という変動期に生きたエイゼンシュテインが、古典的な因果関係の解体をも示すさまざまな具体的事実を痛切に知らされないわけにゆかなかったからに違いない。

エイゼンシュテインから話は飛躍し、わたし流の使い方になるが、しかし、このいささか高踏的に聞こえかねない「第四次元」ということばは、やはり教訓的というべきである。何故なら、一口に映画が「時空表現」の総合といっても、「時間」と「空間」についての見方は一義的なものではなく、たとえば、ガリレオ・ガリレイ流の古典的概念——つまりガリレオ先生の考察によれば、時間と空間はそれぞれ単独に存在するものであり、時間は悠久にとだえることのないある絶対的な流れであって、すべての物事は、この絶対時間の流れに従って、器のような空間のなかを因果的に運動する——もあれば、アインシュタイン流の概念——ここでは、時間と

2　註1に同じ。六二頁

空間は相互に影響し合う、ある統一されたものだ——もあるからである。ガリレオ先生とかアインシュタイン先生の名を拝借したのは、時空概念の厳密を期せんがためであって、むろん、他意はない。我流の定義が許されるなら、このガリレオ流の時間・空間概念の把握の上に立つ意識が、「日常性」というべきものである。個人と社会(=空間)との間に見られる相互作用の結果は、絶対時間という永遠の流れにくらべれば、きわめて微弱なものだという考えが、そこでは支配する。つまり、個人はある空間容器のなかを、因果的に動きまわっているというわけである。日常生活というのは、こういう原理がもっぱら成立する部分であり、こういう原理によってつくられた映画は、おおむね演劇的にならざるをえない。ごくおおざっぱな言いかたをすれば、演劇——特に自然主義演劇の特徴は、舞台の上に三次元の空間の容器を設置し、悠久の時間の流れに従って、因果的に継起されるドラマがそこで演じられるというところにあるからである。ドラマが心理的になっても、本質的には変わらない。

しかし、それに対して、この「第四次元」の「時空連続体観」というのは、現在のような変動期の思想といってもいいものではないかと思う。したがって表現の方法として見れば、それは映画固有の問題ではなく、芸術をつらぬくものというほうが正しいとさえ思われる。たとえば、わたしは最近、安部公房の『第四間氷期』[3]を読み、そこでも「第四次元」について考えるべきデータに遭遇した。というのは、ガリレオ流の時空概念の否定というのが、この小説のもっとも大きなモティーフであると思ったからである。未来を予言すべく「予言機械」を発明した学者が、水棲人

3　安部公房『第四間氷期』講談社、一九五九年七月(初出は一九五八年七月から五九年三月まで『世界』に連載)

間の棲息する海底植民地の出現という未来の予言を、なんとしても承認することができず、結局「未来に裁かれて」死に至るというのがおおまかなプロットだが、主人公ともいうべき勝見先生が作者によって殺されるというのは象徴的というほかない。何故なら、この電子学者も学生時代には、おそらく相対性理論の講議で、時空統一論について頭を悩まさないではなかったろうに、巨視的な未来の予言を――いや、未来を流れ来たり流れ去る絶対時間のかなたとしてしか見ず、空間については現状と本質的にかかわりのないものという不変性を信じているのだから、第一、非科学的というほかないためである。いや、相対論の成り立つのは、微粒子の世界だとか、恒星のきらめく大宇宙についてであって、われわれの生活しているような範囲は、古典的概念でいいといえないわけではない。しかし、比喩として見れば、大きいとか小さい、速いとか遅いという価値の転倒するのが変動期だ。わたしは、先ほど、勝見先生が作者によって殺されると書いたが、ほんとうは空間自身の反逆によってというべきだろう。小説の「序曲」に描かれた第四間氷期到来の前兆現象と、「ブループリント」という章にある水棲人間のあるエピソードという未来の空間の描写そのものが、それを認めない主人公にたいする反逆の凶器となるのである。つまり、未来は、時計の長針が何百万回か回転した後というだけでなく、空間も含めた時空がこもごも交錯しながら変動するというのが、小説をつらぬく主張だと思う。わたしが「第四次元」について考えるデータといったのは、こうしたことがらを指している。

「映画美術」というのが、わたしに与えられたテーマだった。「映画美術」というのはセットだとか小道具など、映画に関係する美術を総称するのが通例のようである。「映画美術」を論じるにあたって、いきなり「第四次元」などをもちだしたのは、かなり、おおげさだと思わないわけではないが、しかし、考えてみれば、セットだとか小道具は、要するに映画における「空間」を決定する重要な要素であり、わたしにはなにより「空間」について考えることが、「映画美術」をも包含することだと思ったからである。その上、残念なことに、わたしもまた人並みに、映画を見るとき、特に「映画美術」にたいして注意をそそいでいるというわけではない。それらは、やはり、「空間」として出現してくるものであって、それ以外ではないのである。

こういう話を聞いたことがないので、これはわたしの偏見というべきものかもしれないが、わたしは「テレビ・ドラマ＝喜劇論」という持論を抱いている。すくなくとも、現行のテレビ・ドラマについて見るかぎり、どうやら、大半のドラマは喜劇というにふさわしいものだ。ホーム・ドラマ、スリラー、悲劇、喜劇などの区分を問わず、そうとしかいいようがないようである。かくも見事に、多くのドラマを喜劇に転じさせてしまう魔力をふるうのが、ほかならぬセットであって、セットを夢々、無力なものなどと判断してはならないという一例になると思う。たとえば、愁嘆場で、ヒロインがおもわず戸のところにかけ寄って嗚咽しようとしたとたん、ガラスの入っているべき窓枠の間から腕をつき出したりすれば、嗚咽も何もあったものではない。またたとえば、得体の知れない男が扉を開けて侵入しようとしたとき、扉ががたんとはずれたりしたにもかかわらず、足音を忍ばせたりするのは滑稽というほかないものである。例は少なくない。しかし、ともかく、自然主義的演劇で熱演すればするほど、滑稽さの度合いも深まろうというものである。ドラマに現実性を加わえるべく用いられているセットが、思わない副作用を発揮して、その虚構性をかえって強調しているのであり、いささか、おおげさにいえば、テレビ・ドラマではブレヒトのいう異常化の効果を、心ならずも実践して見せているといってもよさそうである。

むろん、問題はセットの不備に帰着する些細なことがらにすぎない。しかしこの心外な事実は次のことを示している。演劇は約束が成り立つが、テレビ——いや映画でもセットは見かけの現実性という約束が不幸にして原則として成立しないことが多いというのがそれである。そのために迫真性をだそうとするのだが、徹底的に様式化されたばあいには、話はまた別である。もっとも、演劇について見ても、様式化がそのまま、「第三次元」の空間——例の「日常的」時間——の秩序を破るとはいえない。たとえば、ブレヒトが叙事的演劇を提唱したことに現実性があるのは、「第四次元」という観点に立ったからだったと思う。舞台の上の三次元空間を観客席をも含めた空間に解放することによって、観客の時間が、舞台・空間に統一され、幕開きとともに始まり、幕が閉じるとともに終わる舞台の上の絶対時間の流れを、観客の現実（＝空間意識）にまで延長し、要するに、ドラマを「第四次元の時空連続体」のなかで構成したということと同じといってもよさそうである。我流の表現をつかえば、かれの「異常化」というのは、三次元空間から「第四次元」への飛躍を意味しているのである。それが、形式の問題でなく、内容の問題でもあるのは、たとえば「ガリレオ・ガリレイ」(編1)に明らかである。

わたしは、「テレビ・ドラマ＝喜劇論」ということを述べ、セットは見かけの現実性という約束に反逆することが多いことを述べた。何故か。何故なら、セットが三次元の空間を設定し、演劇者が、そのなかで絶対時間のながれに従ってドラマを演じるというのは、現在では、きわめて非現実的というほかないからであって、これは、テレビにとどまらず、映画においてもまた同様の事情が成立する。そこを支配するのは、古典的な因果関係の成立するミクロコスモスであり、非現実的だといったのは、このミクロコスモスのもっている秩序がきわめて架空にちかいのと同義語なのである。

そのことで、わたしが想起するのは、アストリュック、ルイ・マル、ブレッソンら、最近のフランスの若い世代の監督の仕事についてである。アストリュックの提唱する「カメラ万年筆論」(編2)を中心にすえて、「映像は思想を表現できるか、できないか」という問題をめぐって、岡田晋、柾木恭介の間でいわゆる「映像論争」がおこなわれたが、わたしは、今、直接それに意見を加える余裕はない。ただ、次のようなことを思っただけである。たとえば、岡田晋氏の「モンタージュ論の時代は終った」(4)を見ると、こういう文章がある。「映像をもってしなければ、現代の複雑な現実と人間意識を、正しく映画的に、映画のみにそなわった力で結びつけることはできない。今日、あまりフィルムをつなげることばかり考えていると、映像の力は減退し、他の諸技術のバランスをこわしてしまう。だから、ぼくの論理の中に、映像を生かすような「モンタージュ」と「モンタージュ的思考」はあるけれど、それがフィルム

編1　Bertolt Brecht, *Leben des Galilei*, 1938–1939 (uraufführung: 1943). 日本では「ガリレオ・ガリレイの生涯」として一九五八年、千田是也訳、千田是也、下村正夫共同演出により青年劇場公演で俳優座にて初演。邦訳にベルトルト・ブレヒト「ガリレイの生涯」千田是也訳、『ブレヒト戯曲選集　第三巻』白水社、一九六二年、七一―一三二頁や、ベルトルト・ブレヒト『ガリレイの生涯』岩淵達治訳、岩波書店、一九七九年などがある。

編2　Alexandre Astruc, "Naissance d'une nouvelle avant-garde: la caméra-stylo," *L'Écran français*, no 144 (30 mars 1948).

4　岡田晋「モンタージュ論の時代は終った」『映画評論』第一六巻七号（一九五九年七月）、六七―七三頁

のつなぎ方を軸として展開しない以上、「モンタージュ理論」は影をひそめる。実際に一九二〇年代、三〇年代の作品と、『田舎司祭の日記』『道』『女の一生』『影』『灰とダイヤモンド』等を比較してみるとよい。これらの作品がぼくたちを打った要素の中には、ショットの連続による効果がほとんどなく、ショット自体であったことを改めて思い出すだろう」。

エイゼンシュテイン流のショットによるモンタージュの時代は終わり、ワン・ショット自体の持続的な内容を押しだすべき時代こそ現在だ、というのがその大意である。しかし、《田舎司祭の日記》《女の一生》《恋人たち》などを見たかぎり、なるほど、それらでは、ショットの連続ではなくショット自体が尊重されてはいたが、果たしてそれが変動する現在を、「第四次元」的観点からとらえようとすることの帰結であったかどうか、たいへん疑わしい。「映像をもってしなければ、現代の複雑な現実と人間意識を」映画的にとらえることはできない、とかれはいう。その意図するところは納得できないわけではない。しかし、わたしは、映像とことばを対置させて、映像をもってしなければ、というような言い方は、やはり、不正確のそしりをまぬかれないと考える。しかし、それはいま論じないことにしたい。ただ、映像といっても、「時空表現」の総合についてふれたとおり、古典的因果関係に従属したものもあれば、「第四次元」の観点に立とうとするものだってあるのである。そして、アストリュックとかルイ・マルについていえば、その映像は「第四次元」の観点に立ったため、ワン・ショット自体に意味を見出だそうとしているのではなく、むしろ、古典的困果関係の崩壊という事態に遭遇して、あくまで、対象の過程を三次元的空間内のできごととして把えようとすることの帰結だと思う。このばあいのロング・ショットというのは、その方法の反映というにふさわしい。

　しかし、問題を一般的なロング・ショットの可否に限定するのは形式的に過ぎるだろう。たとえば、エイゼンシュテイン自身「モンタージュは芸術家による周囲の諸事象の知覚を整理・定着することにすぎなかった（そしてまさにそれだけであった）。突如としてテレビジョンはこの全過程を知覚の瞬間に即刻前面にひきずり出し——二つの極を刺げき的なあり方で接合することになる」[5]と書いているのは、テレビのみならず、映画におけるワン・ショット内の対立を予測したことばといっていいからである。それに、岡田氏も、アストリュックらを「だが、これらはいずれも対象を人間存在に向けている点で、カメラは閉された空間の中に固定しがちだ」[6]と批判を下していないわけではない。しかし、より正確を期すならば、カメラを人間存在に向けているので、空間が閉ざされているのでなく、閉ざされた（三次元の）空間に限定することによって、心理的にならざるをえないというべきである。

　わたしは「第四次元」ということをいってきた。それは、空間が単に人間とか事物を入れる器でしかなく、それと別にのっぺりした時間の流れのあるという因果法則によっては、複雑な現実を解剖することができないという意味からであった。人間と環境の相互作用は、人間のみでなく、環境をも変えないではいないということが、クローズ＝アップされているのが現在の状況だからである。戦後は、この古典的因果関係の解体を徹底的に示しているといえるだろう。映画でいえば、これほど、セット（＝空間）の概念を変革させることはない。

5　セルゲイ・M・エイゼンシュテイン「技術の進歩と映画の理論（遺稿）」山田和夫訳『世界映画資料』第八号（一九五八年六月）、二五—二六頁

6　註4に同じ

セットについていえば、セット(=空間)と登場人物を同質化し、より高次の空間を構成し、また「日常的」な時間の概念を解体させるひとつの行き方という点に、わたしは、「シネ=ミュージカル」のもつ現在的な意義があると思う。ミュージカルスではないが、たとえば、わたしは木下恵介の《楢山節考》を思いだす。あの様式化された空間構成に、様式化の失敗を見たのは、かれが時間については、きわめて古典的であって、それと切りはなされた器としての空間のみを様式化したことに原因があったのだと思う。かれが、ラスト・シーンに写実的な現在の「姥捨」の風景を挿入したのは、時間についても「日常的」な連続感を否定し、いわば、「第四次元」的観点へ志向することのあらわれとも見えなくないが、全体として見れば「第三次元」に固執しすぎていたというべきだろう。問題はセットの様式化にのみあるのでなく、やはり、「時空表現」についての連続体という観点にまで還元されるのである。

わたしもまた、ロッセリーニの《戦火のかなた》をはじめとする戦後初期の「イタリアン・リアリズム」の作品、それにクレマンの《海の牙》とか《鉄路の闘い》など——つまり、ドキュメンタリー・タッチの映画に感動したひとりだが、それらに共通する因子は、同様、大戦後にあらわになった「第三次元」の空間概念の崩壊という戦後の現実の中に立ちながら、アストリュックのように、その混乱をあくまで「第三次元」の空間のなかで整合しようというような態度でなく、崩壊を崩壊のまま描きだそうというところに見出だすことができたと思う。偶然ということに意味があるのは、それが「第四次元」的現実への糸口となるばあいにおいてのみである。むろん、それが「第四次元」的観点への明確な志向を保証するものとは限らない。たとえば、ロッセリーニの後退は、かれが再び古典的な因果関係に固執し、そこでなんとか、すべてを整合しようとしたことの結果だからである。

ドキュメンタリーというのは、われわれが時間に従って行動するばあい、いかに微弱に見えても、人間を含めた全空間そのものが変動しないわけにゆかないという状況に能動的に立ち向かう方法のことではあるまいか。戦後にそれがひとつの潮流をなしたのは故ないことではない。したがって、それは必ずしもセット撮影にたいするドキュメンタリー・タッチという技術上の違いに帰着されるものではない。たとえば、ワイダの《地下水道》を見たとき、わたしは、あれはセットだろうかロケーションだろうかなどと考えないわけではなかったが、しかし、そんなことより、あの映画に見られる「第四次元」という観点に立ち向かいながら、現実を描こうとするはげしい意図に感動しないわけにはゆかなかった。延々とつづく地下水道は、「極限状況」といったものをつくりだすためにあるのではなかった。それは、時間と切りはなされた空間を設定するのではなく、あの汚臭のただよう地下水道の存在が、時間の「日常性」をねじ曲げ、より大きな社会的空間と歴史的時間とを連続化させるべき物質として存在していたように思われた。再度、アインシュタイン先生の名を拝借すれば、相対性理論には時空連続体はそのなかに存在する物質によって歪曲を受けるという命題がある。いってみれば、戦後のポーランドの時間空間を含めた現実の歪みのひとつの根元を、ワイダは地下水道という「物質」に見たのであろう。同じポーランドの《影》も、抵抗がいかに「日常的」因果関係によって律しえないものかを示している。

せんだって見た《掟》の監督ジュールズ・ダッシンは、いまだに、古典的な因果関係の崩壊ということに執拗に注目している作家である。しかし、ダッシンもいささかも整合しようとはしていないというべきである。たとえば、《宿命》は、古典的「因果関係」を逆用して、その自己崩壊を描いたという点で、かれの方法をもっとも特徴づける作品である。《掟》は、たとえば佐々木基一によると、「セミ・ドキュメンタリーというのは、なにもセミ・ドキュメンタリー・タッチで描かなければならぬということはないですね。これだってある意味ではセミ・ドキュメンタリーだ。ちょっとコミックに戯画化した。しかし、戯画化することだって、セミ・ドキュメンタリーと関連がないことはない。恐らく、このテーマはリアリズムで生真面目に描くことだってできる。だけど、これを生真面目に描いたのでは、あまり観客にうけないかも知れない。そこで逆にこういうふうに描けば、観客に暴力関係とか、そういうものを面白く訴えることができるかも知れない」[7]といういうぐあいに、もっぱら観客におもしろく見せるという見方で受けとられているが、わたしが、《掟》から受けたコミックな感じは、およそ、「日常的」な意味での時間の経緯が画面から抜きとられていることの奇妙さだった。ここでもまた、ダッシンは古典的な因果関係の整合ということを拒否しているのである。そして、時空を歪ませているのがほかならぬ「掟遊び」——そう、あの小道具でしかないブドウ酒のビンかもしれない。あのヴェイカント・シーンともいうべき広場の光景は、このビンの存在によって特異な時空となって形成されているのである。それは、ドラマを包含する器にすぎな

7 開高健、中平康、佐々木基一談「〈鼎談〉模索するダッシン——『掟』は何をえがいたか」『キネマ旬報』第二三八号(一九五九年八月上旬)、六八頁

いというものではなかった。

わたしはこう思う。映画に登場する事物は、ちょうど動物園のおりのように一方的に空間を限定するものだという考えは打破されねばならないだろう、と。なるほど、「映画美術」は「映画美術」だが、それはまた背景を超えるものでなければならないのだ、と。背景で満足するかぎり、映画もまた例の「テレビ・ドラマ＝喜劇論」の後を追うほかないのである。そして、すべてが喜劇化されるということに糾弾さるべき点があるのでなく、「第三次元」の空間と、のっぺりした時間に固執するということの生みだす、つじつまの合いすぎたミクロスコピックな視野を形成することこそ批判されるべきなのだと思う。人間と相互作用する「物質」として見ることが不可欠なのである。

もしも、孤立した空間を形成することを強制されるなら、「映画美術」がこぞって反逆して、登場人物を抹殺してしまうというような作品がでてもよさそうである。そのとき、時間概念もまた、がたがたと崩壊してしまうほかない。しかし、もはや、それはミュージカルスの領域だ。そして、その反逆は「第四次元」的観点で現実を見ないかぎり、成功はおぼつかないというべきである。

アニメーション映画の可能性

東映の長篇漫画映画《シンドバッドの冒険》を見た。「動画の理想は、くめどもつきぬ空想の泉をいっぱいふくらませたアイディアによる作品をどしどし製作して行くことですが、発足してまだ日も浅く、そこまで手がまわらないので、ここしばらくは興行的にも安定した童話ものが続くでしょう。しかし、ぜんじ意欲的な内容の作品を発表して行きたい。それと共に動画のヒーロー、ヒロインを育てて行くことです。日本人なら誰れもが愛着を持っている、カッパと子猫を主人公にしたシリーズ作品を定期的に出したい。錦ちゃんはどんどん成長して大人になるが、動画の主人公は年をとりませんからね」(1)。これは、東映動画スタジオ次長山本善次郎氏のことばである。《シンドバッドの冒険》も山本氏流のいいかたによるならば「興行的にも安定した童話もの」のひとつなのであろう。しかし、興行的のほうは知らないがそれはまた「漫画映画的にも安定した童話もの」であった。シンドバッドの敵である魔法つかいの大臣のみせるごくささやかな魔法、航海中迷いこんだ「魔の海」における幽霊船、あるいは空中を滑走する電気クラゲなどに、漫画映画ならではの見せ場がないでもなかったが、一言にしていえば、それは童話の「絵物語」であり過ぎたのである。

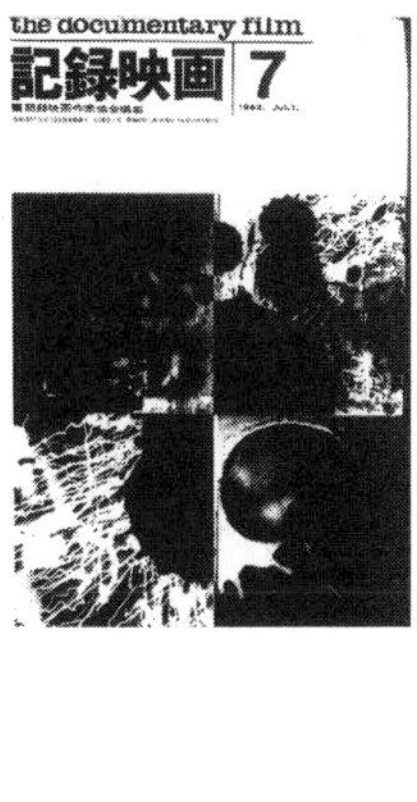

初出『記録映画』第五巻七号（一九六二年七月）、四－六頁。特集「アニメーション」に発表された文章。参考テキストとして、中原佑介「アニメーション・フィルムの美学」『SACジャーナル』第二一号（一九六一年一二月）を下段（二六四－二六七頁）に掲載した。

1　木津宏「これこそ『夢の工場』――東映動画スタジオのルポルタージュ」『世界映画資料』第六号（一九五八年四月）、五五頁

《白蛇伝》にしろ、《シンドバッドの冒険》にしろ、ディズニー・スタイルの漫画映画が意識されていることは改めていうまでもあるまい。ここで、ディズニー・スタイルといったのは、必ずしもかれの漫画映画の骨子となっている「ライヴ・アクション」という方法を指すだけではない。最近、映画界でも流行歌の世界で「リヴァイヴァル」というのが流行しているが、ウォルター・ディズニーは映画の世界でこの「リヴァイヴァル」ということに、もっともいち早く注目した人物ではなかったかとおもう。ベラ・バラージュは、『映画の理論』(編1)のなかで、周知のように、映画がその初期、演劇の単なる模倣でしかなかった段階から、映画が文学通り「活動写真」という独自性へ飛躍するきっかけになったこととして、それまでの演劇では重要な登場物となることのなかった動物と子供、それに大衆芸能であるサーカスとか寄席の芸人の映画界への出現ということをあげた。動物が主人公となる西部大活劇の「カウ・ボーイ映画」、追いつ追われつの「ドタバタ喜劇」の誕生が、ここに始まったわけである。ディズニーが戦後、長篇漫画映画の他に、一連の「自然の驚異」シリーズ、それに、動物とか子供を主人公にした劇映画をつくったのは、おそらく、この「カウ・ボーイ映画」とか「ドタバタ喜劇」の大ヒットをふり返ってみたからにちがいあるまい。もっとも、かれは「お父さんは、物語の中に、〝愛情〟が必要なのは認めるが、それは男女間の恋愛に限ることはない。ほかにもいろんな愛情がある。〝緑園の天使〟や〝バンビ〟には少年少女の動物に対する愛情がある。〝シェーン〟の場合のように少年が大人に寄せる崇拝の念もある。また〝機関車大追跡〟における主義に対する情熱もある。物語そのものに強烈な感情が盛られているならともかく、

編1　ベラ・バラージュ『映画の理論』佐々木基一訳、講談社、一九五九年
Béla Balázs, *Der Film: Wesen und Werden einer neuen Kunst*, Globus Verlag, 1949.

つくってまで映画に入れることはない。人間はいつも重苦しい恋愛を欲しがるとは限らない。〝海底二万哩〟の中に出てくる女といえばエスメラーダだけで、これも本当はおすのオットセイだったんだよ」というように、それをすべて愛情の問題――つまりあらゆるものを有機化して取りあげたのであった。それは一見ドキュメンタリー風に撮られている「自然の驚異」シリーズにあらわれる動物たちが、すべて人間をおもわせるように描かれていることによって、もっとも顕著であろう。長篇漫画映画もむろん、その例外ではない。[2]

ウォルト・ディズニーのアニメーションにおける「ライヴ・アクション」という方法は、かれのこういう人間社会に対する楽天主義のあらわれである。そういう点で、ディズニーの描く世界は、文字通り「夢の世界」というにふさわしいものだが、しかし、その「夢」をほかならぬ「現実」と同一視しようとするところに、かれの作品の単純さがある。ディズニー・スタイルの模倣は、戦後の各国の漫画映画作家にみられるが、スタイルの模倣は必然的に、この単純さをも引継がないわけにゆかない。その丸味をおびたいかにも実物に似せた線描きの世界は、アニメーションという「非現実」の世界を、できうる限り「現実」に近づけようとするものであり、結局のところ、人間世界の単なるアナロジー以上のものをみるわけにゆかないのである。《シンドバッドの冒険》が「漫画映画的に安定した童話」だといったのは、こういう意味からであった。ギャグよりもストーリーが、コミックよりも、合理的であろうとする精神が、そこには流れている。あるいは、教訓的であろうとしたせいかもしれない。しかし、動画の世界というのは、その結末よりも、過程をみせる映画だと

2　ダイアン・ディズニー・ミラー『ウォルト・ディズニー物語――すてきなパパ』小林聡訳、東京創元社、一九五七年、二三八頁

おもう。とりわけ、「興行的に安定した童話」の場合、それが漫画映画である条件は、その発端から結末へ向う途中の非現実的な経過ではあるまいか。ストーリーよりもディテールのほうが重要な要素となるのである。

チェコのカレル・ゼーマンは《悪魔の発明》で、銅版画をアニメイトするという方法を採った。もっとも、この作品には生身の人間も登場するが、その背景にも、人間衣服にも銅版画的な効果をもたせることによって、それが終始一貫、版画の世界であることを想像させようとした。ゼーマンはそれによって、そこで展開されるできごとがすべて「非現実」に属するものであることを強調しようとしたのであろう。ディズニーのような現実接近のゆきかたと正反対のゆきかたのひとつがここにみられる。仮空の世界を、そうあるべきだという理想を通じて「現実」に近づけてみせるのでなくゼーマンはすべてが別の想像の世界に属するものとして、客体化するのである。ディズニー、あるいは、ディズニー・スタイルと呼ばれるものが、現実に存在するものの変形を骨子にしているとすれば、ゼーマンは逆に、非存在のものに実在性をあたえるというイリュージョンを根底においているといえるだろう。あるいは、かれは、ディズニー・スタイルの漫画映画が、手描きを根底にしながら、可能な限り手描きのつみ重ねであることを意識させず、いわば、まったくメカニックにつくられたものであるかのように印象づけるようなゆきかたに対し、アニメーションが、「動かす」ということをその本質としていることを強調するために、銅版画に着目したのかもしれない。何故なら、一見、それはなんとも古風な、手仕事の世界であることをまざまざと感じさせるからである。

アニメーション・フィルムの美学

〈アニメーション・フィルム〉といえば、まず反射的に〈漫画映画〉をおもい浮かべるように習慣づけられるに至ったのは、いうまでもなく、アメリカ製漫画映画のせいである。そして、このアメリカ製漫画映画が、アメリカのドタバタ喜劇にふかい恩恵をこうむっていることも容易にうなづけることであろう。《マック・セネットに捧ぐ》というタイトルつきで、アメリカ・ドタバタ映画の初期、チャップリンが未だ山高帽子をもたず、キートンやロイドが白面の美青年のころの作品を何本かみたことがあるが、そこには、ウォルト・ディズニーのミッキー・マウスとかドナルド・ダック、フライシャー兄弟のポパイのプロト・タイプが充溢していた。アメリカのドタバタ喜劇の本質は〈追跡映画〉である。お人好しで善良で、しかも、少々間の抜けた主人公が、必ずといっていいくらい、ヘマをしたり、悪漢に狙われて、追いかけられる、ドタバタはその追いつ追われつの光景そのものにほかならない。

ドタバタ喜劇が次第に数すくなくなるとともに、漫画映画が盛んになり、しかも、ディズニーの採った〈ライヴ・アクション〉という方法が典型的に物語るように、描写を現実に近づけようとする傾向を次第につよめ、あげくの果ていわゆる絵物語映画に堕していったことも、この間の関係を象徴している。つまり、アメリカ製漫画映画の理念は、〈変形の美学〉ともいうべきものであり、漫画映画

もっとも、アニメーション映画は、こういう私企業あるいは国営の大資本によってのみつくられているわけではない。セルロイドの上に一枚一枚描くという方法によるアニメーション映画は、資本という点でも組織という点でも、ごく限られたものでしかない。しかし、こういう経済的制約によって、逆に反ディズニー・スタイルの動画が戦後つくられている。フィルムの上に直接描くという方法をとったカナダのマクラレンもそのひとりであり、あるいは、切抜き動画、実写と線描きとをミックスしたもの、描写をごく単純化して、ギクシャクした動きをみせるもの——それらは、いずれも、動画としては一見幼稚なものといえるかもしれないが、また逆に、動画のあたらしい可能性を見出しうる試みでもある。しかも、「ライヴ・アクション」を採用できないというまさにそのことによって、非存在のものを実在化させるということになる可能性をも含んでいるわけである。この種のアニメーションは、必然的に実験映画という形態をとらないわけにゆかない。「アニメーション三人の会」の久里洋二、真鍋博、柳原良平などの試みも、この一例である。そこでは「動き」をいかに現実的にみせるかということでなく、いかに「動かす」かということのほうが大きい問題になっている。もっとも、《シンデレラ姫》はたいへんなヒットを放ったにもかかわらず、《不思議の国のアリス》は完全に失敗した事実に対して、ディズニーは「アリスは知性にはアッピールするが、なまの感情にはアッピールしない文学の名作なんだよ。もうアリスのようなのはご免だ。お父さんも知的なユーモアにはついていけない。どうも、お父さんは感傷的だから、心を打たれる話でないとだめなんだね。観客はシンデレラには同情したんだが、アリスの方は

の登場人物たちは、例外なくドタバタ喜劇の登場人物が外観を〈変形〉されたものにほかならない。しかも、その〈変形の美学〉によって、ドタバタ喜劇では人間と同等、あるいは人間以上に重要な役割りを演ずる、イスだとか玉子とか、あるいはタルだとかベッドといった物質が、漫画映画では〈アニメート〉されて、かえって〈物質性〉をハクダツされてしまう。つまり、ドタバタ喜劇では、世間が〈物質〉と対等もしくは劣等の立場におかれるのにたいして、漫画映画ではおおむね、〈物質〉のほうが人間あるいは動物のように〈変形〉されるのである。それはメカニズムとオルガニズムのちがいといってても同じことである。

いや、要するに、こういうオルガニズム化によって〈アニメーション・フィルム〉のとり扱う世界が、まるで住みなれた部屋のなかのように閉鎖的で生ぬるいのをつまらなくなったとおもうというだけである。むろん、ぼくは、ここでメカニックということを、たとえば、フェルナン・レジェの《バレー・メカニック》、あるいはハンス・リヒターの《リズム》といった、いわゆる動く抽象絵画としての映画というような意味でつかっているわけではない。むしろ、アニメーションということばが、おおむね無機的なものを有機的なものに〈変形〉することのアンチ・テーゼとして想い浮かべているのである。たとえば、カナダのマックラレンのつくった作品——ぼくは、そこでかれがたとえば鳥というようなものに拘泥しすぎていることを好まないが——にみ

どうなったってかまわなかったんだよ。〃ピーター・パン〃もどちらかというと知的な物語だが、この映画化は成功だった。おかげで〃シンデレラ姫〃の稼ぎも合わせて、ふたたびスタジオはうまく滑り出したんだよ」(3)といったというが、当たっても当たらなくても、この種の、手仕事然としたアニメーション映画が知的ユーモアの表現になり易いことはいうまでもないだろう。

たとえば、「三人の会」のメンバーが、アニメーションといえば、漫画映画の専有物になっているが、アニメーションは必ずしも漫画映画でなければならないことはない。悲劇的なアニメーション映画があってもいい筈だ、といっていたのを聞いたことがあるが、むろん、アニメーション即漫画映画というのは、必ずしも成りたつ必要のないことである。しかし、そうなら、悲劇とか喜劇とかを超えた、ナンセンスな世界の表現を、意図しているのであろうか。「ライヴ・アクション」式に、アニメートされた世界を「現実」にちかづけるのは、その内容を、現状に従っている価値判断で割り切ろうとすることにほかなるまい。ディズニーのいう「愛情」というのは、それである。しかし、喜劇的アニメーションに替わって、悲劇的アニメーションが出現しても、その悲劇がごくあたりまえのものなら、結局、アニメーション即漫画映画のうら返しにほかならないだろうからである。

アニメーションは「動く絵画」であり、「絵画」を動かすところに始まったといわれている。現に、エミール・レイノー、ジョゼフ・A・F・プラトーは、絵を動かすことを試みてアニメーションの道をひらいたのであった。しかし、戦後の手仕事的アニメーションの特徴は、「絵画」を動かすということより、フィルムのなかで、

られる、無機的な感覚、あるいは物質的な想像力といったものをあげてもいい。メカニックというのは、アニメーションそのものの考えかたを指しているのである。つまり、〈変形の美学〉に対比していうならば、〈変質の美学〉ということばのほうが適切だろう。ドタバタ喜劇のドタバタ性というのは、一言にしていえば、この〈変質の美学〉ということではあるまいか。そこでは、人間が非人間的なものに、そして、イスとかタルが有機的なものに〈変形〉されるのでなく、日常的な感覚からとびだした異次元のものに〈変質〉されてしまうからである。

〈アニメーション三人の会〉の誰かが、アニメーション・フィルムといえば漫画映画というぐあいに考える習慣を破りたいという意味のことをいっていた記憶があるが、こういう意味でなら賛成である。ディズニー・プロは別として、現在、アニメーション・フィルムが必然的に〈実験映画〉たらざるを得ないのは、周知の事実であろう。その点だけをみればそれは、いくぶんか、美術や音楽と共通性をもっている。だとすれば、美術や音楽が〈パーソナリティの芸術〉の枠を破ったという点に、戦後の特徴があるのに対し、アニメーション・フィルムのほうが、〈パーソナリティの芸術〉に対応するオルガニズムを堅持するほかないというのは解せないといわねばならない。〈パーソナリティの芸術〉を超えたのは、物質的な想像力ということであり、それはまた自己をも含めた〈変質の美学〉を発見したということにほかならない。

はじめて実現しうる世界を目指しているようにみえる。アニメーション映画というより、アニメーションというひとつのジャンルをおもわせるものがある。こういう方向があらわれたのは、むろん、反ディズニー・スタイルということもあるが、映画がワイド化し、いよいよ機械化することに対して映画と直接的表現とを結びつけようとする意図のあらわれでもあろう。つまり、映画の個人表現化という面のあることも無視できないのである。そこには、近代美術のゆきづまりという意識のあることも、見落とせないかもしれない。そういえば、真鍋博がアニメーションというのは四畳半的なものだと書いていた(編2)のをよんだことがある。そこには、絵画も四畳半的だという考えのひそんでいることは明らかである。あるいはマクラレンが、絵画表現の過程を念頭においていたのも、そのあらわれである。

ここで与えられたのは「アニメーションの可能性」というテーマであった。しかし可能性というまえに、アニメーションの陥っている袋小路、つまり、ディズニー式の大企業的なものが、絵物語化し、常識的な世界に没入しようとしていることに対する反動を助長する必要があるだろう。アニメーションのもつ、超合理性ということだけが、アニメーションの独自性である。もっともこれは、手法の問題ではないかもしれない。切抜きであろうと、直接描いたものであろうと、そこでくりひろげられる世界を「現実」化しようとすれば同じことになりかねないからである。つまり、アニメーションの可能性といえば、その想像的世界の底に現実拒否ということがある場合ではないか。「夢」であろうと「幻影」であろうと、一向かまわないのである。それを「現状」に合わせて価値づけようとしない限りは。

ロバート・シェクレイはSFについて、「この分野は狂奔的ロマンスの冒険から諷刺や社会批判的手法や技術に至るまであらゆるものを抱擁し得るものであり事実そうなっている。動きのとれない一定の型というものが全然ないという事柄が、科学小説の最大長所の一つである」といった。まさにアニメーション・フィルムにあてはめていいことであろう。フランスのラブジャードという画家としてはあまりいただけない作家のつくったアニメーション・フィルムをみてたいへん興味を感じたことがあったが、かれは、切紙、写真、実写からフィンガー・ペインティングを総動員して、《愚かもの》なる一篇の作品をつくりあげていた。シェクレイのことばにつけ加えるならば、アニメーション・フィルムでは、動きのとれない一定の登場物もまたないのである。

3　註2に同じ、二二〇頁

編2　真鍋博「海の雪――マリーン・スノウ」『SAC：3人のアニメーション』(一九六〇年一一月)

色彩に重ねた作者の思想

《赤い砂漠》と色彩

われわれの生活と色彩

トーキーの出現は映画の歴史における革命的な出来事であったが、色彩映画の誕生はそれほどの大事件ではなかった。トーキーは、サイレント映画においてつくられた映画の文法を御破算にしてしまい、トーキーとしての映画文法の形成をあたらしく必要としたのに対し、黒白映画から色彩映画への移行は、映画における本質的な変化をもたらさなかった。——というのが、おおよその一般的なみかたのようである。たとえば、一観客としての私の経験をふり返ってみても、はじめて色彩映画を見たとき、その体験のあたらしさに眼を見張ったというような記憶はない。色彩映画がつくられるようになったという、映画の技術的な一面にいくらかの興味と関心をそそられたぐらいである。

しかし、このことは、そもそも黒白映画が不自然なものであって、色彩映画のほうが自然だからだということを意味するのだろうか。というのも、われわれは色彩のなかで生きているのであり、色彩というのはことさらそれを意識させないほどの、いわば常識だと一応考えられそうだからである。しかし、もしそうだとすれば、写

初出『キネマ旬報』第四〇一号（一九六五年一〇月下旬）、五五—五七頁。特集「『赤い砂漠』アントニオーニをどう理解すべきか」に発表された文章。

真にしろ映画にしろモノクロームのそれらを眼にするとき、われわれは絶えず多少の違和感を抱くことがあってもおかしくないが、そうでもない。この場合、それは慣れによるものだという説明がつかないでもないが、果たしてそれだけの理由によるものかどうか疑わしい。

私はむしろ、われわれが恒常的に色彩のなかにいるという事実によって、色彩をことさら意識しないという、眼の一種の免疫性によるように思う。屋外広告やポスター、あるいは交通標識における色彩の配慮は、この眼の免疫性に対する挑戦にほかならない。

いくぶんの誤解を招くことを承知の上でいえば、水中の魚が水を意識しない如く、われわれは色彩のなかを意識すること少なく泳いでいるといってもいいだろう。

強調としての映画色彩

「正確にいって色彩は存在しない、ただ色のついた物質があるだけだ」。

フランスのジャン・デュビュッフェという画家のことばである。

この画家は油絵具を捨てて、砂、小石、コールタール、泥、鉛白、石膏、ひも、ガラスの細片を用いて描いたことがある。

「私は小石とか古い壁などに見出す色を、リボンとか花の色よりもはるかに魅力あるものだと思う。……ひとつの作品を眺めても、そこにクローム・イエロー、プルシャン・ブリュー、ヴェール・ヴェロネーゼといった色より、砂、泥、屑ひも、樹脂など、その名前のはっきりいえる色を見出すのが好きだ」。

デュビュッフェは次のようにもいう。

「自然の物体が眼にあたえる感覚は、パレットのどんな色彩より、またどのような色彩の混合よりもずっと複雑だ。画家が今日まで利用してきた色彩の秩序ではなく、あらたに発見すべき秩序がある」。

パレットの上でこね合わされる絵具の色彩より、現実の物体の色は比較にならぬくらい複雑だ——この一見、自明とみえる認識は、しかし、デュビュッフェがこう明言するまで、ほとんど問題にされなかった。たとえば、美術史上名高い印象派の画家を想起すればいい。自然の微妙な光のうつろいまでを、精緻に、そして完璧に再現しようとした印象派の画家は、自然の光景の精妙さに悩まされはしたものの、しかし、パレットの上の色彩は、自然の具体的な物体の色におよばないということを、ついぞ意識したことはなかった。

かれらは絵具の万能を信じていたのである。ということは、印象派の画家は、絵具の色彩を通して、自然の色彩を見たということにほかならない。自然の光景を眼にするような印象派の絵があるのでなく、印象派の絵のような風景があるということである。

つまり、ここで論じているのは、われわれが自然とか外界の色彩に対する免疫性をもっており、逆にそうだからこそ、絵画というようなジャンルが成立しているということである。一九世紀以来、画家が色彩についてきわめて鋭敏になったのは、この免疫性に対処してという一面をもっている。

私は先に、黒白映画が不自然であり、色彩映画は自然だろうかと書いたが、今いったことを押しひろげれば、それらに区別するところはないという他ない。色彩映画は自然でもなんでもない。デュビュッフェのように、コールタールや泥や石ころの具体色を愛し、そういった実際の物体を用いるというならともかく、映画の色彩はすべて自然ならざる、ある種の強調である。

心理化された人工色彩

ミケランジェロ・アントニオーニの新作《赤い砂漠》について書くのに、デュビュッフェを持ちだしたりしたのは、話のゆきがかり上だけでなく、もうひとつの理由もあった。というのは、この画家は三回にわたってアフリカに旅行し、アフリカの砂漠の地質と土壌にはげしく魅せられ、ついには《物質と土壌――心的風景》、《輝く土壌》といった一連の砂漠シリーズともいうべき作品を描いているからである。

絵画と映画を比較するのは、多少の無理があるとしても、アントニオーニの《赤い砂漠》と、デュビュッフェのたとえば《地質と土壌》との間には、完全といっていいほどの逆のゆきかたがある。

デュビュッフェにとって砂漠とは人間と自然の混合した具体的な状態であるのに対し、アントニオーニの砂漠は地質も土壌ももたないひとつの観念だからである。

「赤い砂漠」の赤という形容詞も、まったく心理化された色彩としてであり、この映画ではあらゆる色彩が完全に人工的なものといえるだろう。

物質に翻訳された観念

この映画は、アントニオーニのてがけた最初の色彩映画という。はじめ、ラベンナで実際にロケしたといわれる工場があらわれ、そこへ夫をたずねてきたモニカ・ヴィッティ扮するところのジュリアーナと子供が、工場の裏地とおもわれるところへ行って、荒れ果てた土地、捨てられた廃物をじっと眺めるシーンあたりを見たときは、一瞬、アントニオーニは色彩でなく、デュビュッフェふうのいいかたをすれば「色のついた物質」に注目し、そこで物質化された精神を、つまり、観念でなく物質に翻訳された観念のありさまを強調しているかに見えた。

じっさい、私はあの灰色っぽい砂と廃物の映しだされたシーンを、この映画のなかできわだってうつくしいものとして挙げたいと思う。色彩によって「説明」するのでなく、「色のついた」具体的な物体がさまざまのことを語るという事実。

しかし、アントニオーニの色彩は、次第に物体より技巧的に抽出された色彩によって語るという方向をはっきり示すようになる。それが、この映画における色彩の強調の性格である。じっさい、そういう点で、アントニオーニが《赤い砂漠》で駆使している色彩の心理的効果は、きわめて鋭敏であり、また繊細という他ないほどのものである。

たとえば、子供のバレリオが突然、足が立たなくなるというシーンがある。そのバレリオの部屋に備えつけになっている黒板に落書きのようなものを描きながら、ジュリアーナの語る場面がでてくるが、そのチョークの色が紫であり、それから黄であるというあたり、アントニオーニの繊細な計算を、少々オーバーに感じさせるほどである。話を戻せば、ジュリアーナがあたらしく店をもちたいという古いアパートの一階の一室の白壁に、何色かの塗料を塗って、どの色にしようかなどというあたり、心理的表現としての色彩ということがはっきりと感じられてくる。

物体の質感というのは次第に薄らぎ、蒸溜化された色彩だけが前面に押しだされるのである。ラベンナの町、工場、港、アパート、そのいずれもが、計算された絵画のような構図をもってスクリーンに登場する。

「色彩映画の危険の一つは、あまりに絵画的効果をねらって、個々のショットを静的に構成しようとすることである」とはベラ・バラージュのことばだが、(編1) アントニオーニの作品の「個々のショットの静的な構成」は、単にピトレスクなものでなく、心理的なそれだ。ジュリアーナが夫の友人のコラドと情事のあと、部屋全体が冷い大理石の彫刻をおもわせるように、急に白っぽい色調ひとつでおおわれた動きのないシーンが挿入されているのも、こういう特徴を典型的に物語っている。このシーンは、この映画におけるひとつのカタストロフともいうべき場面であり、アントニオーニお得意の「愛のディスコミュニケーション」という考えの見せ場ともいえるところである。

編1　ベラ・バラージュ『映画の理論』佐々木基一訳、講談社、一九五九年
Béla Balázs, *Der Film: Wesen und Werden einer neuen Kunst*, Globus Verlag, 1949.

アントニオーニの関心

《情事》以来、アントニオーニはイメージのもつ心理的効果を重視している作家であろう。それは心理的イメージというのでなく、あるシーンがピトレスクなもの以上のもの、観客の心理的な世界に反応をひきおこすものとして存在するように計算しているということである。したがって、かれがその色彩映画においても、色彩のもつ心理効果を計算して用いているということは、当然であれこそふしぎでないともいえる。しかし、この《赤い砂漠》を見て、私は逆にアントニオーニがイメージのもつ心理的効果をどれほど重視しているかを、まざまざと感じたといったほうが事実に近い。

デュビュッフェが現実の物体のもつ生まの色に着目したのに対し、アントニオーニが純化された色彩に意を注いでいるということ、これはまた、単に趣味趣好の問題でなく、もうひとつの事実にも帰因する。というのは、デュビュッフェの思想をなしているのは、反文明といっていい考えであり、この画家は現代美術があまりにも文明化され、洗練され過ぎていることを非難し、文明化されざる芸術の創造を主張してきた。パレットの色より、存在する物体の色をという見解は、それにもとづいている。デュビュッフェがサハラ砂漠にとりつかれたのも、その点においてであった。

それに対し、アントニオーニが「赤い砂漠」に見ているのは、現代文明のもっとも奥深いところにある人間関係である。つまり、アントニオーニにとっての関心事は人間であり、人間の内面ということに他ならない。砂漠は荒涼とした外観と地質をもって、外から人間を呑み込んでしまうものとしてでなく、内面に発し、それを徐々に砂と化してゆくものとしてみられている。《赤い砂漠》には、ほんとうの砂漠はでてこない。というより、ジュリアーナの物語る無人島でただひとり泳ぐ孤独な少女のシーンを除けば、この映画には砂らしい砂もでてこない。工場、アパート、石だたみのある古い町、港――つまりはすべてが文明化された人工的環境であり、土壌と地質を忘却してしまった、つくられた自然ばかりである。「きわめて具体的なものに狂的なものがまざり合い、なんともとらえどころのない数多くのフォルム」（デュビュッフェ）のみられる土と砂は、もうどこにもみられない。したがって、アントニオーニのつくりだした色彩は、こういう人工的環境のつくりだし得る色彩ともいえるのである。

いいかえれば、この人工的環境の色彩が既にアントニオーニと無関係に心理的であるともいえるということに他ならない。工場の外におかれたおびただしいドラム罐の堆積。それらが、赤と黄の原色に塗られている光景は、アントニオーニの色ともいえるし、文明のうみだした色彩でもある。また、ラスト・シーンで工場の煙突からもくもくと吐きだされる黄色い煙は、ジュリアーナの心の「赤い砂漠」と対応した荒涼たる光景だが、しかし、われわれが工場地帯でじっさいに見ることのできる煙でもあるだろう。

そして、アントニオーニがとりわけそうした色に敏感だと映るのは、じっさい、かれが人工的環境のそれらの色に、かれの思想を重ね合わせて、抽出して眺めているからだ。しかし、はじめにも書いたように、われわれは人工的環境を含めて外界の色彩に対する免疫性にとりつかれている。そして、たとえば、この映画を通して、それら人工の世界の色を見るということが起こるのである。

ひとつの映画を色彩だけから論じるのは、もちろん一面的であろう。しかし、画家においてそうであるように、映画作家においても、その色彩は思想とまったく無関係というわけでもない。アントニオーニは、工場の、町の、港の、アパートの色彩に注目し、その無機的で中性的な世界を映しだしている。そこには、単に愛のディスコミのみならず、都市と人間の関係がはからずも示されている。この色彩豊かな環境は、限りなく冷ややかである。

時間の拡張と映像の凋落

1

ごく普通に考えて、映画はふたつの時間をもっている。ひとつは上映時間という実際の時間である。上映時間とは、いってみればプロジェクターの回転している時間であり、それはわれわれの生活と同じ時間の流れに属している。それにたいし、スクリーン上で展開する映像の支配される時間は、いわば映画固有の時間であって、われわれの生活の時間と同一のものではない。

このことは自明といってもいいだろう。しかし、映画は「時間芸術」といわれることが普通であるけれども、その場合の「時間」とは、実際の時間の流れを指すものか、それとも映画固有の時間の流れを指すものかは、あまりはっきりしない。映画は、現実の時間の流れにしたがってくりひろげられる映像の運動によって成り立つので「時間芸術」なのか、それとも、映像の運動が固有の時間をつくりだすから「時間芸術」なのかは判然としないのである。たとえば、ベラ・バラージュの『映画の理論』[1]を読むと、こういうような文章に出くわす。「映写によってはじめてフィルムの流れの中にあらわれてくるあの効果は、一体何だろう？　映画が再現するので

初出『季刊フィルム』第二号（一九六九年二月）、一三二—一三九頁。特集「エクスパンデッド・シネマ」に発表された文章。のちに『見ることの神話』（フィルムアート社、一九七二年）に再録された。

1　ベラ・バラージュ『映画の理論』佐々木基一訳、学藝書林、一九七〇年、三九頁（原書は一九四九年刊）

はなく、創り出すあの何か、そしてその結果映画が自立的な、本質的に新しい芸術形式になったあの何かは、一体どこにひそんでいるのだろうか？」〔傍点原文のまま〕

「フィルムの流れの中にあらわれる」――これこそまさに映画における時間の問題だと思って読むと、バラージュはさらりと身をかわし、この「何か」は「距離の変化、細部のショット、クローズ・アップ（大写し）、変化する視点、編集。それから、もっとも重要なもの――映画が上述の技術的手段をもって達成する新しい心理的効果、すなわち同一化の作用」であると逃げるのである。

われわれが映画というとき思い浮かべるのは、映画館のミニマル・アートめいた白いスクリーンでもなければ、フィルムそのものでもない。ある時間の流れと結びついた映像というものである。しかし、この時間は単に「動く写真」といった意味でのそれではない。というのも、「動く写真」というときの「動き」は、現実の時間に対応したフィルムの運動でしかないからだ。映画における運動は、あくまでその映画固有の時計のもとで展開する。われわれは五分間のできごとを、二時間の上映時間で見ることもあれば、三〇年間の物語を一時間半で見ることもある。ハンス・リヒターではないが、もし、映画を「金で買える夢」というなら、この「夢」は映画のもつ固有の時間に根ざしている。映画はその上映時間でなく、固有の時間が商品化できるということで、資本主義に適合し、発達することができたのである。

絵画はイメージであると同時に一個の物体でもあるが、映画はイメージでありながら絵画と同じような意味では物体とはいえないということが、しばしばいわれる。この言い方は、きわめて神秘的に聞こえるが、これはフィルムそのものは無意味であり、運動がなければ映画としてのイメージとなりえないという事実を物語るだけである。というのも、絵画の空間に対応するのは、映画の場合、映像のもつ空間性ではなく、映画の固有の時間だからだ。観客のひとりもいない美術館がナンセンスとは見えず、観客のひとりもいない映画館での上映がナンセンスに見えるのも、ここに起因するだろう。「見る」ことを通して意識を集中するということでは、絵画も映画も変わりないように見える。しかし、映画を「見る」とは空間的なものでなく、われわれが生活の時間、あるいは現実の時間から映画固有の時間へ移行するということである。

もし、絵画をこの現実に挿入された虚構的な固有の空間とするなら、映画は同じ現実に挿入された虚構的な固有の時間にほかならない。「ある日メリエスは、オペラ座広場にカメラをすえ、レンズの前で起こることを全部フィルムにおさめた。その間、撮影機が二秒ほど故障していたのだが、メリエスがそれに気づいたのは、フィルムを映写してみたときであった。撮影機が故障するまえに、スクリーンの右手から一台の乗合馬車が登場したのだが、カメラはこの中断の後、同じ方向に進む霊柩馬車を映していたのである。映写してみると、乗合馬車がとつぜん霊柩馬車に変貌した」。ジョルジュ・メリエスが映画のもつ夢の世界としての能力を発見したのは、こうしたエピソードからだった、とアド・キルーは『映画とシュルレアリスム』で述べている。(2)

このエピソードは、映画というものをきわめてよく物語っているように思われる。それは、物体の突然の変貌すら、映画では空間的でなく時間的事件としてしか起こ

2 アド・キルー『映画とシュルレアリスム』上巻、飯島耕一訳、美術出版社、一九六八年、九九頁
Ado Kyrou, *Le Surréalisme au cinéma*, Édition Arcanes, 1953.

らないという事実である。乗合馬車から霊柩馬車への変貌は、現実の時間の流れのなかでは起こりようがないが、映画固有の時間の流れのなかでは「真実」として出現するのである。

サイレント時代のドタバタ喜劇が文句なしにおもしろいのは、それがこの映画固有の時間にもっとも忠実であり、それに徹底することによって、「現実ばなれ」ではなく、「現実の時間ばなれ」を実現するからだ。そこでは登場人物のアクションが、われわれの生活とは異質の時間にしたがわされている。俳優が物体と同じ一個のものでしかないのも、かれが実際の時間ではなく、虚構の時間に支配され、それにしたがって運動させられるからである。最近、テレビでバスター・キートンの《カナダ旅行》というのを見たが、例のキートンのにこりともしない表情を別としても、トロッコに乗ってたった一時間ばかりの間に、カナダの大西洋岸から太平洋岸まで横断するという発想が、まさに映画的であった。注目すべきは、この時間の伸縮自在性である。パリのセーヌ河にとびこみ、あっというまにカナダの沿岸に泳ぎつく――これがドタバタ喜劇の時間というものだと思う。映画の荒唐無稽さとは、つまり、この固有の時間の荒唐無稽さに基づいている。映画を見るとは、時間のこの荒唐無稽さを見ることにほかなるまい。

したがって、映画が他のジャンルに比して独自である根源も、またその限界も、映画が固有の時間をもっているという、この事実に根ざしている。それは、対比的にいえば、絵画の独自性もその限界も、絵画が固有の空間をもつという事実によるのと、事情は似ていよう。そして、ルネサンス以降確立された、絵画の空間としての固有性が、今世紀になって既製品という現実の物体の導入によって崩されたと同様、映画もその固有の時間の発見を経て、再び現実の時間との関連性を自覚しだしたとき、内部から変化しはじめたのである。

映画における「記録性」の問題は、映画の機能として要請されたともいえるが、しかし、この記録性の問題はドキュメンタリー精神とかドキュメンタリー・タッチ、あるいはまた視点の問題でなく、本質的には映画の時間にたいする態度に結びつくものだったように思われる。それは、映画固有の時間をどこまで現実の時間感覚に引き寄せるかという「時間性」の問題に存在しているのである。最近、映画の枠内で、この記録性の問題を時間という観点からもっとも強く意識しているのは、たとえば、ジャン＝リュック・ゴダールであろう。そしてさかのぼれば、たとえば「キノグラース（映画眼）」のジガ・ヴェルトフなどにも、その萌芽を見ることができるように思う。ヴェルトフの《カメラを持った男》（一九二九年、別名「これがロシアだ」）は、単にモスクワの夜明けから夜までをフィクション抜きに撮ったために記録的というのではなく、それを撮るカメラマンを撮る（むろん作為である）という手続きによって、映画固有の時間と現実の時間とのあいだに通路をつくりだそうとしたことで、記録性をもたらしたのであった。ヴェルトフのこのやり方は、演劇におけるブレヒトの異化効果にも似ている。こうした手続きは、映画固有の時間そのものを客観化させることであり、そのさい、われわれは現実の時間に引き戻されるのを感じるのである。

絵画に現実のさまざまな既製品を導入するのとちがって、映画の場合、映画に現実の時間を導入するということはありえない。時間は「物体」ではないからだ。可能なのは、映画を現実の時間に関連づけるということでしかないだろう。ゴダールがえんえんとインタヴューのシーンを挿入したり、また《ウイークエンド》で見られたような、三〇〇メートルに及ぶ移動撮影で、えんえんと自動車のつらなる道路を撮ったりするのは、映画の時間も現実の時間へ立ち帰らせようとするあらわれと見ることができる。インタヴューにしても、外から声が入ったりするのも、同じ構造である。ワン・シーン＝ワン・カットというのは映画技法の問題でなく、映画そのものへの態度の問題にほかなるまい。そこで感じられるのは、テレビの生中継番組に似た一種の同時性の感覚である。むろん、映画はテレビとちがって、真の意味での同時性はありえない。同時性の感覚とは、映画固有の時間と現実の時間とが重なったように感じられるということだ。そのとき、われわれは映画を覗き穴から眺めているというよりは、現場に立ち会っているという印象をつよめるのである。

2

映画におけるモンタージュの発見は、事件のもつ空間的な性格を、いかにして時間の序列として転換させるかという方法意識に根ざした。したがって、モンタージュによって、映画は空間的想像力を拡大したのである。このことは、前に引用した、たった二秒間、現実の時間の流れを切断することによって、物体が変貌する現象を生みだしたメリエスの故事が既に物語っている。メリエスは、つまり無意識に、あるいは偶然によってモンタージュをおこなったのと同じだからだ。あるいはまた、たとえばエイゼンシュテインの《戦艦ポチョムキン》がよく示している。有名なオデッサの石段のシーンは、そのモンタージュによってわれわれの空間的な想像力を刺激し、スクリーン上に映っている以上のシーンの全貌を知らせようとしたのである。

　モンタージュとは、いいかえれば映画が固有の時間をもっていることとの方法化にほかならなかった。そして、モンタージュの発見によって、映画はイメージの空間的ひろがりに向かったのである。それと対比的にいうなら、ゴダールのようなワン・シーン＝ワン・カットは、われわれにいわば時間的な想像力というべきものの拡張を要求しているように思う。《ウイークエンド》の自動車のつらなるシーンは、そこに見られる以上の空間的な想像力を要求しない。何故なら、それは空間を細分化してはいないからだ。それはまた、現実のできごとが、時間的つじつまを合わせて一挙にわれわれの眼前で展開されないのと同様である。その時間的意味づけは、見る人間のほうにゆだねられるのである。

　現実の時間と固有の時間という映画のもつこの時間性の二重構造にたいし、型破りな方法で挑戦したのがアンディ・ウォーホルであった。「この映画は、眼に見える動きが最小限であるような行為の始めから終わりまでを完全に示している。映画の長さは、作者が時間という要素に没頭していることを明らかにするため、いくぶん引き伸ばされている。というのも、たぶん時間が、映画というメディウムを他の諸芸術と区別するもっとも重要な制約だからである。そして、もしもほとんどの映画では、長時間にわたる行為もスクリーン上ではるかに短時間であるように、できごとが短縮されるのがしばしばだとすれば、ウォーホルの映画では、〔行為の〕実際性から〔映画の〕メディウムとしてのリアリティへ移しかえるため、しばしば引き伸ばされている」。ウォーホルの映画《ブロージョブ》（一九六三―六四年）に触れて、グレゴリー・バトコックはこう述べている。[3] これは、ひとりの青年の顔のクロース＝アップだけの三五分の映画である。ウォーホルの有名な《眠り《スリープ》》（一九六三―六四年）とか《食べる《イート》》（一九六三年）、《キス》（一九六三年）あるいは《エンパイア》（一九六四年）などは、カメラを長時間据えっぱなしにし、そのまま上映したものといわれるが、それが行為とか対象の持続時間と厳密に同じ長さなのか、あるいはいくぶんより長く引き伸ばされているのか確かめようはない。しかし、ここに見られるのは、上映時間と映画固有の時間の差異の撤廃ということである。眠っている男をえんえんと見つづけることは、じつは馬鹿げたことであろう。しかし、それは「見る」ことの無意味さをつきつけているわけではない。金で買える夢としての映画の固有の時間にしたがって「見る」ことの無意味さを示しているのである。つまり、ここで裸にされているのは、映画固有の時間と現実の時間という二重構造なのだ。ウォーホルが追いだしたのは、映画の虚構性でなく、映画のもつ時間の虚構性である。

映画から虚構の時間を追いだすということは、バトコックのいうように、「時間という要素」をきわだたせること、あるいは「時間という要素」への専心を物語ることであろうか。むしろ、そうではなく、時間的経過への無関心を通して、現実の時間に一元化しようとするあらわれであると思う。いいかえれば、ウォーホルの映画は、現在の持続として出現しているのである。

3　Gregory Battcock, "Humanism and reality: Thek and Warhol," *The new art: a critical anthology*, Gregory Battcock ed., E. P. Dutton, 1966, p. 240.

私はここで、宮井陸郎の《時代精神の現象学》(一九六七年)を想起する。これは二本の同じフィルムをすこし時間をずらして、二台のプロジェクターによって上映するというものだが、この時間のずれによって、スクリーン上の映画の固有の時間は瓦解してしまう。どちらか一方を基準にして、もう一方を見るということは意味をなさない。何故なら、両方とも同じフィルムであるからだ。ここでも、われわれの時間感覚は現実のそれでしかありようがないのである。

3

『アメリカのアンダーグラウンド・フィルム入門』という本のなかで、著者のシェルドン・レナンは「エクスパンデッド・シネマ」について、次のように書いている。「映画の形式はどんどん増えつつある。光を生みだしたり、コントロールするあらゆるあたらしい方法は、映画のあたらしい形式となりうるのである。／金属、フィルム、磁気テープ、ブラウン管、人間のからだ、プラスチック、ガラス、コンピューター、これらは映画の素材、つまり二次的素材だ。そうしたものは、映画の基本的な素材である光と時間をとりあつかう手段を提供するのである。／過去・現在・未来にわたって、すべての映画の形式を結びつけるのは、光と時間だけである」[4]。

エクスパンデッド・シネマ(Expanded Cinema)は、電子テクノロジーの時代にふさわしい拡張された新形式の映画なのか、それとも、映画を出発点としながらそれからはみだしてしまったあたらしいなにものかなのか。こういう問いをだすとし

4 Sheldon Renan, *An introduction to the American underground film*, E. P. Dutton, 1967, p. 252. シェルドン・レナン『アンダーグラウンド映画』波多野哲朗訳、三一書房、一九六九年、三三二頁[引用は中原の訳による]

たら、レナンの立場は前者といえそうだ。どのような形式であれ、「光と時間」を基本的素材とするものはすべて「映画」だと見るからである。したがって、レナンのいうエクスパンデッド・シネマはたいへん範囲がひろい。たとえば、マルチプル・プロジェクションから、映画とダンス、映画と演劇を結合させたもの、テレビを用いたさまざまな作品、コンピューター・フィルム、ライト・アート、色彩楽器、ライト・ショー、キネティック・アートなどのいっさいが、そのなかに包含されている。こういう見方は、レナンの次のようなことばと対応する。「エクスパンデッド・シネマは、映画製作上の特殊なスタイルの名称ではない。それは、多くのさまざまな方向を目指す探求精神にあたえられた名称なのだ。それは、ある作品を多くの異なったプロジェクターで映すように拡張された映画である。それはまた、コンピューターでつくられたイメージとか、テレビにおけるイメージの電子的操作などを包含できるように拡張された映画である。あるいはまた、フィルムをまったく使わないでフィルムの効果を生みだすところにまで拡張された映画である。／それは、前衛映画、実験映画、アンダーグラウンド・フィルムなどより、ずっと見せもの的であり、はるかにテクノロジカルであり、形式的に拡散したものである。しかも、より非個性的なものだ」(5)。

レナンのように、「光と時間」を基本的素材とするものすべてを映画だと見る見方に、別に異論をたてるつもりはない。しかし、この論法でゆくなら、テレビそのものも映画の一種であり、電光掲示板も映画の一種といってさしつかえないことになる。むろん、そういってもかまわないけれども、そこまで一般化すると、ことさ

5 註4に同じ。原書二二七頁、訳書二八六頁［引用は中原の訳による］

ら「映画」という名称にこだわる必要もなくなるだろう。私は、ここで名称を問題にしようというのではない。レナンのように「光と時間」を映画の基本的素材としてもかまわないのだが、問題は素材としての「光と時間」にあるのでなく、「光と時間」にたいする考え方の変化に求めなければなるまいと思うのである。

「拡張された映画」ということばが、もっとも素朴に受け入れられるのは、マルチプル・プロジェクションであろう。マルチプル・プロジェクションといっても、ひとつのスクリーンに映写される場合もあれば、マルチプル・スクリーンに投影される場合もある。しかし、ともあれ、撮影と映写というプロセスに本質的変化は見られない。マルチプル・プロジェクションは、モントリオールの万博で、ほとんどあたらしいディスプレイとして、そのスタイルの斬新さがクロース＝アップされたが、歴史をさかのぼれば、一九二五年、アベル・ガンスがかれの作品《ナポレオン》を、三つのプロジェクターを用いて三つのスクリーンに投影したのが最初だといわれている。ガンスはのちに、こうした方法を「ポリヴィジョン」と呼んだ。

私はガンスの「ポリヴィジョン」については知らない。しかし、現在みられるマルチプル・プロジェクションとは、要するに映写技術上の問題でしかないのだろうか。もしそうだとするなら、そこには映画としてとりたてて論ずべき問題はないことになる。私は、マルチプル・プロジェクションの提出しているのは、これまで述べてきた映画における「時間性」とかかわっていると思う。

テレビの出現以来、映画は有形無形のさまざまな影響を蒙ってきた。しかし、テレビという媒体が映画におよぼしたもっとも大きな力は、映画のもつこの固有の時間性をまざまざと認識させた点にある。もし「光と時間」ということでいえば、映画もテレビも大同小異である。こういう言い方よりは、映画はスクリーン上のイメージを見るのだが、テレビでは視聴者がスクリーンなのだというマクルーハンの指摘のほうが、まだしも事実に近い。しかし、決定的なちがいは、映画は上映時間（つまり現実の時間）と固有の時間という二重構造をもつのにたいし、テレビは放映時間という現実の時間しかもたないということである。

もし、エクスパンデッド・シネマという名称に意味があるなら、映画のもつこうした固有の時間性にかかわるものでなければなるまい。たとえば、ワイド・スクリーンは、たしかにスクリーンを空間的にエクスパンドしたが、しかし、それが時間という問題に全然無関係なら、やはりこれまでの映画にとどまるというほかないのと同断である。ウォーホルの示した上映時間と映画固有の時間の差異の撤廃に見られるのは、映画固有の時間への根本的な批判である。そして、それにかわって、映画にたいしても現実の時間の優位性が主張されていることになる。映画が現実の時間という一元的な立場によって、われわれと関連づけられるとき、映画は時間の固有性を失った映像に還元されざるをえない。ということは、それが外部空間そのものに変質してしまうことを意味している。レナンが映画を「光と時間」とに一般化するのは、こういう背景がなければ意味をなさない。もし、映画が映像に還元されてしまえば、たとえば、ライト・アートと共通性をもつのも当然といえよう。エクスパンデッド・シネマは、こうして、映画の固有の時間を没落させることによって、はじめて出現するのである。つまり、エクスパンドしたのは、固有の時間から現実の時間へという時間の次元においてであり、映画そのものというわけではない。

インターメディアあるいはミックスド・メディアは、しばしば情報の多元化を反映するものと見られがちである。しかし、むしろ逆であって、現実が多様であり異質性に富んでいるにもかかわらず、情報として一元化されつつある現代の状況に根ざしている。したがって、インターメディアが情報として単一化を目指すならば、それは要するに一媒体というにすぎない。インターメディアを成立させているのは、メディアという概念ではなく、じつは現実の時間の流れという眼に見えないものにほかならない。しかも、この現実の時間は、たとえば映画が固有の時間をもっていたように、疑似的に実体化されることがないために、いわばたえまのない現在の持続という意識となって自覚されるほかはない。したがって、レナンのいう「光と時間」の「時間」も、現在というところに力点のおかれたそれなのだ。

エクスパンデッド・シネマが、インターメディアと結びつき、あるいは環境という概念と結びつけられるのは、この時間観の根本的な変化に根ざしている。そこでは、映画のモンタージュに見られたような、事件の空間的性格が時間の序列に転換されることはない。映像の空間的性格は、空間的性格にとどまるしかないのである。

4

現代を活字メディアから電子メディア、機械的テクノロジーからエレクトロニクス・テクノロジーへの変貌と規定したマーシャル・マクルーハンは、それに応じて視覚優位の人間から全感覚的な人間への変貌を説いた。しかし、マクルーハンのこの指摘は、視覚優位から触覚優位への変遷というように一面化されて喧伝されたのであった。好意的に見れば、マクルーハンへの誤解ともいえるが、しかし、かれ自身、触覚の強調をしなかったわけでもない。

この触覚優位という主張は、芸術において視覚中心的なものから、直接、触れたりさわったりする動向への変化というように短絡され、それが芸術における「環境」という概念と結びつけられたように思う。「環境」という概念の本質は、われわれが現実の時間を奪回するということである。しかし、ハプニングをはじめとする各種パフォーマンスの強調は、肉体の動きによってこの時間をとり戻そうという意図のあらわれにほかならないだろう。エクスパンデッド・シネマは、映像によって固有の時間をあたらしいやり方でつくりだすのでなく、映像を現実の時間にしたがわせようとする現象といえる。

みずから《4つのプロジェクションのためのエンヴァイラメントA》を試みた粟津潔は、それについて「光像の鉱脈」[6]という文章で、こう書いている。「映像という言葉をできるだけ、使用しないで、光像という言葉を使用している点を注意していただきたい。映像には言語と共通する、アナロゴンの部分が多い。だが光像とは、物質であり、その物質が、現実という世界の暗部の物質を照らしだして行くのである。存在するものと、非在性の間には、ネガティヴィティとポジティヴィティがたくみに交差している部分がある。／〈4つのプロジェクションのためのエンヴァイラメントA〉は、そうした試みであったと言えるだろう。たちまち消え去って行

6　粟津潔「光像の鉱脈」『季刊フィルム』第一号（一九六八年一〇月）一五一―一五四頁

く静止した光像の〈からくり〉は、たゆみなく無言で続き、くり返され、回帰する。マクルーハンによらずとも、〈身体に拡がっているといった精神〉は、空間・場・奥行・色彩・形・線・動勢・影の輪郭などの中心に〈隙間〉に侵入することによって、精神に向かい合うのである。／映画のように、観客と作者が向かい合うのではなく、とじ込められた空間のなかで、ひとりひとりの人間が、光像のなかにめり込むことによって直接向かい合うのである。この場合、作者は、常にアノニマスな存在となる」〔傍点は原文のまま〕。

　興味深いのは、粟津潔がここで光像そのものについては何も語っていないことである。何故なら、これまでの映画と粟津のいう「光像」とは、その位置が完全に逆転させられているからである。映画は、始めにも書いたように、現実の時間から映画固有の時間へ移行させるものであった。それにたいし「光像」は、われわれを映像がもちかねない固有の時間から、現実の時間へ移行させるものだからである。もし、図式的にいうなら、かつてスクリーンの位置していたところにわれわれが位置し、観客席に「光像」があるというように転倒しているのだ。「光像」によって照らしだされるのは、じつはわれわれなのであり、影像を結像させることではない。

　こうした関係の転倒がなければ、マルチプル・プロジェクションは、光によるグラフィック・デザインでしかなく、その場合、プロジェクトされたものと、われわれの関係は本質的に変わらない。つまり、映像がその固有性、その自立性を没落させないかぎり、これまでの映画の枠をこえないのである。マクルーハン的発想のおとし穴は、たとえば作品とわれわれの関係はそのままにしておき、それを結びつけるパイプが、かつては視覚中心であったが、今や触覚的だというニュアンスを含むことによって、触覚優位と見える所説となって出現したのであった。

エクスパンデッド・シネマがひとつの作品として論じられるかぎり、それはシネマにすぎない。そして、シネマを作品として論じさせる基盤は、それが固有の時間によってひとつの完結体を構成していたからである。メリエスがオペラ座広場にカメラを据えっぱなしにしていたことと、四分の三世紀ののちにウォーホルがエンパイア・ステート・ビルに向けてカメラを八時間据えっぱなしにしたこととは、なんと似ていることであろう。しかし、かれらにとって映画の意味はまったく異なっていた。メリエスの見たのは撮されたフィルムであり、ウォーホルの場合には、映画を見るわれわれを見るのである。前者には二秒間の中断が発見の端緒であり、後者では、八時間の持続に意味があった。この時間の拡張は、二秒から八時間という量の問題でなく、二秒という不在の時間から八時間という現実の時間への拡張として象徴的である。そして、それにともなって、映像はその固有性を凋落させた。映像にかわって、観客自身が主役となりだしたのである。

「見る」ことへの過激性

ジガ・ヴェルトフ論

「われわれがドキュメンタリィと呼んだものは、映画史のある所定の時期に映画製作の特定の方法として出現したものではない。それはある特別な製作において映画の新しい概念として突然あきらかになったのではない。むしろドュキメンタリィは、唯物論的な理由に基づいてある時期を通して発展してきたのである。すなわち一部はアマチュアの努力の結果として、また一部はプロパガンダの目的を果すことによって、そして一部は唯美主義によって――」(1)。『ドキュメンタリィ映画』の著者ポール・ローサは、その中で「ドキュメンタリィの発展」についてこのように述べ、「アメリカにおいてはフラハーティの『ナヌーク』(一九二〇)、ロシアにおいてはジガ・ヴェルトフのいくつかの実験(ほぼ一九二三年頃)、フランスではカヴァルカンティの『時のほか何ものもなし』(一九二六)、ドイツではルットマンの『伯林《ベルリン》――大都会交響楽』(一九二七)、そしてイギリスではグリアスンの『流網船』などによって真に始まったといえよう」(2)と指摘している。

ジガ・ヴェルトフをドキュメンタリーあるいは記録映画の先駆者のひとりとして位置づけることは、ひとりローサに限らない。実際、劇映画――ヴェルトフのいうフィクション映画の否定は、ヴェルトフの第一宣言ともいうべき一九二二年の「わ

初出『季刊フィルム』第八号(一九七一年三月)、五三―五八頁。特集「ジガ・ヴェルトフ(映画眼)」に「ジガ・ヴェルトフ論」として発表された文章。のちに改題して『見ることの神話』(フィルムアート社、一九七二年)に再録された。

1 ポール・ローサ『ドキュメンタリィ映画』厚木たか訳、みすず書房、一九六〇年、五一頁

2 註1に同じ。五五頁

れわれ」に、その出発点として公言されているところであり、「記録」がヴェルトフの「キノグラース（映画眼）」の不可欠な機能であったことも事実だからである。したがって、ヴェルトフの仕事をドキュメンタリーの系譜に位置づけることが誤っているわけではないが、しかし、それがヴェルトフが映画の一方法として、あるいは映画の可能な一分野として「記録」に着目したことを意味するなら、そういう位置づけはいささか単純にすぎるといわねばなるまい。

一九六〇年の秋、パリのシネマテークで、私はヴェルトフの《カメラを持った男》（一九二九年、別題「これがロシアだ」）を初めて見たが、その時私にはそれが意図せざる喜劇のように見えた。むろん、これは喜劇映画などではない。《カメラを持った男》は、かれのいう「キノグラース」をもうひとつの「キノグラース」でとらえた映画、いいかえれば、かれの映画論の映画化という重複した構造をもった映画である。そして、それが喜劇的に見えるのは、「われわれは、現在の映画芸術を否定することによって、未来の映画芸術を主張する。／〈映画〉の死は、映画芸術の生のためには避けられない。われわれは、その死を早めるように呼びかける」[3]というヴェルトフの主張を、ほとんどドン・キホーテのようにがむしゃらに実践しようとしたその真面目さに由来しよう。

「現在の映画芸術」の全面的な否定、いいかえれば社会における映画の全面的な再構成が「キノグラース」の根底であり、「記録」はかれにとって映画の一機能にとどまるものではなかった。おそらく、このラディカリズムが、同じ一九二〇年代の仕事でありながら、ヴェルトフとエイゼンシュテインを隔てたのである。

3　ジガ・ヴェルトフ「われわれ」福島紀幸訳、『季刊フィルム』第八号（一九七一年三月）、一〇頁周知のように、セルゲイ・エイゼンシュテインは演劇から出発した。プロレトクリト第一労働者劇場の舞台デザインがその最初であったが、やがてメイエルホリドのスタッフに加えられる。エイゼンシュテインの演劇から映画への移行の過程については、かれ自身の「演劇から映画へ」[4]に詳述されているが、その決め手となったのは、トレチャコフ原作の「ガス・マスク」の上演であった。エイゼンシュテインは、それを劇場ではなく実際のガス工場で行なおうとしたのである。しかし、この現場演劇ともいうべき試みは失敗であった。『瓦斯マスク』において、われわれは映画的傾向にぞくするすべての要素が相会しているのがわかる。タービンや工場背景は、メーキアップや舞台衣裳の最後のなごりをも否定し、そしてすべての要素はそれぞれ独立しながらも溶合しているように見えた。実物の工場の彫刻性のただ中にもちこまれた舞台の附属物は滑稽なものに見えた。劇の要素は瓦斯の酸性の臭気とは比較にならないものであった。あわれな舞台は労働活動の現実の舞台のうえで次第にその存在を失っていった。要するに、この上演は失敗であった。そして、われわれは映画に入ったのである」[5]とかれは書いている。「労働活動の現実」に打ちまかされた演劇から、「演劇に反逆する」ものとしての映画への移行——そこからエイゼンシュテインのストーリー、あるいは映画のもつ演劇性の否定が導かれたのである。つまり、ここには、映画ではなく演劇の死という自覚があるといえよう。

いささか図式的な言い方をするなら、エイゼンシュテインのこの移行は、「労働生活の現実」の映画への上昇という意図に基づくのにたいし、ヴェルトフはちょうどその逆に、映画の「労働活動の現実」への下降を目指したのである。《カメラを

4 セルゲイ・エイゼンシュテイン「演劇から映画へ」『映画の弁証法』佐々木能理男訳編、角川書店、一九五三年、一三七—一六三頁

5 註4に同じ。一六〇頁

持った男》を生活のあらゆる部分へ送りこむことが、ヴェルトフのいう「キノキ」の仕事であり、「キノグラース」の意味することであった。この上昇と下降は、映画における反ストーリー、反プロットという点では共通点を示しながら、その映画理念においては著しい違いを見せざるをえなかったのである。何故なら、前者は映画のあたらしい方法——エイゼンシティンのモンタージュ理論の生まれたゆえんである——の創造へと向かわせるのにたいし、後者は現実へ下降することによって、映画眼《キノグラース》といういわば現実を見る眼そのものの自覚へと向かわざるをえない。というのも、創造されつつあるのは映画でなく現実そのものであり、映画はそこへつけ加えられた創造作品としてではなく、「視覚」を通して生活そのものの自覚をうながすモメントとして以外のものではありえないからである。ヴェルトフの「キノグラース」が「絶対映画」という一種の究極性を帯びるのは必然的というべきであろう。

　ポール・ローサはドキュメンタリーの先駆者のヴェルトフを、ニュース映画との結びつきからとらえながら、「……素材を現実から集めるという点、またある範囲内ではその編集の方法においてもヴェルトフと歩調を合わせて行けるし、また行かねばならない。しかし題材の解釈やそれへのアプローチという点では彼と袂をわかたねばならない。〔……〕彼は予言的であり、説明的であり、時にはドラマティックであるが、彼は哲学的でもないし教育的でもない(6)」と述べている。

　ドキュメンタリー映画の「創造」という観点から見れば、ローサのこの指摘は妥当といえるかもしれない。しかし、「予言的」であったのは、ヴェルトフがドキュメンタリーの将来について何かを用意したというより、その底に「映画」の死——

6　註1に同じ。六六頁

むろん、それはかれのいうフィクション映画の死ではあるが、少なくとも、そこには部分的な改変でなく、映画は一度消滅しなければならないという信念が横たわっていた——があったということである。

こういう側面に触れるためには、一九二〇年代におけるソヴィエト映画に限定せず、全般的な芸術思潮との関連で眺める必要があろう。もっとも、私にその能力があるわけではない。そこで、そのほんのとば口を叩いてみるということに止まらざるをえないが、私は、それを構成主義という思潮から見てみたいと思う。

一九一〇年代の初期から革命をはさんで三〇年代のはじめに及んだソヴィエト構成主義は、一九六二年、ヌスベルグらによってモスクワで結成されたキネティック・アートのグループ「ドヴィジェニイ（運動）」が、その理念の継承を謳っているといった事実が見られないでもないが、しかし、公のかたちでの再評価の気運は見られない（一九六二年、モスクワのマヤコフスキー美術館で「K・S・マレーヴィチ—V・E・タトリン」という展覧会が開かれたという記録があるが、カタログは作製されなかった——ストックホルム近代美術館で一九六八年に開催された「ウラジーミル・タトリン」展[7]のカタログに記されたビブリオグラフィによる）。

逆に、一九六〇年代になって、西ヨーロッパで構成主義にたいする関心が高まった。その関心は、第一に芸術とテクノロジーの結合という問題が誘発したものであった。前記の「ウラジーミル・タトリン」展で、一九二〇年に高さ二〇〇メートルの模型を作製するだけで終わったタトリンの《第三インターナショナル記念塔》の模型を復元したのも、芸術とテクノロジーの結びつきというモティーフに基づくも

7 Vladimir Tatlin (organized by K. G. P. Hultén), Moderna Museet, Stockholm, 1968. 7. 1.–9.30.)

のであったといえる。構成主義者であるタトリンの「材料が作品の内容（意味・感覚）を伝達するという考えは、〔革命という〕政治的状況に十分還元しうるものであり、また政治観の反映と見ることもできる。〔……〕革命の指導者よりも、タトリンは革命がどのように発展し、将来の社会がどうなるかを知っていた。かれの考えは、こうした状況にたいする反応の表現といえよう。したがって、かれの考えは変貌しつつあるあらゆる状況に適用できるものである。作品の形式はまったく材料によって決定されるというのは、かれにとっては根本的な観念に触れつづけることであり、人びとはみずからの立脚点をたえず知るべきだということの表明であり、堅固な基盤に立つ方途であった。そうすることによってのみ、人びとは常に出発点に立ち戻ることができるものである」[8]。「タトリン展」の組織者であるフルテンのことばが、テクノロジー・材料との関連より見た構成主義への関心のひとつの態度を要約している。

芸術とテクノロジーの結びつきの、今世紀におけるスケールの大きい原型として構成主義を見るという態度にたいし、それを芸術と生活との関係から見ようとするもうひとつの立場がある。「構成主義者のエトス――ロシア一九一三―一九三二年」というエッセイを書いたロナルド・ハントの立場がそれである[9]。

「民衆の革命としてのロシア革命は、民衆の文化を要求した。そうした文化は、かれらの芸術的前衛が信じたように、美術館のなかにとどまるべきものでなく、美術館の死の上に見出だされるべきものであった。〔美術館の〕外の文化、民衆の生活のなかで、政治のなかで、経済、環境、レジャーのなかでの文化がそのエトスであっ

8　註7のカタログによる

9　Ronald Hunt, "The constructivist Ethos: Russia 1913–1932 [part I]," *Artforum* vol. VI, no. 1 (Sept. 1967), pp. 23-29. [part II], *Artforum* vol. VI, no. 2 (Oct. 1967), pp. 26-32.

た。構成主義は死への願望を内にはらんだ芸術運動であり、芸術よりも生活への欲求のほうがはるかに重要だと考えたのである」[10]。これがハントのモティーフであり、かれはそこからこれまで構成主義があまりに造型作品中心にのみ眺められていたことを否定し、映画、ファクトグラフ、アジ演劇、出版物のなかにそのエトスを見出だし、特に『レフ』『ノーヴイ・レフ』の二誌への注目を喚起している。

構成主義を芸術と生活の一体化、あるいは芸術の解体と新生として見るのは、構成主義のこれまでに気づかれなかった面の指摘として、ハントが新たに生みだした視点というわけではない。事実としてそうであり、たとえば、トロツキーはそうした思潮を、理念として間違ってはいないが、現状ではゆきすぎだと批判したのである。トロツキーは『レフ』についてこう述べる。「芸術が社会生活の他の局面から分立したのは社会の階級分裂の結果であること、芸術がそれ自体として自足する性格というものは芸術が特権階級の財になったという事実の反面であること、今後、芸術の進化は生活との融合、すなわち生産、人民の祭日、集団的家族生活との融合の道を進むであろうこと――これらはすべて、全く議論の余地がない。〔……〕しかし、芸術と生活とが融合するには、つまり日々の生活がすべて芸術によって形を与えられるような水準に達するには、われわれの現在の経済的文化的貧困からすれば、なお幾世代かが屍を残さねばならないのだ。これを理解するための歴史的な目測を、ほんの少しでもいいから持ってほしい」[11]。

芸術と生活の融合というテーゼのひとつとして、前述したエイゼンシュテインの実際のガス工場での「ガス・マスク」上演をあげることができよう。しかし、こ

10　註9に同じ。[part I], p. 23.

11　『トロツキー選集一一の一　文学と革命I』内村剛介訳、現代思潮社、一九六五年、一二三―一二四頁［第四章「フトゥリズム」の一節］

のテーゼはさらに拡張されて、「マス・スペクタクル」を生みだすに至る。これは「劇場の外《エキストラシアター》」へ出た群集による野外ページェントである。ハントはそういうもののひとつとして、一九一九年に行なわれたレニングラードでの「冬宮殿の襲撃」をあげている。

エフレーノフが演出し、アネンコフがデザインしたこのスペクタクルは、八〇〇〇人の人間による、二年前の一〇月に起きた冬宮殿陥落とケレンスキー失脚の事件を現場においてそっくり再現するものだった。エフレーノフによれば、「銃がひびき、ライフルが火をふき、大砲がとどろく。……二〜三分にわたるどよめきが繰り返される。……突然ロケットが打ちあげられ、その瞬間いっさいが静まりかえる。そのため、大気はあたらしい音響によって充たされるようになる。四〇〇〇人のコーラスが「インターナショナル」を合唱する。冬宮殿の窓にとりつけられたいくつもの赤い星が輝きはじめる。建物の屋上に巨大な赤いハンマーが徐々に姿をあらわす。……ショーが終わると赤軍兵士の行進が始まる」[12]。

ビオメハニカで知られるメイエルホリドもまた、第三インターナショナルを記念したマス・スペクタクルを計画していた。それは戦車、サーチライト、飛行機までを動員するものであった。ハントはこうしたマス・スペクタクルの同時現象として、屋外へ出た演劇がそれに伴って「騒音」の演奏会の頻発をもたらしたことをあげている。たとえば、モスクワで行なわれた一例として、屋上に立った指揮者が旗で合図を送り、多数の蒸気機関車の気笛をさまざまに鳴らすといったものがあったという。

12　註9に同じ。[part II], p. 27.

ヴェルトフが一九三一年、ベルリン、オランダを経てロンドンへやってきた時、ティヴォリ劇場で《ドンバス交響曲》（一九三〇年、別題「熱狂」）を上映したことがあるが、その情景は次のようなものだった。「ヴェルトフがかれの最初のトーキーの作品「ドンバス交響曲」をロンドンで上映した初日、かれはティヴォリ劇場の音響技師の横に座って、〔音の〕ヴォリュームを耳を聾せんばかりに最高に上げた。止めてほしいという声にたいして、かれはそれを断わり、音響制御器を独占して最後までそのままやり通した。建物はスクリーンのうしろからひびく騒音の洪水で振動するように思われた」[13]。

日記[14]によれば、その上映に居合わせたチャップリンがこの恐るべき音響に感動したことをヴェルトフに伝えたとあるが、しかし、この「音響」の試みには、先にいった屋外の「騒音」の演奏会のこだまが見られるといえるかもしれない。音はフィクション映画の伴奏ではなく、現実を構成する実在の要素であり、それは「キノグラース」をそのまま聴覚にまで拡大するものであったように思われるからである。

こうした一連の芸術と生活の融合――美術の場合は、イーゼルとカンヴァスを捨てて、最後には産業との一体化を主張するに至る。それはアレクセイ・ガンの『構成主義芸術論』[15]に典型的に示されているとおりである――はあたらしい芸術の生誕という面を含むと同時に、芸術の解体という要素をも内包しているといわねばならない。たとえば、エイゼンシュテインとヴェルトフ、さらにはプドフキンの映画へのアプローチの仕方が異なっても、生みだされたものは同じくフィルム、つまり「キノ」でしかないのは事実ではあるが、その解体の自覚の重さは少なからぬ差異

13 Jay Leyda, *Kino: a history of the Russian and Soviet film*, George Allen & Unwin, 1960, p. 282.

14 ジガ・ヴェルトフ「日記と構想（抄）」守山晃、岡田一男訳、『季刊フィルム』第八号（一九七一年三月）、三三頁。一九三一年一一月一七日の項に、次のようにある。「チャーリー・チャップリンとの出会い。かれは上映中も、じっとしていない。なにかをいっている。この映画について、たくさんしゃべった。モンタギューにかれは、1通の手紙をもたせてよこした。それは、『ドンバス交響曲』へのかれの批評であった。《わたしはこの工業的な音響が、こんなにも美しいものに表現できようとは、いまだかつて想像してもみませんでした。『ドンバス交響曲』は、わたしがいままでに聞いたなかで、最も感動的な交響曲だと思います。ミスター・ジガ・ヴェルトフは音楽家です。教授たちは、かれと言い争ったりせずに、かれから学ぶべきでしょう。おめでとう……》チャールズ・チャップリン」

15 アリェクセイ・ガン『構成主義芸術論』黒田辰男訳、金星堂、一九二七年〔滝沢恭司編『コレクション・モダン都市文化第二九巻 構成主義とマヴォ』（和田博文監修、ゆまに書房、二〇〇七年）に所収〕
Aleksei Gan. *Konstruktivizm* [Constructivism]. Tver, 1922.

とならざるをえない。

エイゼンシュテインの「モンタージュ」という理論に対比すれば、ヴェトルフは「アッサンブラージュ」というべき方法に立っていたといえよう。かれの《レーニンの三つの歌》(一九三四年)は一五〇本のフィルムあるいは写真から編集されたといわれるが、そこに見られるのはセレクションとアセンブリッジ(寄せ集め)という方法である。「ジガ・ヴェルトフも、マヤコフスキーも、モンタージュの原則が、映画の特性という真の性格においてはいまだ理解されていなかったが、文学のあらゆる周辺芸術、例えば演劇、フォトモンタージュ、映画などで、多かれ少なかれ無意識のうちに、適用されていた時期に属する人間であることは明らかである。ジガ・ヴェルトフは、ポジを一定の長さの断片にカットする。違った場所や違った時間にそれぞれ独立に撮影されたフィルムをつなぐ。一つのリズム、一つの主題の関連性を求める。記録的な撮影とモンタージュの方法により、新しい時間——おかしくない時間——および、これも非現実的であるが、新しい空間の創造が可能となる、と考える。事件は、分解され、いろいろな観点から、いろいろな大きさの画面、リヴァース・ショット、高速度および緩速度などで撮影される。彼はカメラマンにこのように要求し、また彼自身も撮影をこのように計画する。ニュース映画に、クロース・アップ、カメラ・アングル、短い断片のモンタージュ、シークェンスのリズミックな構成などを取り入れている」[16]。

ヴェルトフは現実をドラマとして再構成するのでなく、まず「見よう」としたのであった。むろん、ヴェルトフが革命後の社会に懐疑的であったわけではない。む

16　アリスタルコ『映画理論史』吉村信次郎、松尾朗訳、みすず書房、一九六二年、一〇四—一〇五頁

しろ、構成主義者がそうであったように、熱烈なオプティミズムを抱いていた。そうであればこそ、あるいはそうであるにもかかわらず、それを「見よう」としたのである。この「見る」ことへの過激性は、ヴェルトフのカメラへの全面的信頼と結びついていた。映画というジャンルよりも、カメラの眼への信頼が、ヴェルトフを支えていたといってもいい。

「……私は――キノグラースだ。私は――機械の眼だ。／私、機械は、私ひとりだけが見ることのできる世界を諸君に示す。〔……〕私の道は――世界のいきいきとした知覚の創造に向かっている。見給え、私は諸君の知らない世界を新しく解読しているのだ」[17]。ここに見られるのは、映画の創造のためのカメラというよりは、現実の解読のためのカメラという思想である。こうした機械へのオプティミズムというのも構成主義のエトスに他ならなかった。しかし、ヴェルトフの志向は機械芸術としての映画の創造というのでなく、カメラを手段として極限化しようとすることである。ヴェルトフのカメラへの信頼は、いいかえれば、それが手段として極限化できるということ、さらにいえば「私は――キノグラースだ。私は――機械の眼だ」といい切ることができると確信していることにつながっている。

「私はキノグラースだ」という信念によって、生活のすみずみにまで入りこんでゆくこと、それがヴェルトフにおける芸術と生活の融合というエトスのあらわれであった。それは一種の直接法であり、かれが映画からあらゆる文学的なもの、演劇的なものを排除しようとした原因でもあった。しかし、このカメラの眼へのオプティミズムが、同時につくられるものとしての映画へのニヒリズムを内包している

17 ジガ・ヴェルトフ「キノキの転換」福島紀幸訳『季刊フィルム』第八号（一九七一年三月）、一六―一七頁

ことは、容易に気づく筈である。ヴェルトフの「マニフェスト」がカメラの眼を賞揚することにおいて狂熱的であり、いわゆる「映画」を否定し、文学や演劇への不信を表明することにおいて痛烈をきわめるのは、そこに起因しよう。ヴェルトフのラディカリズムは、そこに発した。

映画プロパーの文脈で見れば、ヴェルトフの作品は、俳優という概念を撤廃することになった。フィクションとしての映画の拒否から当然であろう。「……セットや俳優を使わずに、じかに生活そのもののイメージをとらえようとする努力が、カメラの扱いかたひとつにも貫徹されている。隠しカメラも使われている。おとりのカメラのまえで未開の人びとにおもいおもいにポーズをとらせる。そのあとで、かれらが撮影はもうおわったと思いこんだころ、じっさいにはフィルムが回転しはじめるのだ。「扮装をとっ払え！」という、ちかごろはやりのスローガンは、他のどの分野よりもロシア映画において実行されている。したがって映画スターの価値は、他のどの分野のスターよりも低い。ある演技に適した俳優を探すというようなことはしない。それぞれのばあいに必要な典型的な人物を探すのである」――ヴェルトフの《世界の六分の一》（一九二六年）に触れて、ヴァルター・ベンヤミンが述べている一節である。[18] ドキュメンタリーとして当然のことともいえるが、ベンヤミンは明確にも、それを「新聞の急速な普及」のひき起こしたあたらしい状況と関連づけている。「こんにちでは、働いているひとびとで原則としてどこかでその労働経験、苦情、ルポルタージュ等を発表するチャンスを見いだしえないようなひとは、ヨーロッパにはほとんどいないという状況である。〔……〕読者は、つねに執筆者になり

18　ヴァルター・ベンヤミン「ロシア映画芸術の現状」田窪清秀訳、『ヴァルター・ベンヤミン著作集第2巻　複製技術時代の芸術』晶文社、一九七〇年、六五頁

うるのである。よかれあしかれ極端に特殊化された労働過程のなかでは、だれしも専門家に——それがごくつまらぬ役目であるにせよ——ならざるをえないのであるが、ここではともかく専門家として執筆する道がだれにでもひらけているのだ。ソヴィエトでは、事実、労働そのものが発言しはじめている」。(19) 実際ヴェルトフの映画は、『ノーヴイ・レフ』で主張された「事実文学」「生きた新聞」という演劇、「ファクトグラフ」という写真などと共通の関係をもっている。前に触れたハントによれば、「生きた新聞」とはグループが日々のニュースをドラマティックでダイナミックな詩のように読み、新聞の切り抜きをモンタージュしてあたらしい全体として提示するというものだった。のちにそれは新聞以外の文章やダンス、歌、アクロバット、スライドやフィルムの上映をも盛りこむようになったともいわれる。新聞が活字による社会の解読(原理としてであり、むろん、どのような誤読への導きも可能である)とすれば、ヴェルトフはフィルムによってそれを行なおうとしたのだといえる。かれの《キノフロニカ》は、そういう意味でのニュース映画であった。社会のさまざまな現象の記述でなく、社会の解読ということである。

　映像が今日、そのような能力をよく持ちうるかどうかが、われわれにつきつけられている問題であろう。また、カメラがヴェルトフの信じたように、あるいは信じようとしたように、手段として極限化できるかどうかも問われている。それはいいかえれば、映像がどのように解読力となりうるかという問題である。ヴェルトフの試みは革命後のロシアでのみ可能だったかもしれないが、しかしかれの「キノグラース」という考え、それの発展としての「キノプラウダ」は必ずしも歓迎をもっ

19　ヴァルター・ベンヤミン「複製技術の時代における芸術作品」高木久雄、高原宏平訳、『ヴァルター・ベンヤミン著作集第2巻　複製技術時代の芸術』晶文社、一九七〇年、三一頁

てあつかわれなかった。おそらく、それは「見る」ことの徹底と、日常性に埋没した肉眼の否定の痛烈さによってだったに違いない。しかしそれ以上に、映画を「芸術」とすることへの拒否によってではなかったか。「劇映画《キノドラマ》は――人民にとって阿片である。キノドラマは宗教であり、資本家に握られた死せる武器である」[20]。ヴェルトフのこの考えは、「資本家」を超えて、キノドラマはどのような社会でも支配者のもつ「死せる武器」だという発言に転化しえたからである。

20　註9の文献におけるハントの引用による

解題

加治屋健司（美術史・美術批評史）／粟田大輔（美術批評）

第一章　メディアと芸術

テレビにおける美術［粟田］（『キネマ旬報』一九五九年二月特別号）

『キネマ旬報』連載企画「テレビジョン今日の課題」第七回に寄稿したテレビ・デザイン批評。同企画は計一二回掲載され（一九五八年一〇月上旬から一九五九年八月上旬まで不定期連載）、中原は第七回、八回を担当した。同誌テレビ編集部によれば、「この連載の意図するところは、新しいマス・メディアとしてのテレビジョンをあらゆる面から分析して、これが大衆文化にどのような影響をもたらすかを論じ、それによってテレビジョンの質的向上をはかるための世論を形づくろうということにあります」とある（「テレビジョン今日の課題4」『キネマ旬報』一九五八年一二月上旬）。また一九五八年六月には『臨時増刊テレビ大鑑』第二号（第一号は一九五三年刊）が刊行されたが、編集兼発行人の大橋重勇による「テレビ大鑑発刊のことば」には、「本誌がテレビ・ジャーナリズムにも出発したゆえんは、テレビも映画も同じ視覚文化であり、さらにまた現代のマス・コミを担う強力なメディアとしての共通性により、この両者を深く検討することこそ、本誌の使命と考えたにほかならない」と記されている。

このように新しいマスメディアとして「テレビ」が「映画」と比較検討される風潮の中で、中原はむしろ、「テレビ」に対峙すべきメディアとして「ラジオ」を挙げている。そのうえで「テレビにおける美術」として「タイトル・デザイン」や「CMデザイン」に目を向け（原文ではテレビコマーシャル「ニッカウヰスキー」の一コマが掲載）、また当時日宣美（日本宣伝美術会）展がテレビ・デザインを一部門として加えたことやKRTV（現TBS）の美術部のメンバーが「テレビ・コマーシャル・デザイン展」を開催したことにも着目し、「聴覚的放送の単純な視覚化という段階を超えて、視覚的表現に徹する」（対ラジオ革命としての）テレビ・デザインの確立を唱えている。

なお「テレビジョン今日の課題」の執筆者は中原の他に、柾木恭介（第一回、四回）、玉井五一（第二回、五回）、長谷川龍生（第三、六回）、羽仁進（第九回、一〇回）、開高健（第一一回、一二回）といった面々が名を連ね、また連載第一回に際して佐々木基一が「テレビ批評を確立するために」とした賛同文を寄せている（佐々木に倣い、中原は本文で「テレビ・デザイン評の確立」の必要性も唱えている）。彼らはいずれも「現在の会」または「記録芸術の会」の会員であった。

「現在の会」は安部公房らが発起人となり一九五二年に結成された。中原は『贋月報　安部公房全集9サブ・ノート』（安部ねり文責、新潮社、一九九八年）で、一九五六年に入会した経緯をはじめテレビ・ドラマの脚本（安部公房原案『お気に召すまま』第一二回「時間貿易商」）や汚物処理場のルポルタージュ（「科学的糞尿譚——東京の排泄物」『綜合』一九五七年七月）を手がけたことを回顧している。また「記録芸術の会」は「現在の会」を吸収するかたちで一九五七年五月に発足し、中原は同年九月に催された第四回研究会で「政治のコミュニケーションと芸術のコミュニケーション」と題した発表を行っている。同会はまた一九五八年一〇月に『季刊現代芸術』（佐々木基一編集、みすず書房）を創刊し、中原は「日本の現代マンガ」（『季刊現代芸術Ⅰ』一九五八年一〇月）、「彫刻をめぐる問題」（『季刊現代芸術Ⅱ』一九五九年三月）を執筆した他、「〈座談会〉ジャンルの綜合化と純粋化」（『季刊現代芸術Ⅲ』一九五九年六月）に参加している（なお『季刊現代芸術』はⅢ号で廃刊。六〇年一〇月に月刊誌『現代芸術』へ移行）。

テレビにおけるアニメーション（『キネマ旬報』一九五九年二月下旬）

『キネマ旬報』連載企画「テレビジョン今日の課題」第八回に寄稿した初期テレビ・アニメーション批評。当時テレビ放映されていた「漫画ニュース」の他にマンガ映画やCM放送のアニメーションに言及し、「テレビにおけるアニメーション」の現状やその行方について述べている（「テレビというマス・メディアがあり、それが、われわれのみる映像を通して、ひとつの従来にないイメージの世界をくりひろげつつあるという、まさにこうした意味の社会的立場からだけでも、そのアニメーションを問題にすることは、充分アクチュアルなことだとおもう」）。

「漫画ニュース」（鷺角博制作、日本テレビで毎夜九時一一分〜九時一五分放送）について、中原は「動画ではなく、切紙によってつくられたさまざまな、その日の登場人物をギクシャク動かし、それに、駒撮り、駒落しなどのテクニックをつかった線描をミックスして構成したもの」として、「アニメーションでないマンガ的表現のひとつのゆきかたをひらくもの」と注目している。また「ジャーナルなものと、視覚的な独自の表現の綜合」という点から「テレビの固有性と結びついている」と見て取り（ただし現状は「切紙によるマンガ化のおもしろさしかない」あるいは「マンガによるニュース解説といった傾向がつよい」と批判している）、「マンガにおけるアクチュアリティという課題は、(中略)こうしたテレビにおける「マンガニュース」などにおいて、よりシャープなかたちで浮かびあがってくる」と述べている。

一方、NHKTVやKRTV(現TBS)の夕方に放映されていたマンガの短編映画についても「途方もない空想によるおもしろさもなければ、徹底したバカバカしさといったものもみあたらない」と批判し、CMのアニメーションについても「動くポスター」の域を出ない点を指摘しているが、「こんご、アニメーションといえば、テレビの独壇場ということになるのではないか」と予見しており、第七回の論調と同じく「敵をラジオに見出して、視覚ということに注視すべきだとおもう」と結んでいる(具体的に「マンガとか人形劇を、反ラジオ革命の強力な武器として、テレビのなかの有力な番組だとかんがえないわけにゆかない」と述べている)。

「テレビジョン今日の課題」では中原の他に、開高健が「アニメーション映画寸感」(第一一回)や「コマーシャル・フィルムの枠」(第一二回)で自らが制作に関わった立場から「アニメーション映画」や「コマーシャル・フィルム」について述べている。開高はとりわけ「寿屋・トリスウィスキー」の原画を担当した柳原良平の仕事ぶりを記しており、当時のアニメーターや動画スタジオの様子についても紹介している。なお、当時「アニメーション」は一般的に「漫画映画」と呼ばれていたが、中原は本文で「テレビで放送されるアニメーション映画」と「マンガ映画」の区分けについて、「たいていフィルムを通じておくられるものだから、マンガ映画という点では、両者とも共通であって、とくに、テレビにおけるアニメーションということを区別するものはみあたらないかもしれない」と述べ、「マンガ映画」についても「マンガであるということがすべてであって、そこではテレビを映画と区別する必要を認めない」としている。

芸術家の決断(『現代芸術』一九六一年三月)

『現代芸術』に寄稿したテレビ文化論。『現代芸術』(安部公房編集、勁草書房)は「記録芸術の会」のもと一九六〇年一〇月に創刊、六一年一二月まで計一三号を刊行した。中原はポーランド、イタリア、フランス旅行中での「テレビになじみにくかった」体験を踏まえ、「テレビの受け手のもっている、ある共通性のようなもの」、あるいはその要素を成す「受け手のおかれている現実の特殊性」や「民族のもっている表現様式の特殊性」について述べている。また、テレビのコミュニケーションが「家庭という単位を超えたもの」であるといった主張のもと、当時「テレビ=茶の間論」に固執していた浦松佐美太郎に対して異を唱えている(浦松は『朝日新聞』に「芸術祭のテレビドラマ――未発酵、腰くだけ」(一九六〇年一二月二二日)を発表し、市川崑との間で「〝お茶の間〟芸術論争」をなしたことで知られる）。加えて「総合芸術」の観点からテレビと映画を比較し、「映画のいう総合化に入り切らなかったもの、いわゆる近代的なジャンルに包括されなかったものが、テレビという媒体によって、あたらしい形をあたえられる」として、「映画の一元性」に対し「テレビの多元性」（あるいは「ヴァラエティの特殊性」）を見て取っている。本文では、そのうえでヌーヴェルヴァーグの動向に「旧来の映画にたいするアンチテーゼ」ではない「テレビの多元性にたいするアンチテーゼ」としての一面を見いだし、「このヴァラエティにたえるものが、現代の芸術家の決断といったものではないか」と結んでいる。

なお「民族性」や「国際性」については、本文より前に「世界のなかの日本美術」（『三彩』一九五八年五月、本選集第二巻所収）で触れており、一九六〇年九月にワルシャワで開かれた第七回国際美術評論家連盟の国際会議のテーマとも関連している（「美術の国際性と民族性――ポーランドで開かれた国際美術評論家会議に出席して」『読売新聞』一九六〇年一〇月一九日夕刊、本選集第二巻所収を参照）。また、テレビと海外美術の動向をめぐっては、中原は『Mé』第六号（NN会発行、一九五七年一〇月）において、一九五二年にルーチョ・フォンタナらがミラノのナヴィリオ画廊（Galleria del Naviglio）で発行した「テレビのための空間派運動宣言」（空間派運動の第六宣言）の翻訳も手がけている。

芸術と非芸術について（『記録映画』一九六三年六月）

『記録映画』「特集「非芸術」との対決」に寄稿したマス・コミュニケーション論。『記録映画』は教育映画作家協会の機関誌として一九五八年六月に創刊（六〇年一二月に記録映画作家協会に名称変更）、六四年三月まで計六五号を刊行した（同誌については阪本裕文、佐藤洋による『記録映画』解説・総目次・索引』（不二出版、二〇一五年）に詳しい。同特集には他に、佐藤重臣の「改訂版あばんぎゃるど――いまやシュールレアリズムは退却すべきか」、西江孝之の「数理的なものと魔術的なもの」、池田元嘉の「人工の眼――疎外の一側面」、飯村隆彦の「家具としての映画――記念写真について」、池田龍雄の「芸術⇄非芸術――ティンゲリーへの賛歌」が掲載された）。中原は「ラジオ芸術」や「テレビ芸術」という言辞に対し、「既成の「芸術」との決定的なちがいをはっきりさせておかないと、単に命名の問題になってしまう」と提起し、マス・コミュニケーションが既成の芸術（近代芸術）と異なるのは「「美の概念」を一義的なものとみなさない」点にあると唱えている。

具体的に本文ではマス・コミュニケーションとして「新聞、週刊誌、ラジオ、テレビ」（「ニュースから新聞小説まで、あるいはドキュメンタリーから観念ドラマまで」）を挙げているが、それらは「美の概念」では応えることができない「生活」のなかでの知ることと欲することに対応するもの」として、

「感ずることよりも「生活」を通じての認識と所有という二つの活動に働きかけることのほうが大きい」と述べている。ただしそのうえで、マス・コミュニケーションの仕組み自体が近代芸術と異なるということを認めたにしても、「マス・コミュニケーションの送り手、受け手という区分けには、（中略）近代芸術の創造者と鑑賞者という分離をパラレルに移行するということがあるのではないか」と指摘しており、「抽象化された「受け手」という面が拡大されている」点について注意を促している。

マス・コミュニケーションにおける「受け手」の問題をめぐっては、当時、たとえば南博が「映画の受け手とテレビの受け手」（『キネマ旬報』一九五九年四月上旬）で論じている。南は、作り手の視点から自ずと評論・分析する「作り手中心主義」の習性に対して大衆の中にある創造的な力と批評的な精神を引き出すことの必要性を唱え、歌舞伎に見られる「見巧者」を例に、受け手の批評や組織化によりテレビの送り内容を変えていくための圧力を高めていく可能性を示している（南は同文で受け手の心理過程にも言及し、映画やテレビにおける空間知覚、時間知覚についても分析している）。中原もまた、安部公房と連名で発表した「現代芸術の可能性」（『現代の発見第七巻　危機の思想』春秋社、一九六〇年、『安部公房全集一二』（新潮社、一九九八年）に再録）の中で「「受け手」の参加」について言及している。同文では、安部のいう「プリント芸術」（印刷術の発明以後の、小説・ラジオ・テレビなどいわゆる「マス・コミ」を特徴とする諸ジャンルを包括したものとして命名）において「「受け手」を「透明人間」の量的増大ということに還元してしまう」面を指摘しながら、一方で「表現の進展に、「受け手」の参加をうながし、緊張した平行関係をつくりだすことは不可能ではない」として、テレビの同時性（中継ものやドキュメンタリーなど）や「「受け手」の組織化」（文学サークルや映画サークル）の動向を見て取っている。

なお「テレビ芸術」については当時、飯島正の「テレビ芸術の基礎になるもの」（『映画評論』一九五八年二月）、佐々木基一の「テレビ芸術の基礎」（「テレビ芸術の確立を求めて［1］」『キネマ旬報』一九五八年二月上旬）、島田厚の「テレビ芸術の基礎」（特集「マス・メディアとしてのテレビジョン」『思想』一九五八年一一月）などの論考が発表されている。その中で「テレビ芸術」の中核にテレビ・ドラマがあったが、中原もまた、安部公房の依頼を受けるかたちでテレビ・ドラマの脚本を手がけている（『お気に召すまま』第一二回「時間貿易商」一九六二年九月二九日放映）。

イメージの所有について（『デザイン批評』一九六七年六月）

『デザイン批評』「特集 image」に寄稿したイメージ＝ＴＶ論。『デザイン批評』（風土舎）は一九六六年に「建築・

デザイン、そしてすべての創造分野での致命的な欠陥は、まさに批評精神の欠落にほかならない」として、粟津潔、泉真也、川添登、原広司、針生一郎の責任編集のもとで創刊された（七〇年一一月まで第一二号を刊行）。同特集では、針生一郎が巻頭言として「イメージ論の流行」と題した文章を寄せている（針生は赤瀬川原平の「千円札」などに言及し、イメージの氾濫に際してむしろ「物質の悪意の組織化でもくわだてたい」と唱えている）。中原は、ランスロット・ホグベンの『コミュニケーションの歴史』（寿岳文章、林達夫、平田寛、南博訳、岩波書店、一九五八年）やマーシャル・マクルーハンの『人間拡張の原理――メディアの理解』（後藤和彦、高儀進訳、竹内書店、一九六七年）を参照し、一五世紀に始まった印刷術が「疑似所有」という意識を形成したのに対して「TVこそが、イメージの疑似所有という幻想を打ちくだく決定的なものだった」と唱えている。なお冒頭に「影と神秘の画家たち　イメージと影についての考察」（『美術手帖』一九六五年九月、本選集第三巻所収）への言及が見られるが、中原は当時、宮川淳の『鏡・空間・イマージュ』の書評を記した他（『週刊読書人』一九六七年五月一五日）、対談も行う（「〈対談〉イメージ・イコン・ポップアート」『眼』一九六七年九月）など「イメージ」論をめぐり宮川と誌面上で議論を交わしている。

マクルーハンについては、中原は同年に「マクルーハンの芸術観」というテキストを記している（『ブレーン』一九六七年一〇月）。同文では、カナダの美術雑誌『構造主義者』に掲載されたマクルーハンのインタビューを紹介し（Eli Bornstein, "An Interview with Marshall McLuhan," *The Structurist*, no. 6 (1966), Saskatoon: University of Saskatchewan）、「現代の芸術家の役割を環境の意識化にみる」という考えのもとに「環境の検証、その意識化のための芸術から、芸術と環境が完全に一体化し、芸術の創造がそのまま環境そのものを造り出すことこそ、芸術の究極の目的だというのが、マクルーハンの考えである」と結んでいる。なお本文と同月に発表された「芸術の環境化と環境の芸術化」（『美術手帖』一九六七年六月、本選集第五巻所収）においても、クルト・シュヴィッタースやウンベルト・ボッチョーニなど二〇世紀初頭の動向に遡行しつつ、中原は「光の芸術」や「ハプニング」など同時代の美術に「環境と人間の一体化」を見て取っている。

触覚の復権（『SD』一九六八年一月）

『SD』「特集　触覚的環境論への触手」に寄稿した触覚的環境論。同特集では、巻頭言に東野芳明の「触覚的ということ」、またグラビア構成に粟津潔の「マクリヒロゲル」が掲載された。本文では、生物学者ジョン・ザカリー・ヤングの唱える「モデル」（「『モデル』とは人間の『神経活動の形式』をかたちづくっているものであり、それは人間の脳がある環境に適応するそのしかたにほかならない」）などを参照し、電波メディアや電子テクノロジーの影響により、「機械」モデルから「情報」モデルへ移行（錯綜）しつつある状況について述べている。なお「触覚」という言葉は、マーシャル・マクルーハンのいう「触覚性（tactility）」に由来し、「単なる皮膚と対象との接触というより、諸感覚の相互作用」を含意している（Marshall McLuhan, *Understanding Media: The Extensions of Man*, New York: McGraw-Hill, 1964）。

具体的な「情報」（あるいは「環境」）モデルの拡がりとして、中原は本文で、磯崎新の「見えない都市」（『展望』一九六七年一一月）、（アラン・カプローの）「ハプニング」（「ハプニングは、他との相互作用の意識化といえる」）、ニューヨークやサンフランシスコの「サイケデリック・クラブ」、モントリオール万博でのバックミンスター・フラーの「ジオデシック・ドーム」などを挙げている。また、キナストン・マクシャインの企画による「プライマリー・ストラクチャーズ」展についても、「プライマリー・ストラクチャー（基本構造）が均質に彩色されているのは特徴的であって、それによって「情報」の性格である無方向性を獲得した」と述べている（マクシャインはその後一九七〇年にニューヨーク近代美術館で「情報 Information」と題した展覧会を企画）。そのうえで「光の芸術」についても言及し、それらを「数量という感覚を失ったもの」として、集合論的な感覚による「情報」モデル（＝「光のパターン」）と捉えている。

「光の芸術」については、中原は、一九六六年にオランダ、ファン・アッベ市立美術館で開催された「芸術・光・芸術 Kunst Licht Kunst」の展評（「芸術化された光――ファン・アッベ美術館（オランダ）の「芸術・光・芸術」展をみて」『みづゑ』一九六七年二月）をはじめ、「暗闇幻想について――現代日本美術展」（『三彩』一九六八年六月、『見ることの神話』（フィルムアート社、一九七二年）に再録。ロバート・ホイットマンの展覧会タイトルを参照し「光の芸術」を「暗闇の芸術」と捉えている）、「ライト・アートの誕生」（『みづゑ』一九六八年七月）でも述べており、加えて、神戸で開催された「光と環境」展のオーガナイザーも務めている（「現代の空間'68光と環境」神戸三の宮そごう六階催会場（新館）、一九六八年六月七日―一二日）。

記憶と記録についての小論（『季刊フィルム』一九七二年七月）

『季刊フィルム』「特集　メディアの共有と複写の思想」に寄稿したメディア論。『季刊フィルム』は一九六八年一〇月にフィルムアート社より創刊された（創刊時の編集委員は粟津潔、飯村隆彦、武満徹、勅使河原宏、中原佑介、松本俊夫、山田宏一。第一二号の編集委員は粟津潔、石崎浩一郎、今野勉、武満徹、勅使河原宏、中原佑介、松本俊夫）。なお同誌は一九七二年一二月の第一三号で廃刊となったが、中原は臨時増刊号を除く全号で編集委員を務めている。本文では、ヴァルター・ベンヤミンのいう「アウラ」をもとに、テレビにおける「イメージの非アウラ化」と「実体のアウラ化」という背反した二重現象を見て取り（「イメージがアウラを失えば失うほど、その実体はかえってアウラにくるまれる」）、そのうえでメディアを通じて形成される「アウラ」の観点から「現代社会におけるアウラのアクチュアリティ」（「テレビや写真というメディアを媒介することによって、アウラは政治的な概念、あるいは商品価値となって顕現する」）について述べている。

具体的に本文では「記憶」に関係したメディアとして「テレビ」を、「記録」に関係したメディアとして「写真」を挙げている。中原によれば「テレビの場合、そのアクチュアリティはわれわれの記憶のなかで発揮される」が、「この記憶こそがイメージに対応する実体のアウラ化の地盤」となり、「記憶の曖昧化が、実体のアウラ化に吸収されてゆくプロセスを生み出す」。それに対し、写真の場合は「写真の持つ記録性のなかへアウラが姿をひそめる」として、ベンヤミンのいう「経験的な一回性」を踏まえ、「アウラは眼前の写真という視覚の形式ではなく、写真を撮るという行為のなかに転移する」と見て取っている（なお「経験的な一回性」という言辞は、『ヴァルター・ベンヤミン著作集第2巻　複製技術時代の芸術』（佐々木基一編、晶文社、一九七〇年）に収録された「第三稿」の原注訳によっている（高木久雄、高原宏平訳）。ベンヤミンの「複製技術論」のヴァージョンについては、『ベンヤミン・アンソロジー』（河出書房新社、二〇一一年）での山口裕之による「訳者解説」に詳しい）。

また、「記憶に関係したメディア（たとえばテレビ）では、対象の空間的なアウラの形成ということを通じて、メディアからの疎外が発生するのに対し、記録に関係したメディア（たとえば写真）では、時間的なアウラの形成を通じて、それからの疎外がつくりだされる」と空間的・時間的なアウラ（の区分）についても述べているが、いずれにせよ、マスメディアと関係づけられたわれわれの記憶や記録がもはや自然的なものではなく「人工の烙印を押されている」として、メディアの持つ潜在的な力（「高度の政治性」）を評している。

第二章　漫画論［加治屋］

青カビの合唱（『みづゑ』一九五八年九月、『季刊現代芸術』一九五八年一〇月）

一九五〇年代の日本の漫画を考察した文章。当時見られた漫画と美術の境界を越える動向に注目しながら、ナンセンスやアクチュアリティの観点から、教養主義的な美術観を批判し、大衆性をもつ漫画の可能性を考察している。

中原は、岡本太郎の《重工業》（一九四九年）に描かれた「ねぎ」をナンセンスなものとみなして、それを教養主義的な美術観に対する一撃として肯定的に捉える。そうした美術観に対する別の批判として、漫画的な要素の絵画への導入を指摘し、鶴岡政男、池田龍雄、吉仲太造、桂ユキ子（ゆき）等の画家が取り組んでいると述べる。大衆芸術を創造するためには、教養主義的な美術観を否定することが必要であると考える中原は、戦前のプロレタリア美術が、大衆的な漫画を用いつつも、従来の美術観を変革するには至らず、美術の大衆化をもたらすことがなかったと論じている。

中原は、漫画が読み捨てられる存在であることに注目して、そのはかなさが、漫画にアクチュアリティを与えていると述べ、そこに漫画の可能性を見出している。漫画は芸術性を追求するではなく、大衆性を徹底させるべきであるという。中原は、「プーサン」「ミス・ガンコ」「社会戯評」といった横山泰三の漫画が、漫画を家庭から解放して、漫画世界の独自性への意識を促している点で高く評価しており、久里洋二、井上洋介、長新太、池田龍雄、真鍋博などが一コマ漫画で、新たな漫画の世界を切り拓こうとしていることにも注目している。中原によれば、自律性をもった漫画がアクチュアリティを追求することで、漫画は真の意味で大衆化するという。

中原は、続けて、島耕二監督の映画『或る夜の出来事』（一九五二年）に触れる。これは、戦中に「日本太郎」を描いていた漫画家が戦後に「デモクラ氏」を描くようになる過程を描いたもので、中原はそこに、アクチュアリティに対する漫画家の無関心を見出して批判する。そうした無関心は、新聞や雑誌に溢れる家庭漫画にも当てはまるとしている。ただし、家庭漫画の中にも、岡部冬彦の「アッちゃん」のように、「冷静な批評眼」をもつ主人公が「日常生活におけるナンセンスなものの拡大をはかり、そこから家庭生活そのものにたいする批判を培養しうることの可能性を示している」ものもあるとしている。

中原は、日常生活の中にナンセンスを見出して現状批判を行うことに、「漫画としての独自性」があると述べている。その意味で、横山隆一が「わかりきった問題の省略化」を自らの手法とし、新聞漫画を「アクセサリー」としているのは、漫画自体を問うていないとして批判している。「漫画の独自の方法」の重視は、単純に映画化されない漫画への評価にも繋がっている。

中原は、漫画の基本原理は「徹底したフィクションの創造」にあるとしたうえで、映画が漫画に与えた影響として、「ディズニーの漫画映画の方法の意識的な摂取」をした手塚治虫の映画的手法について触れている。また、手塚が同じ人物を複数の漫画に登場させている点も映画の俳優システムと同じ方法であると論じ、「大衆芸術の達人」（鶴見俊輔）に対する関心を寄せている。横山泰三の「プーサン」「ミス・ガンコ」は現実批判によって風刺漫画に新風を巻き起こしているとし、「自己と現実という二重の客体化によって、あくまでものとして対象を描きだそうという方法」があると分析している。加藤芳郎の「オンボロ人生」には、「極限状況における日常的意識の崩壊」があると高く評価している。中原は、漫画が大衆性を失い、高級になることに批判的である一方で、漫画界で、久里洋二、長新太、井上洋介などの漫画家が、池田龍雄、真鍋博、河原温などの画家と協働して、漫画と絵画の境界地帯のなかから、漫画における新しい可能性を開拓しようとしているのを評価している。

本文のⅠは『みづゑ』(一九五八年九月)に掲載した「日本のマンガ」を、Ⅱは『季刊現代芸術』(一九五八年一〇月)に掲載した「日本の現代マンガ」を元にしている。前者は、連載「ナンセンス作家」の四回目であり、文末に「以下次号」とあるものの、連載はこの文章で終わっている。後者は、中原も参加していた「記録芸術の会」(一九五七年―一九六一年)の機関誌の創刊号に発表したもので、前者の翌月に発表していることを踏まえれば、前者の続編であると考えられる。漫画の大衆性に可能性を見出している点は、記録芸術の会が掲げた芸術の大衆化の主張と共通している。漫画と絵画の境界を越える動きに対する中原の関心は、瀧口修造の議論と比較できる。瀧口は、一九五六年に、現代の人間が置かれた過酷な状況を風刺的に描く絵画の傾向に注目して、それを「黒い漫画」と呼び、従来の漫画である「白い漫画」と対照させた(瀧口修造「白い漫画、黒い漫画」『読売新聞』一九五六年二月二〇日朝刊。『コレクション瀧口修造』一〇(みすず書房、一九九一年)に再録)。瀧口もまた、絵画と漫画に共通する風刺性に関心を寄せて、両者をともに論じる視点を提唱しようとした。瀧口は絵画を漫画の中に入れようとしたのに対し、中原は両者の交流を認めながらもその違いを明確にしている点で異なっている。なお、当時は今よりも絵画と漫画の関係が深かったことは確認する必要がある。二科会には一九五一年から一九五八年まで漫画部があり、一九五六年に聞かれた日本美術会主催の第九回日本アンデパンダン展には、「日本近代漫画史」と題された特別陳列があった。中原も読売新聞の展評でたびたび漫画展を論じている。

なお、中原は、「コドモとマンガ」(『文学』一九五九年三月)において、ナンセンスの観点から子ども漫画を評価し、一九五九年六月一三日の図書新聞の特集「もっと子どもにマンガを マンガは悪いものばかりではない」にも同様の趣旨を述べたアンケートを寄せている。後者を読んだ児童文学者の佐野美津男は、「俗流漫画擁護論批判」(『記録映画』(一九六〇年五月)、のちに『現代にとって児童文化とはなにか』(三一書房、一九六五年)に再録)において、漫画にも教育的な効果があるとして中原を批判し、中原は、「子どもマンガ万能論批判」(『新日本文学』一九六〇年七月)で反論している。
題名の「青カビの合唱」の由来は不明である。「青カビ」は漫画または漫画家の比喩であろう。

声なき肉声(『文芸』一九六九年三月)

一九六〇年代の漫画を論じた文章で、主に『ガロ』系の漫画を論じている。「劇画」(中原は、手塚治虫や水木しげるの漫画も「劇画」としているので、この言葉を、劇画を中心にストーリー漫画も含めて用いていると思われる)のコマ割りは、必ずしも映画の影響ではないという。言葉で説明するところを絵で説明しつくそうとしている点で「描かれた「弁説」」であり、紙芝居の語りが活きていると論じている。描かれた「弁説」としての漫画として中原が挙げるのは、「カムイ伝」等の白土三平の作品であり、作者の「肉声の視覚化」だと述べている。それに対して手塚治虫には「描かれた「弁説」」という考えはなく、「肉声を捨てて、ひたすら視覚の世界にのみすべてをかけようとする態度」があるとしている。それは「アクションの即物的図解」であり、手塚は「徹底してイメージ派なのである」としている。中原は、白土と手塚の間に「肉声としての漫画」と「イメージとしての漫画」、「声なき紙芝居のよみがえり」と「印刷されたアニメーション」という対比を見出している。

中原によれば、この両者の間で、いわば「声なき肉声」をイメージと合体させようとして、独自な立場を確立しつつあるのがつげ義春である。つげの作品は、作者の肉声ではなく、読み手が自らの肉声で読むしかないとして、反芸術ならぬ「アンチ漫画」への志向があると述べている。中原は、つげ、林静一、佐々木マキの漫画では、作者ではなく見る側が、コマ同士の関連を作り出して漫画を成立させているとして、ゴダールの映画と関係づけ、「アンチ漫画派」だとしている。中原は、漫画の現状を、「弁説」としての漫画、イメージとしての漫画、それらへの批判を含むアンチ漫画の三つに分類している。

漫画におけるナンセンスを重視する中原は、古典的な漫画のルールを守りながらもナンセンスを押し出している作家として滝田ゆうを高く評価している。そして、林と佐々木は漫画のナンセンスな構造そのものを視覚化しようとしており、富永一朗は主題としてのナンセンスを徹底しようとしていると論じる。東海林さだお、福地泡介、園山俊二のナンセンス漫画は、「アンチ・マイホーム主義」であり、そのナンセンスは「非人間的」であると述べる。

文章の終わり近くで、中原は、つげの「アンチ漫画」の方向に注目したいと述べる。それは、「漫画によって描くことのできる世界をはみだそうとする、ある意味ではかない試み」だからである。漫画には、「論理的な意味での体系への拒否という心情」があり、「眼の前をながれてゆくものを「見よう」とする態度」があるとする。つまり、漫画とは、「ある完結したものをわれわれに提示するのでなく、いわば答えのない疑問を提出する」と中原は考えている。漫画ブームの背景として、「答えでなく問いかけへの渇望が示されている」と本論を結んでいる。

この文章は、『ナンセンスの美学』（現代思潮社、一九六二年）を改稿して『ナンセンス芸術論』（フィルムアート社、一九七二年）を上梓した際に加えられた。一九五〇年代の漫画を論じた「青カビの合唱」と異なり、絵画と漫画の関係は論じられなくなり、代わりに、一九六〇年代後半のインターメディアの経験を踏まえ、イメージと声という感覚との関係が主題化されている点が興味深い。とは言え、「青カビの合唱」で論じられたナンセンスの問題はこの文章でも登場しており、漫画の読み手の関与を重視する議論は「「見せもの」の批評」（『文学』一九五六年一二月、本選集第一巻所収）の主張から連なるものであることを考えると、中原は、これまでの議論を踏まえつつ、新たな視点から、劇画を中心に一九六〇年代の漫画を考察しようとしたものと考えられる。

第三章　デザインについて［粟田］

一九五八・二科展商業美術部評（『電通調査と技術』一九五八年一〇月）

『電通調査と技術』に寄稿した「第四三回二科展」商業美術部の展評。同号には他に、針生一郎の「1958日宣美展評」、遠藤太郎の「1958日宣美展をみて」などが掲載された。冒頭に記されているように二科展で商業美術が優勢を維持している中で、同展商業美術部のポスターに見られる「絵画にたいする傾斜」を問題視している（二科会商業美術部は一九五一年に創設。同部の成り立ちについては、石川ナツオ「二科商美批判に対する私見――二科会商業美術部の作品より」（『デザイン』一九六六年一月）にも詳しい）。なお「第四三回二科展」商業美術部については、中原は『アイデア』にも展評を寄せている（「二科展商業美術部評」一九五九年二月。同文も「コマーシャル・デザインとしての不徹底さが、既往の絵画の世界への退行という光景となってあらわれているのでは、結局、区分の拒絶どころか、絵画にたいして従属してしまっていることを表白するものでしかないという気がする」とある）。加えて「第四八回二科展」に際し「二科・商美は「商美」か」（『デザイン』一九六三年一一月）と題した展評を、また「第五〇回二科展」に際し「二科会の商業美術部」（『宣伝美術』一九六五年一二月）と題した展評を記している。

本文では「ポスターのばあいには、レタリングとイラストレーションの有機的関係づけを無視しては、効果が大半減少してしまうのではあるまいか」とその形式を問うと同時に、「日本的風物の選択がほとんど無批判的に」行われているとし、主題の選択に対しても批判的な見解を述べている。また他のコマーシャル・デザイン団体の動向として日宣美（日本宣伝美術会）を挙げているが、同年に開催された「第八回日宣美展」に対しても「商品ポスターをさけて、映画、演劇、新刊書のポスターを手がけているのをみて、機能性の深化を避けて、芸術的であることに向かう傾向をよみとらないわけにはゆかなかった」と批判している（「第八回日宣美展」については本書所収「宣伝と美術の分裂——日宣美展'58の問題点」を参照）。

最後に「機能的美術」における「純粋美術」の影響を踏まえ（「機能はいつのまにか霧散してしまう」）、「自分自身にしかかたりかけないポスターなど、自己矛盾というほかはない」と結んでいるが、ポスターと絵画の関係については、中原は後に「デザイン化と絵画化」（『季刊藝術』一九六七年一〇月、本選集第四巻所収）でも論じている。同文では、一九六〇年代半ばの横尾忠則の演劇ポスターやアメリカのポップ・アートの動向に鑑み、むしろ「ポスターが自立し、それ自身で独立した意味をもちつつある」として「ポスターの自立化」する傾向を見て取っている。

宣伝と美術の分裂（『美術手帖』一九五八年一〇月）

『美術手帖』に寄稿した「第八回日宣美展」の展評。全体的に「低調さはおおいがたい」と批判し、「宣伝美術」というジャンルにおいて「自由なイメージに足がかりをおこうとするには、より「宣伝」という点にとらわれないわけにゆかず」、また「「宣伝」ということに徹して「美術」の面での可能性を探索しているほどには、「宣伝」ということに徹していない」というように「宣伝」と「美術」が分裂したままの状態にあることを指摘している。ただし「昨年から、会員のつくったじっさいに使用された作品をならべはじめた」点や「ことしは、そのなかにあたらしく新聞広告のデザインをふくめている」点、さらに（作品が少なく期待はずれだったものの）「あたらしく加えられたテレビ・デザイン」（福田繁雄「味の素ＴＶコマーシャル」）については評価している（同展目録には「（中略）本年は新たにテレビの動くデザインをテーマに加えた。これは今後進歩を期待される新分野として、テレビ・スポンサー及び視聴者に大きな関心と興味を呼ぶことと信じる。昨年から設けられたグラフィックデザインの展示は実際に印刷され使用された会員の作品である。これのみでも十分独立した意義を持っているが、他の自由作品とともに、現実と可能との関連において眺めることも無意義ではないであろう」とある）。

「日宣美」は一九五一年の第一回展を皮切りに毎年「日宣美展」を開催するも、六九年の第一九回展で「日宣美粉砕共闘」と称する学生等の造反により中止を余儀なくされ、翌七〇年に解散した。なお、中原は日宣美の組織について「日宣美の問題」（『電通報』一九五八年六月六日、六月九日、本選集第一〇巻所収）で論じており、また本文の他に「日宣美展」について次の通り展評を記している。「宣伝デザイナーの夢——日宣美展」（第六回）（『読売新聞』一九五六年八月一〇日夕刊）、「質感を出す傾向——日宣美展」（第七回）（『読売新聞』一九五七年八月二三日夕刊）、「〈展覧会評〉新樹展、日宣美展」（第七回）（『三彩』一九五七年九月）、「争う芸術性と機能性——日宣美展」（第八回）（『読売新聞』一九五八年八月一五日夕刊）、「第9回日宣美展をみて」（『みづゑ』一九五九年九月）、「第九回「日宣美展」評——「ことば」と「イメージ」の問題を中心に」（『電通調査と技術』一九五九年一一月）、「著しい二つの現象——第10回日宣美展評」（『電通報』一九六〇年八月一三日）、「第13回日宣美展をみて」（『電通調査と技術』一九六三年一〇月）、「消費する新人たち」（第一三回）（『デザイン』一九六三年一〇月）、「デザイナーの個性とデザインの持つ一般性——1964 日宣美展の作品から」（第一四回）（『電通調査と技術』一九六四年一一月）、「アナーキーな様相を示す会員作品」（『アイデア　15回日宣美展特集号』一九六五年）、「デザインの時間性——日宣美展にふれて」（第一六回）（『季刊クリエティィビティ』一九六六年一〇月）、「印刷美術について」（第一八回）（『三彩』一九六八年九月）、「露呈された絵画コンプレックス「第十八回日宣美展」で顕著にみられる現代美術の印刷美術へのおきかえ」（『美術手帖』一九六八年一〇月）。

第九回「日宣美展」評（『電通調査と技術』一九五九年一一月）

『電通調査と技術』に寄稿した「第九回日宣美展」の展評。同号には、針生一郎の「1959 日宣美展評」、遠藤太郎の「二科商業美術展を見て」などが掲載された。当時、アレクサンドル・アストリュックの「カメラ・スティロ（カメラ＝万年筆）」論（アレクサンドル・アストリュック「新しき前衛の誕生：カメラ＝万年筆」『レクラン・フランセ』第一四四号、一九四八年三月三〇日）をきっかけに「映像論」が席巻していた中で、「映像論」にうかがえる「イメージ自律説」に異を唱え、「「イメージ」と「ことば」の有機的関連」といった観点から同展の作品（ポスター）について評している。

本文での「映像論」とは、岡田晋による「映画における映像の意味——映像言語へ対する一つの視点」（『季刊現代芸術Ⅱ』一九五九年三月）と見られる。岡田は同文で「映像は、それ自体の性格をもち、それ自体で思想や社会性や、さまざまな抽象的内容を表現し、伝え得る言語、ぼくたちが日常生活で交し、文章に記号として書きつける言語とは、全く異った、一つの独立する存在である」と述べている。岡田の主張をめぐっては羽仁進が同調したが、一方で柾木恭介が批判し、中原もまた安部公房との連名で反論している（岡田晋、羽仁進、柾木恭介、安部公房、中原佑介らによってなされた「映像論争」については、友田義行の「「映像論争」あるいは「映像と言語論争」試論──モンタージュ・映像言語・芸術総合化をめぐって」（『映像学』第八二号、日本映像学会、二〇〇九年）に詳しい）。

実際に、安部と中原は「映画と文学──現代芸術としての映画」（『キネマ旬報』一九五九年一〇月上旬）の中で、「映像についていえば、言語を媒介することによってのみ、対象から飛躍することができ、映像としての役割りをもつことができる」と主張している（本文では「言語」が「ことば」に、「映像」が「イメージ」に置き換えられている）。そのうえで、エドガー・アラン・ポーやマーク・トウェインの小説などを例に「文学のもつ、対象からの飛躍を可能にするエネルギー」を見いだし、「映像論」に見られる「ジャンルの純粋化」に抗すべく「文学主義に立つ綜合化を！」と唱えている。本文での「『イメージ』と『ことば』の有機的関連」または「『イメージ』と『ことば』の弁証法的な関係」という言辞には、こうした議論が反映されている。

なお本文にもあるように「第九回日宣美展」について、中原は『みづゑ』にも展評を寄せている（「第9回日宣美展をみて」一九五九年九月）。同文では「ロマンチシズムに埋没するや否や、逆に、そのロマンチシズムによって、見事に復讐されているという皮肉な事実」がある点を見て取り、公募作品の多くについても「デザインという機能の上に安住した、自己陶酔というべきものが支配している」と批判している。

デザイナーとは何か（『デザイン』一九六三年一月）

『デザイン』「デザインをめぐる諸考察」欄に寄稿したデザイナー論。『デザイン』（美術出版社）は一九五五年に創刊した『リビングデザイン』を引き継ぎ、五九年から七二年まで刊行された（その後『季刊デザイン』『隔月刊デザイン』へ移行し、七八年に廃刊）。中原は同欄に掲載された林進の「デザイナーへの問」（一九六二年一〇月）に応じるかたちで、「デザイナーとは何か」について述べている。なお六二年の「デザインをめぐる諸考察」欄には他に、向井周太郎の「デザイン──明日あるために」（一月）、泉真也の「神のいないデザイン──デザインは可能か」（一月）、山本孝造の「デザインの忘れもの」（二月）、杉浦康平の「混沌のなかから」（二月）、粟津潔の「無用の用」（九月）、永井一正の「創造の責任」（一一月）、川添登の「『かたち』論」（一二月）が掲載されたが、「デザインとは何か」あるいは「デザイナーとは何をなすべきか」と問う姿勢が散見される。

具体的に中原は本文で、文芸評論家の奥野健男による「技術者とはいかなる人間か──体験的技術者論」（『中央公論』一九六二年二月）を踏まえ、デザイナーの技術者としての側面や「デザインの中立性」について再考している（「デザインの中立性こそが、デザイナーの社会での矛盾の原因だ」）。そのうえで「技術家としてのイメージにプラスアルファーされるもの、それをひっくるめたところにデザイナーが存在する」（「しかし、そのアルファーは芸術家的なものではない」）と唱えており、たとえば粟津潔、杉浦康平による「原水協ポスター」を例に（粟津と杉浦は一九五九年の第五回原水爆禁止世界大会で《ヒロシマの声を世界へ！》ならびに《原水爆禁止＋核武装反対！》を制作）、デザイナーが「デザインでこの社会をどうこうしようとするなら、かれは、「運動」を考える必要がある」と結んでいる（中原はそれを「思想デザイナー」と称している）。

　デザインとデザイナーをめぐる問題については、中原は翌年に記した「デザイナーの個性とデザインの持つ一般性――1964日宣美展の作品から」（『電通調査と技術』一九六四年一一月）でも言及している。同文では「デザイナー個々の発想のなかにある個別的なもの、特殊なものを、デザインという個別的ならざるものへ転化するのでなく、まずデザインという「許されたもの」が既にあり、そこへ個性をもりこもうという、転倒したゆきかたがある」と述べ、どの作品も「許されたものとしてのデザインに対する陶酔がある」と批判的な見解を示している（中原はそれらを「夢みるデザイン」と断じている）。

無用のデザインを（『デザイン』一九六六年一月）

『デザイン』「特集　グラフィックデザイン展〈ペルソナ〉」に寄稿した「ペルソナ」展の展評（同展は一九六五年一一月一二日〜一七日に東京・銀座松屋で開催された）。同特集には他に、梶祐輔の「ペルソナ展と11人のグラフィック・デザイナーたち」、「ペルソナ」展図録に収録された一一名のデザイナーに対するエッセイが掲載された。梶の論考が一九五五年に開催された「グラフィック'55」展や六〇年に東京で開かれた「世界デザイン会議」を踏まえ、戦後日本グラフィック・デザイン史から「ペルソナ」展を位置づけようとしているのに対し、中原は社会的機能や日常的な受容の観点からグラフィック・デザインを「日常的知覚を形式化」したものと捉え、「ペルソナ」展に見いだされる「無用のデザイン」の可能性を唱えている。

　具体的に中原は「日常的知覚」を「歴史とか社会といった一切のものが、行為とか慣習などにくりこまれて、それを規定している」ものと見なし、ヴィジュアル・コミュニケーションが「「視覚伝達」の有用性――つまり、役立つということばかりに意を注いでいる」といった状況の中で、「どうして、それが有用性一色にぬりつぶされているでしょうか」と提起している（「日常的知覚は日常的視覚よりおくふかい」）。そのうえで「ペルソナ」展について「あらゆるもののごた混ぜといっていい日常的知覚を形式化するというのが、そこにみられる特徴」であるとして、「無用性をポジティヴにとらえようとしている」（「日常的知覚の形式化ということで、そのひとつの実現がある」）傾向を見いだしている。

なお「無用」という言辞については、粟津潔が「無用の用」（『デザイン』一九六二年九月）で用いている。粟津は、同文の最後に「デザインがただ有用なものだけを探求するのでなく、無用の用についての思考を深める時、やがてそこから新しい人間の生き方、人間の新しい機能を発見することが出来るかもしれない」と記している。また、『デザイン』に連載されたデイヴィッド・パイの論考「デザインとはどういうものか」（「The Nature of Design by David Pye」有馬寛訳）にも「無用」についての記述が見られる。パイは「デザインに必要な6つの条件」の「第6の条件」と関連して「無用」という言葉を挙げており、「デザイナー達は、たとえ経済条件を満たすことだけが要求されている時でも、所謂「無用」の仕事をしないではいられない」と述べている（デイヴィッド・パイ「デザインとはどういうものか〈3〉」『デザイン』一九六五年一二月）。

「ペルソナ」展の作品の多くはその後に武蔵野美術大学に寄贈され、一九七二年六月に同学美術資料図書館主催のもと「1965年のグラフィック・デザイン　ペルソナ展の作品から」展が開催された。また、二〇〇四年一一月に永井一正と柏木博監修のもと東京銀座の　gggギャラリーにて「グラフィックデザイン展〈ペルソナ〉50年記念Persona 1965」が開催され、「ペルソナ」展図録を再現したカタログも合わせて刊行された（柏木博の「ペルソナ展という事件」を巻頭言に、当時の図録に収録された、各デザイナーに対するエッセイ、勝見勝の「ペルソナ展のこと」、川添登の「グラフィック・アートからグラフィック・デザインへ」、粟田勇の「ビジアルコミュニケーションの再検討を」を掲載）。

「転移」の思想（『SD』一九六八年六月）

『SD』「特集　建築家エットレ・ソットサスの世界」に寄稿したソットサス論。同特集では他に、エットレ・ソットサスの「美について」（大石敏雄訳）、安東早苗の「SOTTSASS Jr. のこと」、G・バッロの「家具を忘れろ」（安東早苗訳）といったテキストが掲載された。また図版にはソットサスのノートの他、雑誌『ピアネータ・フレスコ（新しい惑星）』の一部なども掲載された（『ピアネータ・フレスコ』はソットサスと妻フェルナンダ・ピヴァーノが共同で一九六七年に一号、翌六八年に二／三合併号を刊行）。

中原によれば「「転移」の思想」とは、「ものをデザインするにあたって多目的性を保存するというのではなく、それを使用する人間がある自由度をもって、そのものとの関係をつくりだせるような「あいまい性」をうみだす」ことにある。そのうえで本文では、（ル・コルビュジエのいう）「住宅は住むための機械である」といった機能主義に対し、ソットサスの彩色家具や室内デザインを「あいまい性のデザイン」として位置づけている。なおソットサスは一九六七年二月に来日しセミナーを行なっているが、(本文の引用にもある)「アレッダメント(arredamento)」という言葉などを用い、日本の室内設計と家具との関係性への関心も示している(「家具の経験」と題してセミナーの抜粋が『工芸ニュース』(一九六八年二月)に掲載)。

中原は最後にこうした「あいまい性のデザイン」を「遊び」と結びつけているが、「遊び」については前年に『SD』で特集「遊びと遊びの空間」が組まれており、粟津潔、磯崎新、泉真也、山口勝弘、加藤秀俊とともに座談会に参加している(「遊びを語る」『SD』一九六七年五月)。同号にはまた粟津潔の構成によるグラビアページ「遊び戯れ」も掲載され、中原は泉真也、山口勝弘とともに「協力」として名を連ねた。なお同グラビアのエピグラフにはヨハン・ホイジンガの一節が付されているが(「遊戯の〈面白さ〉は、どんな分析も、どんな理論的解釈も受けつけない」)、中原は当時「「遊び」と真正面に取り組んだ唯一の本」として、ホイジンガの『ホモ・ルーデンス――人類文化と遊戯』(高橋英夫訳、中央公論社、一九六三年)を紹介している(「遊び着」『ミセス全集第四巻　洋服着こなし上手』文化服装出版局、一九六八年)。加えて一九七五年に刊行した『大発明物語』でも「遊び」に言及している(「発明と遊び」、本選集第九巻所収)。同著では、ホイジンガの他にルイス・マンフォードの『技術と文明』やロジェ・カイヨワの『遊びと人間』を参照し、「遊び」の問題を「必ずしも合目的なものとはいえない」非実用的な技術的想像力や「奇妙な発明」(大発明)の展開と結びつけている。

印刷美術について(『三彩』一九六八年九月)

『三彩』「美術時評」欄に寄稿した「第一八回日宣美展」の展評。同展の注目すべき特色に「印刷されたパネル作品に限定している」点を挙げて「「印刷美術」としての新しい性格」や「ポスターは、宣伝とか効用性を捨てて、自立化の方向を強めている」といった傾向を見て取り(同展カタログには「本年は会員各自が、B全判パネル1枚に限定」し、「パネルによる会員作品は、いずれも印刷することを条件としました」とある)、当時の現代美術の動向に鑑みて「(平面的な)イメージは印刷美術が占有することになるかもしれない」と唱えている。同展についてはまた、中原は『美術手帖』にも展評を寄せている(「露呈された絵画コンプレックス――「第十八回日宣美展」で顕著にみられる現代美術の印刷美術へのおきかえ」一九六八年一〇月)。同文では「現代美術の印刷美術へのおきかえ」を単に「グラフィック・デザイナーの「絵画コンプレックス」のあらわれと見るのは、いささか月並みすぎる」と述べ、「「印刷美術展」としてみるなら、問題は「印刷美術」としての貧困さに求められるだろう」と批判している。

なお、本文では「印刷美術」の試みとして河原温の《印刷絵画　絵画と人間》（一九五八年）にも触れているが、中原は「将来、「印刷された絵画」といった展覧会でもひらかれるときには、河原のこの仕事は、先駆的なものとしてクローズ・アップされるであろう」と予見している。「印刷絵画」については、河原が『美術手帖』臨時増刊「特集　絵画の技法と絵画のゆくえ」（一九五九年三月）の中で詳述しており、他に《印刷絵画　いれずみ》（一九五八年）、《印刷絵画　植民地の怒り》（一九五九年）が制作された（中原はそのうち「植民地の怒り」を個人所有し、同作は二〇一六年にＤＩＣ川村記念美術館で開催された「美術は語られる――評論家・中原佑介の眼」展で「中原佑介コレクション」として出品された）。中原も当時、一九五八年に発表した「批評的ルポルタージュ――大衆とタブローとの接点」（『美術手帖』一九五八年六月、のちに「絵画と大衆との接点」に改題、本選集第一〇巻所収）や、六〇年に記した「アメリカ版「空想の美術館」――「ライフ・百万人の名画展」というダイジェスト美術」（『藝術新潮』一九六〇年八月、本選集第一〇巻所収）などで、たびたび河原の「印刷絵画」に言及している。

一方で「ポスターの絵画化」あるいは「絵画のデザイン化」については、中原は前年に記した「デザイン化と絵画化」（前掲）で詳しく述べている。同文では、横尾忠則の演劇ポスターに見られる「シンボル」や「偶像」としての機能に着目し、「ポスターが自立し、それ自身で独立した意味をもちつつあるという性格の推移」のもとで「美術と同質のものになりつつある」傾向を見て取っている。本文でも「ポスターと現代絵画は、ほとんど区別しがたいところまで接近している」と述べており、「今年の「日宣美」展が、こうしたポスターの絵画化あるいは印刷美術への傾向を意識化したものかどうかは速断しがたい」としながらも「第一八回日宣美展」に「印刷美術」への兆しを見ている（「「日宣美」展は「宣伝美術」でなく「印刷美術」へためらいながら進みつつある」）。

引出し論（『ＳＤ』一九七〇年四月）

『ＳＤ』「SD COLUMN」欄に寄稿した倉俣史朗作品に対する家具論。中原は「引出し」のもつ「反時代性」といった奇妙な性格（「家具でありながら、家具をはみだした何ものかであるように思われる」）に着目し、倉俣の家具に「引出しをデザインしている」のではなく、「引出しのもつアナクロニズムに加担して、それをそのまま提出している」といったユーモア性を見て取っている（倉俣は当時「変形の家具 Furniture in Irregular Forms」（一九七〇）をはじめ「引出しの家具 Furniture with Drawers」（一九六七／一九七〇）、「プラスチックの家具 Plastic Wardrobe」（一九六八）、「ピラミッドの家具 Pyramid Furniture」

(一九六八)、「引出しDrawers」(一九六八)、「スチールの家具Steel Furniture」(一九七〇)、「廻転キャビネットRevolving Cabinet」(一九七〇)など「引出し」のある家具を制作している)。またクリストの梱包作品にも、「あらゆるものをあからさまにしようというのが時代の原理である」(「空間と物体の開放化とは、空間や物体の情報化にほかならない」)当時の状況において、「物体を隠す」(情報の切断)といったアナクロニズムを見て取っている。なお、旧東京都庁舎などガラス建築をめぐる「不安感論争」(建築評論家浜口隆一と建設省建築研究所長竹山謙三郎による「(ガラス)現代建築と不安感」をめぐる論争)については、神代雄一郎の「不安感論争」(『藝術新潮』「特集 この発言はどう生かされたか――戦後芸術界10の発言」一九六〇年一〇月)に詳しい。

倉俣への評論としては当時、山口勝弘が「倉俣史朗の世界」(『デザイン』一九六九年二月)を記している。山口は「倉俣史朗とデュシャン」の観点から「いかに正確にデュシャンのやり口を学びとっているかということは、これまで彼が手がけた仕事のすべての上に明らか」と述べ、倉俣の「アクリル樹脂の透明な家具」などに「家具の不透明性とか隠蔽性に強い抵抗を感じはじめている」といった一面を見て取っている。一方で、多木浩二が「零への饒舌」を記している(『倉俣史朗の仕事』鹿島出版会、一九七六年に所収)。多木もまたデュシャンに言及しているが、「デュシャンのそれとはかなりちがっている」として「かれ(倉俣)のレディメイドには借用と転用の両方がある」と述べている。なお、多木は倉俣の幼少期の記憶にも触れつつ、「抽出し(引出し)」シリーズに言及し、「抽出しは、外面によってではなく、その内面によって構造化されているといった方がいい。この抽出しをとおして無意識な世界と操作的な知性とが遭遇し、いりまじり、分離する境界があらわれている」と結んでいる。

中原もまた、倉俣について別の論考を記している(「よみがえる記憶――倉俣史朗の仕事」『インテリア』一九七五年一二月増刊)。同文では、冒頭に倉俣と多木の対談(『四人のデザイナーとの対話――多木浩二対談集』新建築社、一九七五年)を引用し(倉俣の「少年時代の駄菓子屋の記憶」にも触れつつ)、倉俣のデザインに見られる反時代性について述べている。加えて、倉俣の仕事に「事物の構造をあらわにしようとする志向」を見て取っているが、エピグラフにジョージ・クブラーの『時のかたち 事物の歴史をめぐって』(George Kubler, *The Shape of Time: Remarks on the History of Things*, New Haven: Yale University Press, 1962. 同著は中谷礼仁、田中伸幸訳により二〇一八年に鹿島出版会から邦訳が刊行)を付しているように、倉俣作品をクブラーのいう「事物」への視点とも関連づけている(「構造をあらわにするということには、そういう意味でのよみがえった「記憶」が働いているように思う。したがって、そこには彼の幼少年期という個人の歴史の一時期というだけではなく、人間のものや空間についての知覚のあり方ということが秘んでいるともいえよう」)。

八〇年代のイラストレーション（『グラフィック・パワー展』川崎市、一九八九年）

川崎市市民ミュージアム「グラフィック・パワー」展のカタログに掲載されたイラストレーション論（同展は一九八九年一月二一日〜二月一二日に開催。伊勢克也、井原靖章、オヤマダヨウコ、桜井さとみ、タナカノリユキ、谷口広樹、都築潤、内藤こづえ、中村幸子、疋田詢児雄、日比野克彦、日比野充希子が出品）。本文はまた「不死身の怪物──80年代のイラストレーション」と改題し、榎本了壱監修『アートウィルス──日本グラフィック展1980-1989』（PARCO出版局、一九八九年）に再録された。「日本グラフィック展」や「日本イラストレーション展」など一九八〇年代に「いくつかのイラストレーションのコンクールが活況を呈した」中で、六〇年代の動向を振り返りつつ、「変容」を遂げるイラストレーションの実体のなさについて述べている（冒頭に記されたグループは、一九六四年に設立された「東京イラストレーターズ・クラブ」と見られる）。

中原によれば「絵画」といえば「特定の形式のようなものを思い描くことができる」のに対し、「イラストレーション」となると「ティピカルな形式をもたない」。それは「イラストレーション」という概念が「形式」からでなく「機能」から引き出されたからである、という。こうした「特定の形式に限定されないという正体の無さ」に加え、「機能」の「曖昧模糊とした特質」に鑑み、「イラストレーション」を「不死身の怪物」に喩えている。そのうえで、一九八〇年代におけるイラストレーションについて述べているが、とりわけ日比野克彦の立体作品（日比野は「ダンボール・アート」で第三回日本グラフィック展大賞を受賞、なお中原は第一〜一〇回「日本グラフィック展」ならびに「アーバナート#2」の審査員を務めた）に「機能が必ずちゃんとついてくる」点に目を向け、（ルイス・サリヴァンの「形態は機能に従う」という言辞を逆転させて）「機能はイラストレーションに従う」といった思想（現象）を見て取っている。

「イラストレーション」について中原は、一九六四年に椿近代画廊で開催された「1950→1960　池田龍雄・河原温・吉仲太造展」（八月二五日〜九月二日）のリーフレットに巻頭言を記した他、「イメージによるコミュニケーション」（『イラストレーション-イメージ』ダヴィッド社、一九六五年）、「イラストレーションと文化の顔」（『美術手帖』一九六六年四月増刊、本選集第四巻所収）、「イラストレーション'67展」（『季刊クリエティビティ』一九六七年四月）、「現代のイラストレーションの意味」（『教育美術』一九六七年一〇月）といった文章を記している。また「日本イラストレーター会議」（NIC）の結成に際し「日本イラストレイター会議発会宣言」（『イラストレイション』創刊号、一九七〇年三月）を寄せているが、「われわれは、なんでもかでもイラストレイションだという段階をこえて、今や、イラストレイションとは何か、その可能性はという問題に直面している」とした見解を示している（同会宣言については、藤枝晃雄「イラストレイションとは？ 日本イラストレイター会議発刊の新聞をめぐって」（『SD』一九七〇年四月）も参照。なお『デザイン』（一九六九年八月）「話のレーダー」欄に掲載された早川良雄による「「日本イラストレイター会議」（NIC）の発足」に同会の結成マニフェストが記されている）。

加えて一九八六年に開催された「国際イラストレーション・ビエンナーレ」に際し、中原は、選考委員ならびに主催である東京イラストレーション・ビエンナーレ機構（OIBIT）の代表を務め（同代表には他に早川良雄、福田繁雄が名を連ねた）、カタログにもテキストを寄稿している（「イラストレーションの現在――国際イラストレーション・ビエンナーレに寄せて」『国際イラストレーション・ビエンナーレ Vol.1』一九八六年）。同文では「イラストレーションの機能領域が拡大し、その表現能力の幅が拡がってゆく」状況下で、むしろ手描きのイラストレーションが「新しく映って見えてきたという事実がある」と見て取っており（中原はそれを「新絵画」あるいは「脱機能的」イラストレーションと称している）、イラストレーションを絵画よりはるかにはっきりと人々の生活感覚、趣向、風俗、流行などを映す「都市生活の生みだしたアート」として位置づけている。

第四章　写真論［加治屋］

「度のあわないめがね　ザ・ファミリー・オブ・マン写真展」（『美術批評』一九五六年五月）

一九五六年に東京の日本橋高島屋で開かれた「ザ・ファミリー・オブ・マン写真展」に対する批評。同展は、一九五五年にニューヨーク近代美術館で写真部門ディレクターのエドワード・スタイケンが企画した展覧会の日本巡回展で、世界の人々の写真を展示したものである。

同展は、人類とは人種、思想、言語が異なっていようと、ひとつの家族であるというスタイケンの信念のもと、各国から寄せられた二〇〇万枚の写真の中から六八か国二七三名の作品五〇三点を選び、米国七都市、世界三七か国で開催されて大きな反響を呼んだ。

中原は、同展が「好評の連鎖反応」を引き起こしているとした上で、そこに「善意の有害な乱用」を見出す。善意という「度のあわないめがね」を通して世界の人々の写真を見たために、「人間の表情や身振りの皮相的な共通性を強調することに終始して」しまっていると中原は断ずる。その背後には「驚くべき異質性と多様性」が存在しており、各国の「異質的な生活様式のなかで、真の意味での人間的な生活条件を獲得するためのたたかいが行われている」こと、そのなかから思想が引き出されることに目を向けていないと批判し、観衆はスタイケンの人類愛に素朴に感動しているだけで、現実を忘却していると主張する。

この論考は、人間の生活を「物質との対決という視点」から捉えることを重視している点で興味深い。当時の中原は、共産主義と自然科学の用法を踏まえて「物質」という言葉を使っており、そこに安部公房の影響を見ることができる（本選集第一巻『創造のための批評』所収「創造のための批評」解題を参照）。また、厖大な写真のなかから展示作品を選ぶことを、大量のウラニウム原鉱からわずかなウラニウムを抽出することに例えたり、「度のあわないめがね」を通して作品にスタイケンの人間愛を見てしまうことを、ウラニウムの抽出過程でラジウムを抽出することに例えたりしている。物理学出身の中原らしい比喩である。

「予感としての写真」（『展望』一九六八年八月）

スペインの画家ホアン・ヘノベス（Juan Genovés　一九三〇年生まれ）を参照しながら、高梨豊の写真を考察した論考。中原は、上空から逃げ惑う群衆を写真のように描いたヘノベスの絵画を一九六七年秋にニューヨークで見た。写真を連想させるヘノベスの絵画に関連して、美術批評家のジョン・キャナディが写真は時間とともに色褪せると述べたのに対し、中原は、写真は時間に支配されるからこそアクチュアリティがあると述べた上で、写真とは時間的なものであると主張する。ヘノベスの絵画は、逃げ惑う群衆が次にどうなるのかを想像させ、予感に充ちている点に特徴があるとする。

中原は、高梨の写真も予感を感じさせると述べる。初期の作品は、「なにかが起るのではないかといった不気味な沈黙のようなものがひめられているのを感じさせる」とし、「物と物とのあいだにあるすきまのようなものを探して歩いたのではあるまいか」と記す。人間が写り込む、のちの作品は、時間性の意識をはっきり持っており、「つねにその次の瞬間をひめた情景として撮られている」と論じる。

中原は一九六七年のパリ・ビエンナーレで「幻想」をテーマとする写真部門に高梨の作品を出品して、高梨に賞をもたらした。中原は、現代美術と写真の交流には、写真の切り抜きのコラージュやシルクスクリーンによる写真の転写などがあるが、いずれも写真のもつ時間性を絵画のなかに取り入れようとするものであり、ヘノベスの絵画もそこに注目したものだと述べる。中原は、予感としての写真は我々に考察をうながす点で、写真が一般化した時代において写真の大きな可能性を示していると論じて本論を終える。

「剰余」としての写真（『季刊写真映像』一九七一年一月）

中平卓馬『来たるべき言葉のために』、石黒健治『HIROSHIMA NOW』、浅井慎平『STREET PHOTOGRAPH』、内藤忠行『日野皓正の世界』、木之下晃『音楽家――音と人との対話』の五冊の写真集（いずれも一九七〇年刊）を論じた文章。『見ることの神話』（フィルムアート社、一九七二年）に再録されている。

中原はまず最初の三冊を取り上げ、それらが、人影がないかあまり見られない風景の写真である点で共通しているとした上で、深い喪失感を感じさせると述べる。そこには、見る人間の「視覚の優位性」ではなく、見る人間と見られる対象の「同等性」あるいは「相互依存性」があると述べ、その例として、風景の多くが斜めに傾いている中平の写真を挙げる。中原は、中平が空間との関係をイメージに置換しようとしているとして、その写真を「関係としての写真」と呼ぶ。日常の広島を写した石黒の写真は、広島に対して人々が抱く通念を排除するものであり、見る人間の「視覚の優位性」を切り崩すものであると中原は考える。また、人間が無機的に感じられる浅井の写真は、通常は風景の支配者として機能する人間からその優位性を剥奪していると する。内藤、木之下の写真は、音楽家を主題にしたものであるが、ひとりの人間の神秘性を剝ぎ取ってその「測り知れなさ」を浮かび上がらせており、そこに「視覚の優位性」からはみ出すものがあると述べる。写真が日常化して生活の一部となったとき、写真は、現実に対する虚構の視覚ではなく人工の現実となったと中原は考え、そこに「剰余」としての写真という意識が生まれると主張する。

『季刊写真映像』は、一九六九年に写真評論社から創刊された写真評論誌で、吉村伸哉が発行人を務め、一九七一年まで計一〇号が刊行された。本論考が掲載された七号は桑原甲子雄が編集長を務めた。『季刊写真映像』休刊後に、吉村が「写真映像シリーズ」として最初に手がけたのが、森山大道の写真集『写真よさようなら』（写真評論社、一九七二年）である。

「コンセプト・フォト断章」（『美術手帖』一九七二年一月増刊）

写真を使用した一九七〇年代初頭の美術に関する考察。中原は、一九二〇年代のフォトモンタージュ、一九六〇年代の絵画や版画における写真の転写に続いて、コンセプチュアル・アートやランド・アートで写真や映像を用いる作品が登場したことに注目する。中原は、写真を用いた近年の作品を「コンセプト・フォト」と呼び、絵画が物との直接的な関係を断念するのに対して、コンセプト・フォトは、むしろ物との関係を考察していると述べ、その意味で、フォトモンタージュよりも、石、木、砂、水など自然の物を使った作品に近いと述べる。中原は、そうした作品では作家が写真を撮る主体ではなく撮られる対象の側に立つことが多く、また、媒体としての写真の記録性が重視されていることを指摘するが、美術の動向というよりは、付随的な現象とみなしている。

本論考を執筆する際、中原が念頭にあったのは、デュッセルドルフ美術館（クンストハレ）で開催された「プロスペクト'71」である。「プロスペクト」とは、批評家ハンス・シュトレーロウと画廊主コンラート・フィッシャーが組織した展覧会である。一九六八年に始まり一九七六年まで同地で五回開かれた。ロンドン、ニューヨーク、アムステルダムなど、ドイツ国外にある画廊も参加しており、国際的な現代美術の動向を捉える展覧会であった。なかでも「プロジェクション」のテーマをもつ一九七一年の展覧会は注目を集め、ヴィト・アコンチ、ジョン・バルデッサリ、ヨーゼフ・ボイス、クリスチャン・ボルタンスキー、マルセル・ブロータス、ハンス・ハーケ、マイケル・ハイザー、ナウマン、デニス・オッペンハイム、ジグマー・ポルケ、ゲルハルト・リヒター、リチャード・セラ、ロバート・スミッソン、アンディ・ウォーホル、ローレンス・ウィーナーなど七五人の作品が展示された。

「現代美術と写真の交錯」（『朝日ジャーナル』一九七四年一月二五日）

『朝日ジャーナル』一九七四年一月二五日号の特集「映像神話の崩壊」のために書かれた文章。山本明（社会学者）の「写真は「真」を写すか」、中平卓馬（写真家）の「客観性という悪しき幻想」、多木浩二（評論家）の「ことばからの自立は神話である」とともに掲載された。

中原は、一九六〇年代に美術における写真の導入が目立つようになったと述べる。一九六〇年代は、写真に限らず、マンガ、広告、ポスターなど様々な視覚メディアが美術に持ち込まれた時代である。一九五〇年代後半にアッサンブラージュが「既成の物体」の導入を試みたとすれば、一九六〇年代は「既成のイメージ」の導入が行われていると中原は指摘する。写真はこの「既成のイメージ」の一部であるが、美術における写真への関心はそれに先立つものであるとし、中原は一九五三年にロンドンでインディペンデント・グループが開催した「生活と芸術の平行」展にその前触れのひとつを見出している。この展覧会は、連続写真、X線写真、高速度撮影の写真、人類学資料、児童画など一〇〇点の写真を引き延ばして、鑑賞者を取り囲むように壁や天井に懸けた展覧会で、迷路のような展示形式であったという。写真を生活と芸術の両方にまたがるものとして捉える展覧会で、イギリスのポップ・アートの誕生にもつながったと指摘する。

中原は、美術に写真が導入されたのは、美術自体が変化したことにもよると考える。抽象表現主義に見られるように、一九五〇年代までには美術はイリュージョンを退け、作品の表面に視覚が集中するようになっており、それが写真の導入の地ならしとなったと中原は述べる。つまり、一九六〇年代に、美術、写真、その他の視覚メディアが「表面への視覚の集中」という点において同質的なものになったからこそ写真の導入が進むようになったと主張する。

かつては優劣を競い合った美術と写真は、いまや視覚的に同一レベルに達して交錯するようになり、その視覚の意味が問われるようになったと述べ、それを問う写真の「終わりのない運動」に触れて本論を終えている。

美術と写真の関係については、本巻に再録した「予感としての写真」や「コンセプト・フォト断章」の他にも、「現代芸術入門⑧　写真による世界」（『草月』一九七六年一二月。『現代芸術入門』に第八章「写真のひらく新しい世界」として再録）や「写真と美術のたたかい、あるいは対話」（『芸術新潮』一九七七年八月）などでも触れている。

「プライベート・フォトの意味するもの　「わが家のこの一枚」をみて」（『コマーシャル・フォト』一九七五年一月）

ヴァナキュラー写真に関する考察。中原は、広告写真の専門誌である『コマーシャル・フォト』に「写真時評」を一九七五年一月から一二月まで連載した。『週刊朝日』は、一九七四年一〇月から七五年一二月まで五〇回にわたり、『わが家のこの一枚』に見る日本百年」という連載で、読者から家にある古い写真や珍しい写真を集めて掲載した。そうした写真は、自分と個人的なつながりが何もないにもかかわらず、「濃密なリアリティ」を感じさせると中原は指摘し、素朴性（プリミティヴィズム）がリアリティを生んでいると論じる。メディアに流通する不特定多数に向けられた「パブリック・フォト」と異なり、「プライベート・フォト」は、撮影者や被写体を含め具体的な人間の存在を強く感じさせるものであり、写真の中でも特に他者の眼との結びつきを感じさせると論じている。この文章が書かれた頃、古い時代の写真や絵葉書に対する関心の高まりがあったとは言え、欧米の最新の広告写真などを紹介している専門誌で連載の初回からヴァナキュラー写真を取り上げたのは興味深い。

中原は、『コマーシャル・フォト』九月号に「再び、プライベート写真を考える　別のアングルから写真のメディアを考えさせる」と題する論考を書いている。『カメラ毎日』が米国のフレッド・アンドリュースが収集したスナップ写真を大量に掲載したのを踏まえて、プライベート・フォトを再考している。プライベート・フォトには、パブリック・フォトにはない「人間関係の具体的なしるし」といった要素があり、写真というメディアを考察するための興味深い視点を提供していると述べる。

「写真への考古学的関心　関心を薄くする美学主義」（『コマーシャル・フォト』一九七五年二月）

コンポラ写真に関する考察。コンポラ写真とは、日常的な光景や出来事を私的なまなざしで捉えた写真で、一九六〇年代末から七〇年代初めにかけての日本で注目された。牛腸茂雄や新倉孝雄がその代表である。名前の由来は、一九六六年に米国ロチェスターのジョージ・イーストマンハウス国際写真美術館で開催された「コンテンポラリー・フォトグラファーズ　社会的風景に向かって（Contemporary Photographers: Toward a Social Landscape）」展である。同展に出品した、リー・フリードレンダー、ゲイリー・ウィノグランドなどの写真家に、日本の写真家が影響を受けたとされる。中原は、コンポラ写真とは「どこか落着きを感じさせない写真」であると述べる。それは、不特定多数に向けたパブリック・フォトに、私的な視線を投影させようとしているからであるとする。中原は、パブリック・フォトには、写真を美しいものと捉える一種の美学主義があるとし、美学主義が強まると、具体的な人間の視線を感じさせる「写されたものとしての写真」への関心が薄まってしまうと述べる。中原は、「見えるものとの視線のつながりの実感に飢えている」からこそ、コンポラ写真がこの欠落感を埋めようとすると同時に、写真への考古学的関心が高まっていると述べ、両者のあいだに並行関係を見出している。

『コマーシャル・フォト』に連載された「写真時評」は、写真家の作家論・作品論を展開することはほとんどなく、ヴァナキュラー写真やコンポラ写真の他に、写真に関する展覧会や書籍、ハイパーリアリズム絵画、テレビＣＭ、報道写真、テレビの野球中継など、そのときの関心に応じて自由なテーマで書かれており、中原の関心の広さをうかがわせる。

第五章　映画・映像論［粟田］

映画の「第四次元」（『映画芸術』一九五九年一〇月）

『映画芸術』「特集《新しい映画》とは何か」に寄稿した映画美術論。「企画」「脚本」「演出」「撮影」「編集」「美術」「音楽」「色彩」と項目分けされた中で、中原は「美術」の項を執筆した。セルゲイ・エイゼンシュテイン（原文ではエイゼンシテインと表記）の「映画の第四次元」（『映画の弁証法』所収、佐々木能理男訳、角川文庫、一九五三年）にアインシュタインのいう「相対論的な時空概念」が念頭に置かれているのを見て取り、「映画の時空表現」について述べている（中原は「第四次元」について同時期に、クリフトン・ファディマン編『第四次元の小説』（三浦朱門訳、荒地出版社、一九五九年）の書評も記している（「数学に基づく短編集」『読売新聞』一九五九年九月二〇日夕刊））。

具体的に中原はロベルト・ロッセリーニの《戦火のかなた》やルネ・クレマンの《海の牙》または《鉄路の闘い》について、「戦後の現実の中に立ちながら、アストリュックのように、その混乱をあくまで「第三次元」の空間のなかで整合しようというような態度でなく、崩壊を崩壊のまま描きだそう」としているとして、「第四次元」への糸口を見いだしている。またアインシュタインの一般相対性理論を参照しつつ（「時空連続体はそのなかに存在する物質によって歪曲を受ける」）、アンジェイ・ワイダの《地下鉄道》に、戦後のポーランドの現実の歪みの根元となるべく「時間の「日常性」をねじ曲げ、より大きな社会的空間と歴史的時間とを連続化させるべき物質」としての一面を見て取っている。加えて、ジュールズ・ダッシンの《掟》にも「ブドウ酒のビン」の存在により「特異な時空」（広場の光景）が形成されているさまを見ているが（《掟》については、中原は映画評も記している（「ジュールズ・ダッシンと「掟」」『映画評論』一九五九年八月））、これらの作品を踏まえ、中原は、映画に登場する事物に対して（持論である「テレビ・ドラマ＝喜劇論」を交えつつ）「セット（空間）」の概念を変革すべく「人間と相互作用する「物質」」として見ることの不可欠性を唱えている。

なお岡田晋、柾木恭介との「映像論争」をめぐっては、中原も当時、安部公房との連名で岡田に対し反論しており（本書第三章所収「第九回「日宣美展」評」の解題を参照）、本文では、岡田の「モンタージュ論の時代は終った」（『映画評論』一九五九年七月）での「ワン・ショット」の見立てに対し「第四次元」の視点から批判している。

一方「ミュージカルス」や「シネ・ミュージカル」について「現在的な意義があると思う」と述べているが、こうしたまなざしには、花田清輝や安部公房の影響が見られる。花田は当時「ミュージカルスとアヴァンギャルド」（『映画的思考』未来社、一九五八年所収）の中で、ジーン・ケリー、スタンリー・ドーネンによる《踊る大紐育》をその端緒に「シネ・ミュージカル」を「二十世紀後半期におけるもっともアヴァンギャルド的な芸術」として位置づけている。安部もまた「ミュージカルス」（『群像』一九五八年六月）の中で、「新しい大衆芸術――花田清輝流にいえば、前衛と後衛の結合」としての可能性に言及し（同文には「ミュージカルスの中心は、単なる歌でも踊りでもなく、あえていえばそれらをむすぶ「前庭器性空間知覚」とでもいうべき、より根元的な自己感覚や、関節部位やコルジ氏器官による姿勢ならびに運動感覚等なのである。ここでつくられる、線状加速度と角性加速度、あるいは位置や転位の知覚の組合わせが、リズムの理解となり、やがては歌や踊りという表現の母胎にもなる」とある)、実際にミュージカルの台本も手がけている(「可愛い女」『季刊現代芸術Ⅲ』一九五九年六月)。「ミュージカルス」をめぐっては、中原は「現在の会」のメンバーとして安部公房、長谷川四郎、武田泰淳との座談会「ミュージカルス――現在の眼(上)(下)」(『日本読書新聞』一九五七年一月二一日、一月二八日)に参加し、意見を述べている。また、安部の「可愛い女」(台本)の作品評を記した他(「「無邪気な結晶」について――安部公房の新作ミュージカルズ〝可愛い女〟」『キネマ旬報』一九五九年七月下旬)、ジョージ・パルの《親指トム》の映画評でも「アニメーションとシネ・ミュージカルスの総合」といった観点から論じている(「〈新映画評〉親指トム」『キネマ旬報』一九五九年八月上旬)。

アニメーション映画の可能性(『記録映画』一九六二年七月)

『記録映画』「特集 アニメーション」に寄稿したアニメーション映画論。同特集には他に、柳原良平の「アニメーションの現状と将来への展望」、岡本昌雄の「動画映画の笑い マクラレンの技法」などが掲載された(同号にはまた、谷川俊太郎作・真鍋博アニメーションによる「アニメーション・シネ・ポエム LINES OF LINES」、関根弘脚本・久里洋二動画による「アニメーション映画シナリオ新竹取物語」も掲載)。中原はディズニー・スタイルの漫画映画を批判する一方、反ディズニー・スタイルの動向としてカレル・ゼマンの《悪魔の発明》やノーマン・マクラレンの作品に目を向け、「アニメーションというひとつのジャンルをおもわせるものがある」として「アニメーションの独自性」を見いだしている。また「アニメーション三人の会」(久里洋二、真鍋博、柳原良平)の試みもその一例と見ているが、「三人の会」のメンバーの発言に倣い(「アニメーションは必ずしも漫画映画でなければならないことはない」)、「アニメーション即漫画映画というのは、必ずしも成りたつ必要のないことである」と述べている。なおディズニー・スタイルとアニメーションの比較については、中原は《ひょうたんすずめ》(横山隆一監督)の映画評でも論じている(「〈新映画評〉ひょうたんすずめ」『キネマ旬報』一九五九年三月下旬)。

最後に、ディズニー式の大資本とは異なる「映画の個人表現化」も無視できない点として挙げているが(こうした点については、瀧口修造がすでに「動画考 ワクを破る面白さ――野心的な3人の会の試み」(『朝日新聞』一九六〇年一二月一四日夕刊)で「ハリウッドあたりの大規模な技術や資本をもたず、むしろその欠点を逆用しようとしているところがある」と言及している)、真鍋博のいう「アニメーションというのは四畳半的なものだ」といった言辞を引きながら、そこに「近代美術のゆきづまりという意識のあることも、見落とせない」点も指摘している(真鍋は『SAC:3人のアニメーション』(一九六〇年一一月)

に寄稿した「海の雪――マリーン・スノウ」で次のように記している。「アニメーションというとすぐコミックな動きを連想する。またアニメーションには大変な技術や設備が必要だといわれる。莫大な経費や時間もかかるという。こうしてつくられたフィルムの出来不出来はストーリーの面白さやアニメーションのテクニックでしか左右されない。〈日本のディズニー〉的な意識がまるでこれ以外に方法がないみたいにはびこる。そのくせ4畳半設備に4畳半方法しかもちあわさない。〈3人の会〉の今度の仕事ではこのような既成の方法を一つ一つ疑ってみたい。絵画という動かない画面の仕事を続けてきたぼくは自分のパターンを動かせてみる一つの方法として今度はアニメーションを選んだのである」。また久里洋二の「新しいアニメーションとの戦い その発展過程と今後の動向」(『宣伝会議』一九六二年一一月)にも「第一回のアニメーション三人の会の時、真鍋博は舞台によるアニメーションを発表した。彼は四畳半的なアニメーションは古いと言うのである。もっと広く町々の中にはいって行くべきである、と力説する」とある)。

「アニメーション」については、中原は本文より前に「アニメーション・フィルムの美学」(『SACジャーナル』一九六一年一二月)や「アニメーションの可能性と将来」(『デザイン』一九六二年二月)といったテキストで言及している。「アニメーション・フィルムの美学」では、アメリカ製漫画映画に「無機的なものを有機的なものに〈変形〉する」といった「変形の美学」を見て取り、一方でそのアンチテーゼとしてマクラレンのアニメーションを挙げ、「人間が非人間的なものに、そしてイスとかタルが有機的なものに〈変形〉されるのでなく、日常的な感覚からとびだした異次元のものに〈変質〉されてしまう」といった「変質の美学」を見いだしている。

「アニメーションの可能性と将来」でもまた、マクラレンの《Blinkity Blank》(邦題《緑と色の即興詩》)や《隣人》、ゼマンの《悪魔の発明》、ヤン・レニカとヴァレリアン・ボロヴツィクによる《Dom》を例に「マンガ映画第一主義を放棄したことで、かえって大きな可能性をもつ」と述べており、「アニメーション三人の会」についても「アニメーションといえばマンガ映画というようにおもわれている通念を破りたいといったその抱負にある」としてその可能性を示唆している。なお「アニメーションの可能性と将来」は、中原と久里洋二、真鍋博、柳原良平との連名となっており、中原のテキストに加えて久里、真鍋、柳原の作品(映画タイトル、テレビコマーシャル、アニメーション)がコマ形式で掲載された。

色彩に重ねた作者の思想(『キネマ旬報』一九六五年一〇月下旬)

『キネマ旬報』「「赤い砂漠」アントニオーニをどう理解すべきか」に寄稿した《赤い砂漠》の映画評。同欄には他に、白井佳夫の「現代的なイメージの美学「赤い砂漠」の映像」、渡辺淳「アントニオーニの虚像と実像――彼の思想と方法をさぐる」が掲載された。中原は「絵画と映画を比較するのは、多少の無理がある」と断りつつも、ジャン・デュビュッフェが「反文明」的な「現実の物体のもつ生まの色（色のついた物質）」に着目したことに対し、ミケランジェロ・アントニオーニの《赤い砂漠》に「文明のうみだした色彩」（「工場の外におかれたおびただしいドラム罐の堆積」「工場の煙突からもくもくと吐きだされる黄色い煙」）としての様相を見て取っている。なお本文で引用されたデュビュッフェの言葉については、デュビュッフェの芸術論集『あらゆる種類の愛好家に与える趣意書』（Jean Dubuffet, *Prospectus aux Amateurs de Tout Genre* , Paris: Éditions Gallimard, 1946）から訳したものと見られる（同書の一部は、瀧口修造が「〈現代作家〉ジャン・デュビュッフェ」（『美術手帖』一九五四年一〇月）で引用している）。

「色彩映画」について中原は以前に、今井正の《米》（一九七五年公開）に対する映画評の中でも述べている（「映画色彩評「米」（東映）」『美術手帖』一九五七年五月）。同文では「農民をとりあげ、土地問題とからみあわせて、オムニバスふうに描いた映画だが、レアリスチックな色彩映画としては、わが国でははじめての作品」として《米》に着目しているが、「全体がヴェールにかけられたようにうつくしいという印象は、拒みがたい」として「モノクロームの映画ではきわめて陰惨な、あるいは非情に感じる場面が、素通りしてしまわなくもない」と批判し、「色彩映画は、モノクローム映画にたんに色彩をつけたものではなく色彩が表現の技術のうえに質的な変化をもたらすものであり、それは内容に影響を与えない筈はない」（「色彩の出現が革命的だ」）と唱えている。また、同文では今井の発言も引いているが（「色の問題は、映画に音がついたというふうなことから比べれば、それほどショッキングなことではない、ぼくらにとってそれほど革命的な変革ではないと思うんです……、というようなことを、今井正がいっているのを読んだ記憶がある」）、本文冒頭での中原のいう「一般的なみかた」はこれを踏まえたものとなっている。

なお本文にある「つくられた自然」という言辞は、その後、中原の編著による『現代の美術 art now 第五巻　つくられた自然』（講談社、一九七一年）の表題に用いられている（同シリーズは高階秀爾との共同企画で全一二巻・別巻一からなり、編集委員は他に大岡信、東野芳明、針生一郎が連ねた。中原は高階と共同で『第一巻　先駆者たち』『別巻　現代美術の思想』も担当している）。中原は同著で「都市の生活環境」を「つくられた自然」と称し、デュシャンのレディ・メイドを基点に人工品を素材とした戦後の「新しい」「都市の美術」について展望している（同著の最後には「「つくられた自然」の美術とは、結局は「都市の美術」ということである。そして、都市の美術はまた都市という環境の中に置かれてその構成要素となり、全体として都市文化を形成することに寄与する。したがって都市の美術とは、都市生活の自己診断といえる」とある)。本文は、こうした「都市の美術」へのまなざしに通じるものとも見て取れる。

時間の拡張と映像の凋落(『季刊フィルム』一九六九年二月)

『季刊フィルム』「特集 エクスパンデッド・シネマに何を見るか」に寄稿したエクスパンデッド・シネマ論。同特集には他に、飯村隆彦の「イメージのコミュニティ」、石崎浩一郎訳によるマイクル・カービーの「新しい劇場における映像の使用」(Michael Kirby, "The Uses of Film in the New Theatre," *The Tulane Drama Review*, vol.11, no.1 (Autumn 1966))、山田学・月尾嘉男の「コンピューターで何が表現できるか」、磯崎新・武満徹・松本俊夫・宮井陸郎による「座談会〈未来に向き合っているもの〉」が掲載された。冒頭に「映画はふたつの時間をもっている」(映画固有の時間と現実の時間)とあるように、映画のもつ時間性を再考しつつ、エクスパンデッド・シネマに見られる「時間観の根本的な変化」について述べている。

中原はまず「映画が他のジャンルに比して独自である根源」として(ジョルジュ・メリエスの映写のエピソードやサイレント時代のドタバタ喜劇を例に)「映画が固有の時間をもっている」点を挙げ、一方、それと対比するかたちで(ジガ・ヴェルトフの《カメラを持った男》をその萌芽に)ジャン=リュック・ゴダールの《ウイークエンド》やアンディ・ウォーホルの映画に(テレビの生中継番組にも似た)「映画固有の時間をどこまで現実の時間感覚に引き寄せるかという「時間性」の問題」が見られる点、または「映画固有の時間への根本的な批判」がなされている点を見て取っている(「ウォーホルが追い出したのは、映画の虚構性ではなく、映画のもつ時間の虚構性である」)。

そのうえで、エクスパンデッド・シネマについても、シェルドン・レナンの『アンダーグラウンド映画』(Sheldon Renan, *An Introduction to the American Underground Film*, New York: E.P. Dutton, 1967)を参照しつつ、「問題は素材としての「光と時間」にあるのではなく、「光と時間」にたいする考え方の変化」にあると見て取り、「エクスパンドしたのは、固有の時間から現実の時間へという時間の次元においてであり、映画そのものというわけではない」と唱えている。なお日本での動向として、宮井陸郎の《時代精神の現象学》(一九六七年、東京都写真美術館蔵)や粟津潔の《四つのプロジェクションのためのエンバイラメントA》(一九六八年、京都国立近代美術館「現代美術の動向」展に出品)に触れているが、原文では、安土ガリバー(シュウゾウ・アヅチ・ガリバー)の《シネマティック・イリュミネーション》(一九六八―六九年)の写真も合わせて掲載された。

「時間」という問題については、中原は当時「デザインの時間性――日宣美展にふれて」(『季刊クリエティビティ』

一九六六年一〇月）や「時間の奪回——第10回日本国際美術展・東京ビエンナーレについて」（『SD』一九七〇年七月）でも述べている。とりわけ後者では、中原の企画による同展の出品作品に対して（リチャード・セラの「杉の生木」、ダニエル・ビュランの「街のあちこちに白と灰色のタテ縞の印刷された紙片を貼った」行為、クリストの梱包、ヤニス・クネリスの「部屋の封鎖」）「美術館によって時間を奪われてしまうことにたいするアンチ・テーゼ」としての側面を見いだしている。本文ではそれをマーシャル・マクルーハンのいう「環境」と結びつけるかたちで記している（「「環境」という概念の本質は、われわれが現実の時間を奪回するということである」。マクルーハンについては、本書第一章所収「イメージの所有」「触覚の復権」も参照）。

加えて「アンダーグラウンド・シネマ」については、草月アートセンターで開催された「アンダーグラウンド・フィルム・フェスティバル」（一九六七年年三月八〜一四日）に際し、中原は作品評を寄せている（「暗闇の凝視からの脱出——アンダーグラウンド・シネマのイデオロギーは何か?」『日本読書新聞』一九六七年四月三日）。同文ではジョナス・メカスの《樹々の大砲》やジャド・ヤルカットの《われら河の流れにそって》に言及し、「暗闇のなかに坐ってスクリーンを凝視するという映画形式の純粋化」とは異なる「われわれの意識の日常的レベルと同等の不確かさを根底にしている」といった一面について述べている。

見ることへの過激性（『季刊フィルム』一九七一年三月）

『季刊フィルム』「特集　ジガ・ヴェルトフ（映画眼）」に寄稿したジガ・ヴェルトフ論（同号の編集委員は粟津潔、飯村隆彦、武満徹、勅使河原宏、中原佑介、松本俊夫）。同特集には、福島紀幸訳によるヴェルトフのマニフェスト・論文・講演（「われわれ」一九二二年、「キノキの転換」一九二三年、「キノグラースの誕生」一九二四年、「キノプラウダについて」一九二四年、「演劇とキノグラース」一九二四年、「キノグラースからラジオグラースへ」一九二九年、「最初の試み」一九三一年）の他、「日記と構想（抄）」（守山晃、岡田一男訳）、「カメラを持った男（製作申請書）」（岡田一男訳、一九二八年）、セルゲイ・エイゼンシュテインの「形式への唯物論的アプローチの問題によせて」（岡田一男訳、一九二五年）、三浦つとむの「芸術における実用主義的解釈批判——20年代ソヴェト芸術の再評価を中心に」、マルセル・マルタンによるジャン＝リュック・ゴダールへのインタヴュー「なぜ〈ヴェルトフ集団〉を名乗るか」（田之倉稔訳、一九七〇年）が掲載された。

中原は、ポール・ローサなどヴェルトフの映画をドキュメンタリー映画の系譜に位置づける傾向を「いささか単純にすぎる」と断じ、（特集に掲載された）ヴェルトフのマニフェストや日記に言及しつつ、ヴェルトフの映画におけるラディカリズムについて述べている（「「現在の映画芸術」の全面的な否定、いいかえれば社会における映画の全面的な再構成が「キノグラース」の根底であり、「記録」はかれにとって映画の一機能にとどまるものではなかった」)。そのうえでヴェルトフの映画をエイゼンシュテインのそれに対比させているが、エイゼンシュテインの「演劇から映画への移行」が「「労働生活の現実」の映画への上昇」という意図にもとづいているに対し、ヴェルトフの映画は「「労働生活の現実」への下降」を目指したものであると見て取っている。またエイゼンシュテインの「モンタージュ」に対し、ヴェルトフの《レーニンの三つの歌》に「アッサンブラージュ」としての側面も見いだしている。

一方、映画に限定せず、全般的な芸術思潮との関連で見る必要があるとしてロシア構成主義の思潮にも目を向けている。本文では一九六〇年代以降の欧米での構成主義に対する関心の高まりを見て取りつつ、ロナルド・ハントの論考「構成主義者のエトス――一九一三―一九三二年」(Ronald Hunt, "The constructivist ethos 1913–1932 [Part I]", *Artform*, vol. 6, no. 1 (September 1967), "The constructivist ethos 1913–1932 [Part II]", *Artform*, vol. 6, no. 2 (October 1967)) やジェイ・レイダの『キノ――ロシア・ソビエト映画史』(Jay Leyda, *Kino: A History of the Russian and Soviet Film*, London: George Allen & Unwin, 1960) などを参照し、「芸術と生活の融合というエトス」といった観点からヴェルトフの仕事を位置づけている(中原はハントの視点が新しいものではないと断りつつも、「構成主義があまりに造形作品中心にのみ眺められていたことを否定し、映画、ファクトグラフ、アジ演劇、出版物のなかにそのエトスを見出し、特に『レフ』『ノーヴィ・レフ』の二誌への注目を喚起している」点に着目している)。また、最後にヴァルター・ベンヤミンのテキストを引用し、「ヴェルトフの映画が、『ノーヴィ・レフ』で主張された「事実文学」「生きた新聞」という演劇、「ファクトグラフ」という写真などと共通の関係をもっている」と結んでいる。

ヴェルトフの映画について中原は、一九六六年に草月アートセンターで開催された『世界前衛映画祭』のパンフレットに寄稿した文章でも述べている(「前衛映画について――ヴェルトフのことなど」『世界前衛映画祭2』一九六六年。「二〇年代の前衛映画――〈世界前衛映画祭〉の機会に」と改題して『見ることの神話』(前掲)に再録。なお同映画祭会期中の二月二日に「映画眼・運動――ソヴィエト」と題し、ヴェルトフの《レーニンのキノプラウダ(キノプラウダ第二一号)》《十一年目》《これがロシヤだ(カメラを持った男)》が上映された)。同文ではジョナス・メカスのいう「夢のなかの実験」と「現実のなかの実験」という区分をもとに、「〈現実のなかの実験〉派のいわばウルトラ左翼」に位置づけられるヴェルトフの映画について、「撮影するカメラがまた画面に登場するという仕組み」に「いわば〈見る眼〉をもう一度〈見る〉というような性格が示されている」として「〈夢のなかの実験〉というにふさわしい」一面を見て取っている。

中原佑介（なかはらゆうすけ）　略歴

1931年8月22日、兵庫県神戸市に生まれる。本名・江戸頌昌（えどのぶよし）。神戸市立成徳国民学校、兵庫県立神戸第一中学校を経て、1948年、旧制第三高等学校理科に入学。学制改革に伴い、翌年京都大学（新制）理学部に入学する。1953年同物理学科を卒業、同大学院理学研究科に進学し、湯川秀樹研究室で理論物理学を専攻した。1955年、修士論文と並行して書いた「創造のための批評」が、美術出版社主催第二回美術評論募集第一席に入選したのを機に美術批評の道に進む。1970年に第10回日本国際美術展（東京ビエンナーレ）「人間と物質」のコミッショナー、1976年と1978年にヴェネツィア・ビエンナーレのコミッショナーを務めるなど、数多くの展覧会の企画に携わり国際的に活躍。2000年からは、越後妻有アートトリエンナーレのアートアドバイザーを務めた。京都精華大学学長、水戸芸術館美術部門芸術総監督、兵庫県立美術館長、美術評論家連盟会長などを歴任。2011年3月3日、79歳で死去。

主な編著書：『ナンセンスの美学』現代思潮社、1962年／『現代彫刻』角川書店、1965年／『見ることの神話』フィルムアート社、1972年／『人間と物質のあいだ――現代美術の状況』田畑書店、1972年／『ナンセンス芸術論』フィルムアート社、1972年／『大発明物語』美術出版社、1975年／『現代芸術入門』美術出版社、1979年／『現代彫刻』美術出版社、1982年（改訂新版、1987年）／『クリスト――Christ works 1958―1983』草月出版、1984年／『ブランクーシ――Endless beginning』美術出版社、1986年／『80年代美術100のかたち』INAX、1991年／『兵士の物語』評論社、1992年／『一九三〇年代のメキシコ』メタローグ、1994年／『なぜヒトは絵を描くのか』フィルムアート社、2001年／『関係と無関係――河口龍夫論』現代企画室 、2003年　など

（図版出典）

●口絵

口絵1　Robert Rauschenberg, *Features* from *Currents*, 1970.
New York, Museum of Modern Art (MoMA). One from a portfolio of 26 screenprints.

口絵2　《ヒロシマの声を世界へ！／第5回原水爆禁止世界大会／広島／原水爆禁止日本協議会》1959年
金沢21世紀美術館蔵　© AWAZU Yae［画像キャプションは現代企画室の調査による］

●本文

テキスト初出掲載誌より引用。

中原佑介美術批評 選集 第七巻

メディアとしての芸術——漫画・デザイン・写真・映像

発行日 二〇二二年八月二〇日 初版第一刷
定価 二五〇〇円+税
著者 中原佑介
編集 中原佑介美術批評選集編集委員会
代表：北川フラム／池田 修
委員：加治屋健司／粟田大輔／永峰美佳
月報：福住廉 アーカイブ：鏑木あづさ
装丁 浅葉克己
本文デザイン 北風総貴
発行 現代企画室+BankART出版
発売 現代企画室
東京都渋谷区桜丘町一五—八—二〇四
TEL 〇三—三四六一—五〇八二
FAX 〇三—三四六一—五〇八三
E-mail gendai@jca.apc.org
印刷製本 シナノ印刷株式会社
ISBN 978-4-7738-2207-6 C0070 ¥2500E